Dennis Lehane

Darkness, Take My Hand

серия "Лекарство от скуки"

Романы Денниса Лихэйна,
изданные в серии:
"Глоток перед битвой"
"Святыня"
"Таинственная река"
"Остров проклятых"
"Прощай, детка, прощай"

Деннис Лихэйн

Дай мне руку, Тьма

Издательство "Иностранка"

Москва

УДК 821.111(73)-312.4Лихэйн
ББК 84(7Сое)-44
Л65

Dennis Lehane
DARKNESS, TAKE MY HAND

Перевод с английского Р.Галушко

Разработка серийного оформления А.Бондаренко

Художественное оформление С.Ляха

Лихэйн Д.

Л65   Дай мне руку, Тьма : Роман / Пер. с англ. Р.Галушко — М. : Иностранка, Азбука-Аттикус, 2013. — 480 с. — (Лекарство от скуки).
ISBN 978-5-389-06097-5

Дело, за которое берутся Патрик Кензи и Энджи Дженнаро — частные детективы из Бостона, — не из легких. Психиатр Дайандра Уоррен и ее сын-студент таинственным образом навлекли на себя гнев киллера ирландской мафии и нуждаются в защите. Расследование, предпринятое сыщиками, совпадает со вспышкой в городе кровавых убийств. Времени на разгадку страшной тайны, истоки которой кроются в преступлении четвертьвековой давности, у сыщиков остается все меньше...

УДК 821.111(73)-312.4Лихэйн
ББК 84(7Сое)-44

ISBN 978-5-389-06097-5

Как-то в детстве отец взял меня с собой на крышу только что сгоревшего дома.

Вызов пришел, когда он показывал мне пожарную часть, поэтому я залез рядом с ним на переднее сиденье пожарной машины и вперился в черную синеву дыма впереди, замирая на крутых поворотах и вздрагивая от оглушительного рева сирен.

Через час пламя было погашено, я уселся на край тротуара, и каждый пожарный почему-то считал своим долгом потрепать меня по голове и угостить хот-догом. Я сидел и наблюдал за их работой, когда пришел отец, взял меня за руку и повел к пожарной лестнице.

Густой дым въедался в волосы, стелился по кирпичам, а мы всё поднимались и поднимались. Через разбитые стекла виднелись выгоревшие, обуглившиеся полы. Сквозь провалы в потолке струились потоки грязной воды.

Дом наводил на меня ужас, и, когда мы добрались наконец до крыши, отцу пришлось взять меня на руки.

— Патрик, — прошептал он, — все уже кончилось. Разве ты не видишь?

Я посмотрел и увидел желто-синие стальные небоскребы города, простиравшегося до горизонта. Но под нами была гарь, духота и разруха.

— Видишь? — переспросил отец. — Опасность позади. Мы остановили огонь на нижних этажах. Здесь он нас не достанет. Если загасить все на корню, он не разгуляется и не поднимется вверх..

Он погладил меня по голове и поцеловал в щеку.

Меня била дрожь.

Пролог

Три дня назад, в первую праздничную зимнюю ночь, был тяжело ранен Эдди Брюэр, мой друг детства. Он был одним из четырех человек, застреленных в фешенебельном универсаме. Но не грабеж был причиной случившегося. Убийца, Джеймс Фаэй, недавно поссорился со своей подружкой Лорой Стайлз, кассиршей круглосуточной смены. В 11:15, когда Эдди Брюэр взял спрайт со льдом, Джеймс вошел и выстрелил в Лору, один раз в лицо и дважды в сердце.

Затем он прострелил голову Эдди и спустился в отдел замороженных продуктов. Там увидел пожилую вьетнамскую пару, съежившуюся в молочной секции. Всадив в каждого из них по две пули, Фаэй счел дело сделанным.

Он вышел на улицу, сел в автомобиль, прилепил скотчем к боковому зеркалу судебное постановление, которого добились против него Лора Стайлз и ее семья, повязал голову Лориным лифчиком, отхлебнул виски и выстрелил себе в рот.

Джеймс Фаэй и Лора Стайлз скончались на месте. Вьетнамец умер по дороге в госпиталь самаритян в Карни, его жена — несколькими часами позже. Эдди Брюэр лежит в коме, врачи настроены пессимистически и говорят, что то, что он до сих пор жив, ничем иным, как чудом, объяснить нельзя.

Пресса тут же ухватилась за эти слова. Брюэр, насколько я помню, был отнюдь не праведником, однако стал священником. Правда, в ту роковую ночь он был не при исполнении, да и одет обычно — свитер и кожаная куртка, поэтому угадать в нем священнослужителя было трудновато, впрочем, вряд ли это имело значение для убийцы. Но пресса то ли от атмосферы рождественских праздников, то ли от радости, что в криминальной хронике появилась свежая тема, разыграла эту историю по всем правилам.

Телекомментаторы и главные редакторы газет дошли до того, что связали нападение на Эдди с началом Апокалипсиса, поэтому вокруг церкви в его приходе Лоуэр-Миллз и больницы, где он лежал, было установлено круглосуточное дежурство. Безвестному служителю Господа светило звание мученика независимо от того, умрет он или нет.

Впрочем, все это не имеет никакого отношения к кошмару, свалившемуся на нас два месяца назад, — кошмару, стоившему мне ранений, которые, по уверениям врачей, когда-нибудь заживут, однако правая рука так и не обрела былую чувствительность, а из-за рубцов на лице, которые до сих пор иногда горят, пришлось отрастить бороду. Нет, раненый священник и серийный убийца, очередная «этническая чистка» в бывшей Советской республике, мужчина, обстрелявший клинику абортов недалеко отсюда, или не пойманный пока киллер, расстрелявший десять человек в штате Юта, — все они никак не связаны между собой.

Правда, иногда мне кажется, что все-таки связаны, какой-то невидимой нитью, и, если б нам удалось вычислить, откуда она тянется, и ухватиться за нее, все встало бы на свои места.

Бороду я начал отращивать со Дня благодарения. Первая в моей жизни борода, она вызывает у меня постоянное удивление, особенно по утрам, когда смотрюсь в зеркало. Можно подумать, я по ночам мечтаю о гладкой коже, как у младенца, которого овевают только сладостные ветры да материнская нежность.

Мой офис — «Кензи & Дженнаро: частные расследования» — закрыт. Наверно, в нем сейчас все заросло паутиной, и угол позади моего письменного стола, и стенка за столом Энджи, ушедшей в конце ноября. Я стараюсь не думать о ней. И о Грейс Коул тоже. И о ее дочери Мэй. И вообще ни о чем.

В соборе на другой стороне улицы закончилась месса, и большинство прихожан, обрадовавшись теплой погоде — где-то выше нуля даже после захода солнца, — разбрелись вокруг. Отовсюду раздавались пожелания доброго здоровья и веселых праздников. Погоду, конечно, тоже обсуждали, до чего неустойчива она была весь год: лето холодное, осень теплая, потом ударили холода, ничего удивительного, если рождественское утро преподнесет еще какой-нибудь сюрприз.

Кто-то вспомнил Эдди Брюэра, о нем поговорили немного, но не слишком долго, чтобы не портить праздничное настроение. Но все-таки, вздыхали они, как безумен этот мир! «Безумен, безумен, безумен», — носилось в воздухе.

Совсем недавно я просиживал здесь целыми днями. Наблюдал с балкона за людьми. Зачастую от холода ныла и деревенела искалеченная рука, а зубы выбивали мелкую дробь, и единственное, что удерживало меня, — это человеческие голоса.

По утрам я брал чашку кофе, выходил с ней на улицу и садился смотреть, что происходит на школьном дворе напротив дома. Мальчишки в голубых спортивных штанишках и таких же галстуках и девчонки в светлых беретах и клетчатых юбочках с воплями носились по площадке. Их нескончаемая энергия то утомляла меня, то придавала бодрости, все зависело от настроения. В плохие дни их пронзительные голоса впивались в меня стеклянными осколками. В хорошие, несмотря на мои невеселые воспоминания, я чувствовал прилив бодрости, своего рода глоток свежего воздуха.

В конце, написал он, остается боль. Каждый раз, когда она накрывала меня, я открывал конверт и вынимал записку.

Объявился он той теплой осенью, когда погода, казалось, сошла с ума, когда все вокруг перевернулось и встало с ног на голову. Представьте себе, что вы смотрите в яму и видите в ней звезды и созвездия, а когда поднимаете голову к небу — грязь и свисающие деревья. Словно кто-то встряхнул землю и мир, ну по крайней мере мой собственный мир пошел кругом.

Иногда ко мне заходили Бубба, Ричи, Дэвин и Оскар. Мы болтали о футбольных матчах, о боулинге, об увиденных фильмах. Ни слова не было произнесено ни о прошлой осени, ни о Грейс, ни о Мэй. Мы не вспоминали Энджи. И мы никогда не говорили о *нем*. Он сделал свое черное дело, а словами делу, как говорится, не поможешь.

В конце остается боль.

Эти слова, написанные на клочке белой бумаги, размером 8 на 11, завораживали меня. Такие простые, они кажутся мне высеченными в камне.

1

Наш офис находился в башне, и мы с Энджи пытались привести в чувство кондиционер, когда позвонил Эрик Голт.

Обычно в середине октября в Новой Англии на неисправность кондиционера никто и внимания бы не обратил. Сломанный обогреватель — другое дело. Но осень была не совсем обычной. В два часа дня температура достигала двадцати с лишним градусов, а жалюзи на окнах все еще сохраняли промозглый и душный запах лета.

— Давай позовем кого-нибудь? — предложила Энджи.

Я чувствительно хлопнул ладонью по кондиционеру, включил снова. Никакого результата.

— Спорим, это привод, — сказал я.

— То же самое ты говорил, когда сломалась машина.

— Гм... — Секунд двадцать я пытался урезонить агрегат взглядом.

— Может, его обругать? Вдруг поможет?

Я перевел взгляд на Энджи, получилось не намного лучше, чем с кондиционером. Придется потренироваться перед зеркалом.

Зазвонил телефон, и я снял трубку с тайной надеждой, что звонивший разбирается в механике. Но это был всего лишь Эрик Голт.

Он преподавал криминалистику в Университете Брайса. Мы познакомились, когда он преподавал в Массачусетском университете, я был на паре его лекций.

— Ты понимаешь что-нибудь в кондиционерах?

— Пробовали включать-выключать?

— Ага.

— Не помогло?

— Абсолютно.

— Постучите по нему.

— Стучали.

— Тогда зовите мастера.

— Спасибо за бесценный совет.

— Вы по-прежнему сидите в башне?

— Да, а что?

— У меня для вас солидная клиентка.

— И?

— Я хочу, чтобы она наняла вас.

— Прекрасно. Приводи ее.

— В башню?

— Разумеется.

— Ты не понял, я хочу, чтобы она наняла вас.

Я обвел взглядом наш крошечный офис.

— Ты прав, Эрик, здесь холодновато.

— Сможешь приехать в Льюис-Уорф, скажем, завтра в девять?

— Думаю, да. Как ее зовут?

— Дайандра Уоррен.

— В чем проблема?

— Лучше, если она скажет это сама. С глазу на глаз.

— Идет.

— Я тебя встречу.

— До завтра.

Я хотел уже повесить трубку.

— Патрик.

— Да?

— У тебя есть младшая сестра по имени Мойра?

— Нет. У меня есть старшая, и ее зовут Эрин.

— Хм...

— В чем дело?

— Ничего. До завтра.

— Пока.

Я повесил трубку, взглянул на кондиционер, затем на Энджи, снова на кондиционер и позвонил наконец мастеру.

Дайандра Уоррен жила на верхнем этаже пятиэтажного дома в Льюис-Уорф. Из окон открывалась панорама порта, огромные окна в деревянных рамах заливали восточную часть этажа мягким дневным светом. Она принадлежала к тому типу женщин, которой в принципе ничего не нужно, по крайней мере в этой жизни.

Волосы медового оттенка струились по ее челу изящной ниспадающей волной, переходя по бокам в мальчишескую стрижку. Темная шелковая блузка и светло-голубые джинсы были с иголочки, а точеные черты лица с нежной и прозрачной, золотистого оттенка кожей напоминали воду в хрустальном сосуде.

— Мистер Кензи, мисс Дженнаро. — Мягкий шепот предполагает, что она уверена, что ее услышат. — Пожалуйста, входите.

Квартира была обставлена с безупречным вкусом. Диван и кресла в гостиной обиты кремовой тканью, что гармонировало с кухней из карельской березы и красно-коричневыми тонами персидских и индийских ковров, устилающих паркетный пол. Сочетание цветов придавало жилищу тепло и уют, но хозяйка излучала спартанскую строгость, явно не собираясь тратить время на пустую болтовню, и вообще казалась не склонной к сантиментам.

Оголенную кирпичную стену подпирали блестящая металлическая кровать, гардероб из орехового дерева, три книжных стеллажа из березы и письменный стол. Я удивился, не обнаружив ни одного шкафа, впрочем как и отсутствию какой-либо одежды. Будто здесь пользовались только свежевыстиранным, отглаженным бельем, которое уже ждало ее, когда она выходила из душа.

Нас провели в гостиную, и мы уселись в кресла. Хозяйка дома после некоторого колебания устроилась на диване. Нас разделял кофейный столик из дымчатого стекла, в центре его лежал почтовый конверт, левее — пепельница и антикварная зажигалка.

Дайандра Уоррен улыбнулась.

Мы улыбнулись в ответ. Пора переходить к делу.

Ее глаза слегка округлились, улыбка на лице застыла. Возможно, она ждала, что мы пустимся приводить примеры, подтверждающие нашу квалификацию, и перечислять свои достижения на расследовательской ниве.

Улыбка Энджи тут же увяла, я задержал свою еще на несколько секунд. Надо постараться произвести впечатление успешного детектива, для которого нет невозможного. Патрик Кензи по прозвищу Живчик. К вашим услугам.

Дайандра Уоррен замялась:

— Не знаю, с чего и начать.

14

Энджи с готовностью пришла ей на помощь:

— Эрик сказал, что у вас неприятности и мы, возможно, сумеем помочь.

Дайандра кивнула, и радужка ее светло-карих глаз на какой-то миг будто рассыпалась, высвобождая изнутри нечто потаенное. Она поджала губы, взглянула на свои тонкие руки, и в тот момент, когда она подняла голову, входная дверь отворилась и вошел Эрик. Его рыжие с проседью волосы были стянуты на затылке в хвостик, но в целом он выглядел лет на десять моложе своих «давно за сорок». На нем были брюки цвета хаки и полотняная рубаха под слегка оттопыривающейся темной спортивной курткой. Нижняя пуговица на ней отсутствовала. Создатели куртки явно не рассчитывали на то, что под ней будут носить револьвер.

— Привет, Эрик.

Мы обменялись рукопожатиями.

— Рад, что ты вырвался, Патрик.

— Здравствуй, Эрик. — Энджи протянула руку для приветствия.

Когда он склонился, чтобы пожать ее, то понял, что мы увидели револьвер. Он вспыхнул и на секунду прикрыл глаза.

— Будет лучше, если ты оставишь свое оружие на кофейном столике, пока мы не уйдем, — сказала Энджи.

— Я чувствую себя идиотом. — Он криво улыбнулся.

— Пожалуйста, Эрик, — вмешалась Дайандра, — сделай, как тебя просят.

Он расстегнул кобуру так, словно боялся, что она его укусит, и положил кольт 38-го калибра на конверт.

Он явно чувствовал себя не в своей тарелке. Эрик Голт и револьвер были так же несовместимы, как черная икра и хот-дог.

Он сел рядом с Дайандрой:

— Мы тут слегка перетрухнули.

— Почему?

Дайандра вздохнула:

— Видите ли, по профессии я психиатр. Дважды в неделю читаю лекции в Брайсе и консультирую сотрудников и студентов — вдобавок к обычной практике. В моей работе можно ожидать чего угодно — опасных клиентов, пациентов с самыми разными диагнозами: психопаты, с которыми остаешься один на один в крохотном кабинете, параноидальные диссоциативные шизофреники, мечтающие заполучить твой адрес, и т.п. Вечно сидишь и трясешься, никогда не знаешь, что им может взбрести в голову. Но это... — Она взглянула на конверт, который лежал на столике. — Это...

— Как «это» началось? — мягко спросил я.

Она откинулась на спинку дивана и на мгновение закрыла глаза.

Эрик слегка дотронулся рукой до ее плеча, она, не открывая глаз, покачала головой. Он переместил руку ей на колено, глядя на нее так, будто не понимал, как она там оказалась.

— Однажды ко мне в университет пришла студентка. По крайней мере так она представилась.

— Вы ей не поверили? — спросила Энджи.

— Тогда поверила. Она показала студенческий билет. — Дайандра открыла глаза. — Но, когда я потом проверила списки, она в них не значилась.

— Как ее звали? — спросил я.

— Мойра Кензи.

Я взглянул на Энджи, она чуть повела бровью.

— Когда Эрик назвал ваше имя, мистер Кензи, я ухватилась за него, надеясь, что вы с Мойрой родственники.

Я задумался. Кензи не столь уж распространенная фамилия. Даже в Ирландии нас всего несколько человек в Дублине и еще несколько в районе Ольстера. Учитывая деспотичную натуру нашего отца и его братьев и их склонность к насилию, пожалуй, даже хорошо, что наш род постепенно вырождается.

— Мойра Кензи по возрасту похожа на студентку?

— Да, ей больше двадцати не дашь.

Я покачал головой:

— Увы, единственная Мойра Кензи, с которой я знаком, — это двоюродная сестра моего покойного отца. Ей за шестьдесят, и она не покидала Ванкувер уже двадцать лет.

Дайандра коротко кивнула, ее глаза погрустнели.

— Что ж, тогда...

— Скажите, что случилось, когда вы встретили эту Мойру Кензи?

Она поджала губы и взглянула сначала на Эрика, затем на вентилятор на потолке. Потом будто нехотя заговорила, и я понял, что она решила довериться нам:

— Мойра — подруга некоего мужчины по имени Херлихи.

— Кевин Херлихи? — уточнила Энджи.

Золотистая кожа Дайандры побелела как мел. Она кивнула.

Энджи взглянула на меня, вскинув брови.

— Вы его знаете? — спросил Эрик.

— К сожалению, — ответил я. — Приходилось встречаться.

Кевин Херлихи вырос среди нас. У него была приятная, немного простоватая внешность: долговязая фигура, бедра, напоминавшие круглые дверные ручки, и непослушные жидкие волосы, которые, казалось, он призывал к порядку с помощью туалетной раковины и мощного потока воды из-под крана. В двенадцать лет ему благополучно удалили из горла раковую опухоль. Однако голос его сделался в результате ломким и визгливым, напоминающим раздраженное девчачье хныканье. Он носил специальные очки, за которыми глаза казались выпученными, как у лягушки, и старался идти в ногу с модой. Он играл на аккордеоне в местном танцевальном оркестре и был правой рукой Джека Рауза, того самого, что заправлял ирландской мафией в нашем городе. Если Кевин выглядел и разговаривал смешно, то о Джеке такого сказать было нельзя.

Дайандра взглянула на потолок, и кожа на ее горле задрожала.

— Мойра рассказала, что Кевин запугивает ее, преследует, заставляет присутствовать при его постельных забавах с другими женщинами, вынуждает спать со своими дружками, избивает каждого, кто даже случайно глянет на нее... — Она сглотнула комок в горле. Эрик осторожно накрыл ее руку своей рукой. — У нее случился роман, и когда Кевин узнал об этом, он... убил этого человека и закопал в Соммервиле. Она просила меня помочь ей. Она...

— Кто вступил с вами в контакт? — спросил я.

Она приложила носовой платок к левому глазу, затем чиркнула антикварной зажигалкой и прикурила длинную белую сигарету. Ее руки едва заметно подрагивали.

— Кевин, — сказала она с таким выражением, будто это имя было горько-кислым. — Он позвонил мне в четыре утра. Представляете, что чувствуешь, когда твой телефон звонит в такой час?

Растерянность, замешательство, одиночество, страх. Как раз то, на что рассчитывает такой тип, как Кевин Херлихи.

— Он говорил ужасные слова. В частности, цитирую: «Интересно, что чувствуешь, зная, что это — последняя неделя твоей жизни? А, дрянь паршивая?»

Очень даже в духе Кевина. И обязательно высокопарность.

Дайандра шумно затянулась.

— Когда вы получили это письмо?

— Три недели назад.

— Три недели? — воскликнула Энджи.

— Да. Я пыталась не думать о нем. Потом позвонила в полицию, но они сказали, что ничем не могут помочь, так как нет доказательств, что звонил именно Кевин. — Она провела рукой по волосам, зацепила прядь, накрутила ее на палец. Затем взглянула на нас.

— Когда вы разговаривали с полицией, — спросил я, — то упоминали о трупе в Соммервиле?

— Нет.

— Хорошо, — одобрила Энджи.

— Почему вы так долго ждали, вместо того чтобы искать помощь?

Дайандра наклонилась, сдвинула пистолет Эрика с конверта, протянула его Энджи, та достала из него черно-белую фотографию. Внимательно изучив ее, передала мне.

На ней был запечатлен симпатичный парень лет двадцати, с длинными темными волосами и небольшой щетиной. На нем были джинсы с заплатами на коленях, майка под расстегнутой фланелевой рубахой и черный кожаный пиджак. Обычная униформа студента колледжа. Он шел вдоль кирпичной стены с тетрадкой под мышкой и явно не подозревал, что его фотографируют.

— Это мой сын Джейсон, — сказала Дайандра. — Учится на втором курсе. Это здание — библиотека университета. Конверт пришел вчера обычной почтой.

— Никакой записки?

Она покачала головой.

— На конверте только имя и адрес, больше ничего, — сказал Эрик.

— Пару дней назад, когда Джейсон приезжал на выходные, я случайно услышала его телефонный разговор с другом. Он сказал, что ему кажется, что за ним следят. Так и сказал: следят. Именно это слово. — Она указала сигаретой на фото, дрожь в руках стала заметнее. — На следующий день после приезда.

Я снова взглянул на фото. Классическая мафиозная манера предупреждения: можешь считать, что кое-что знаешь о нас, но уж мы-то о тебе знаем все.

— Больше я Мойру не видела. В университете она не зарегистрирована, номер, который она дала, принадлежит китайскому ресторану. Сама она не значится ни в одном из телефонных справочников. И все-таки она приходила ко мне. Именно ко мне. И теперь мне с этим жить. Это мой крест.

А я даже не знаю почему... — Дайандра беспомощно всплеснула руками. Если эти три недели ей как-то удавалось бодриться, то сейчас силы оставили ее. До нее вдруг дошло, что жизнь любого человека висит на волоске и в любой момент может оборваться. И от этого осознания ей стало очень страшно.

Эрик по-прежнему держал ее за руку. Я не мог понять характер их отношений. Никогда не слышал, чтобы он встречался с женщиной, злые языки поговаривали, что он голубой. Так это или нет, понятия не имею, но о сыне он никогда не упоминал, хотя знакомы уже лет десять.

— Кто отец Джейсона? — спросил я.

— Зачем вам это знать?

— Когда опасность угрожает ребенку, — взяла слово Энджи, — необходимо учитывать все родственные связи.

Дайандра и Эрик понимающе кивнули.

— Дайандра разведена уже лет двадцать, — сказал Эрик. — У Джейсона с отцом отношения мирные, но отнюдь не близкие.

— Мне нужно знать его имя, — повторил я.

— Стэнли Тимпсон, — ответила Дайандра.

— Окружной прокурор графства Саффолк Стэн Тимпсон?

Она кивнула.

— Миссис Уоррен, — задумчиво произнесла Энджи, — раз ваш бывший муж такой могущественный и влиятельный госчиновник, то...

— Нет. — Дайандра покачала головой. — Мало кто знает, что мы были женаты. У него вторая жена, трое других детей, с Джейсоном они практически не общаются. Поверьте, Стэн тут ни при чем.

Я взглянул на Эрика.

— Так оно и есть, — снова кивнул он. — Джейсон взял фамилию матери, и все контакты с отцом ограничиваются звонком в день рождения и рождественской открыткой.

— Вы мне поможете? — спросила Дайандра.

Мы с Энджи переглянулись. Ввязываться в какие-то отношения с типами вроде Кевина Херлихи и Джека Рауза неразумно и весьма опасно для здоровья. Тут наши с Энджи мнения совпадали. А если мы сейчас согласимся, нам придется отправиться к ним в логово, и что дальше? Попросить оставить наших клиентов в покое? Бред! Согласиться означало подписать себе смертный приговор.

Энджи будто читала мои мысли, потому что вдруг спросила:

— Прикидываешь, насколько ты бессмертен?

2

Когда мы покидали Льюис-Уорф, поднимаясь по Торговой улице, то обнаружили, что взбалмошная осень Новой Англии сменила декорации противного утра на прекрасный полдень. Когда я проснулся, холодный ветер со свистом врывался в щели под окнами, казалось, будто пуританский бог освобождал таким образом свои легкие. Над городом нависало низкое блеклое небо, люди, утеплившись теплыми куртками и толстыми свитерами, торопливо рассаживались по своим машинам. Их дыхание расцветало в воздухе облачками пара.

Когда я вышел из дома, уже потеплело, сквозь пелену туч с трудом пробивалось неяркое солнце, оно напоминало апельсин, попавший в ледяной плен замерзшего пруда.

Когда я подходил к дому Дайандры Уоррен в Льюис-Уорф, я снял куртку, потому что солнцу уже удалось все-таки выглянуть, а сейчас ртутный столбик термометра достиг почти летнего уровня.

Мы проехали Коппс-Хилл, теплый ветерок из гавани шевелил кроны деревьев, покрывающих холм, в воздухе кружились огненно-красные листья, они цеплялись за гранитные могильные плиты и лишь потом соскальзывали на траву. Справа от нас все пространство пристани и доков было залито солнцем, слева — коричневые, красные и грязновато-белые кирпичные дома Норт-Энда наводили на мысль о кафельных полах и старых темных дверных проемах, о запахе жирного соуса с чесноком и свежеиспеченного хлеба.

— В такой день нельзя ненавидеть этот город, — сказала Энджи.

— Невозможно.

Собрав свои густые волосы в хвостик и придерживая его рукой, Энджи высунулась в открытое окно, блаженно подставив лицо солнечным лучам. Глядя на нее, постороннему человеку в голову бы не пришло, что у нее что-то может быть не в порядке. Но я-то знал, как все обстоит на самом деле.

Энджи ушла от мужа, когда в один прекрасный момент ей стало невмоготу терпеть его садистские выходки. Вслед ей неслась грубая брань Фила, глубоко оскорбленного таким поступком жены.

Зиму она просидела в депрессии, она жила как бы по привычке и вела себя как механическая кукла, это касалось и ее отношений с мужчинами. В тот период они сменяли друг друга с какой-то калейдоскопической частотой, и каждый уходил с весьма озадаченным лицом, уязвленный ее непринужденным равнодушием.

Я отнюдь не безгрешен и далек от того, чтобы читать кому-то морали, тем более я не считал для себя возможным в чем-то ее упрекать. В начале весны она слегка опомнилась. Перестала водить к себе кого попало, вернулась на работу. Она даже убралась в квартире, вернее, отмыла плиту и купила веник. Но прежней Энджи больше не было.

Более спокойна, менее дерзка. Иногда она звонила или забегала ко мне домой обсудить прошедший день, хотя мы только-только расстались. Она утверждала, что не виделась с Филом уже несколько месяцев, но я почему-то ей не верил.

Все осложнялось тем, что за все наше долголетнее знакомство я дважды не смог оказаться рядом с ней, когда ей это понадобилось. В июле я встретил Грейс Коул, и мы с ней проводили все дни и ночи, иногда полностью выходные и вообще любую свободную минуту. Иногда мне доверяли посидеть с Мэй, дочкой Грейс, поэтому я выпал из пределов досягаемости для моей напарницы, за исключением каких-то совсем уж неотложных случаев. Все это было довольно неожиданно для всех, и однажды Энджи сказала:

— Проще увидеть темнокожего в фильме Вуди Аллена, чем поверить, что у Патрика с кем-то серьезные отношения.

Перехватив мой взгляд, она оценила его по-своему, на ее губах заиграла усмешка.

— Опять беспокоишься обо мне, Кензи?

Моя напарница все же психопатка.

— Отнюдь, я делаю выводы, Дженнаро. Ты просто ненавидишь всех женщин, только и всего.

— Знаю я тебя, Патрик. Ты все еще играешь в старшего брата.

— А даже если и так, то что?

— То пора бы тебе это прекратить. — Ее ладонь коснулась моей щеки.

Я отвел упавшую ей на глаза прядь волос, и тут зажегся зеленый огонек светофора.

— Нет.

Мы задержались у нее дома ровно столько, сколько ей потребовалось, чтобы переодеться в короткие обрезанные джинсовые шорты, а мне — достать из холодильника пару бутылок «Роллинг рок». Затем мы сели на заднем крыльце, прислушиваясь к хрусту и треску накрахмаленного соседского белья на ветру. Какой же славный выдался денек!

Энджи вытянула ноги вперед, потянулась.

— Итак, мы имеем неожиданное дело.

— Имеем, — согласился я, глазея на ее гладкие загорелые ноги, пока мой взгляд не добрался до шорт. В нашем мире не так уж много хорошего, но джинсовые шорты — это отличное изобретение.

— Есть идеи, как подступиться к нему? — Энджи осеклась и возмущенно фыркнула. — Прекрати пялиться на мои ноги, извращенец. Ты без пяти минут женат, между прочим.

Я пожал плечами, взглянул на мраморное небо.

— Не говори гоп. Знаешь, что меня раздражает?

— Помимо надоевших мелодий, рекламы и нью-джерсийского акцента?

— Я о нашем деле.

— Выкладывай.

— Почему Мойра Кензи? Допустим, имя фальшивое, но почему именно моя фамилия?

— Существует такое понятие, как совпадение. Возможно, ты слышал. Это когда...

— Я не договорил.

— Извини.

— Кевин Херлихи пытался клеиться к тебе?

— Нет, ты что. Но в конце концов, мы знаем его уже столько лет!

— То есть? — не понял я.

— Каких только странных персонажей, в том числе и откровенных уродов, мне не доводилось встречать в обществе невозможных красоток. И наоборот.

— Кевин не странный. Он садист.

— То же можно сказать о профессиональных боксерах. Но мы всегда видим их с женщинами.

— Предположим. Но как быть с Кевином?

— И Джеком Раузом.

— Опасные ребята, — сказал я.

— Очень, — согласилась она.

— А кто водится с опасными ребятами?

— Ну уж не мы, — фыркнула она.

— Точно, — подхватил я, — у нас хватает ума.

— И мы гордимся этим. Остается только... — Она повернула голову и, бросив взгляд на солнце, снова посмотрела на меня. — Хочешь сказать...

— Да.

— Патрик!..

— Поехали проведаем Буббу.

— Ты уверен?..

Я вздохнул, на душе скребли кошки.

— Уверен.

— Черт, — пробормотала Энджи.

3

— Влево. Теперь дюймов восемь вправо. Хорошо. Почти пришли.

Бубба пятился, идя перед нами, и «дирижировал» дорогу. Его пальцы двигались так, будто он сдавал назад на грузовике.

— О'кей. Левой ногой примерно девять дюймов влево. Вот и пришли.

Бубба живет на заброшенном складе, попасть к нему можно не раньше, чем проделаешь ногами все необходимые па. Со стороны это, наверно, напоминает твист слепца на крутом обрыве. Фишка в том, что «входные» сорок футов Бубба опутал проволокой со взрывчаткой, которой хватит, чтобы снести с лица земли все Восточное побережье. Поэтому, если мы хотим еще пожить, надо безукоснительно следовать его инструкциям. Мы с Энджи уже не раз проходили эту ловушку, но ни разу не рискнули довериться своей памяти настолько, чтобы пересечь эти сорок футов без подсказки. Да, мы не самые большие храбрецы на свете.

— Патрик, — Бубба мрачно взирал на мою правую ступню, которую я оторвал от земли на четверть дюйма, — я сказал, шесть дюймов вправо. Не пять.

Я сделал глубокий вдох и сдвинулся еще на дюйм.

Он одобрительно кивнул.

Я поставил ногу на пол. Взрыва не последовало. Повезло.

Идя за мной, Энджи пробурчала:

— Бубба, почему ты не поставишь охранную систему?

Он ухмыльнулся:

— Это и есть моя охранная система.

— Это минное поле, черт его дери!

— Ты ж мой персик, — беззлобно откликнулся хозяин дома. — Четыре дюйма влево, Патрик.

Энджи сердито засопела.

— Ты уже выбрался, Патрик, — как всегда, неожиданно обрадовал меня Бубба, когда я ступил на клочок пола в десяти шагах от него. Он покосился на Энджи. — Ну и трусишка ты!

Она стояла, как аист, на одной ноге, вторая была согнута в колене, что придавало моей напарнице удивительное сходство с аистом. Она процедила сквозь зубы:

— Когда я доберусь, то застрелю тебя, Бубба Роговски.

— О! Она назвала меня полным именем. Совсем как моя мама.

— Ты никогда не знал свою мать, — на всякий случай напомнил я.

— Духовная связь, Патрик. — Он постучал пальцем себе по лбу. — Духовная.

Все-таки я не зря иногда беспокоюсь о нем. Даже невзирая на мины-ловушки.

Энджи встала на тот островок пола, который я только что освободил.

— Прошла, — похвалил ее Бубба и тут же получил довольно чувствительный тычок в плечо.

— Ну что, все испытания уже позади? — сварливо поинтересовался я. — Никаких падающих с потолка стрел или лезвий в креслах?

— Я их выключил. — Он подошел к старому холодильнику, стоявшему между двумя потертыми коричневыми диванами, офисным оранжевым креслом и древней, еще восьмидорожечной, стереосистемой. Перед креслом примостился сколоченный из досок щелястый ящик, еще несколько штук валялись возле тюфяка, почему-то сброшенного на пол за диванами. Пара ящиков была открыта, из них торчали черные промасленные дула автоматов, пересыпанных соломой. Основной источник дохода нашего Буббы.

Он достал из морозилки бутылку водки, из кармана солдатской шинели (надо сказать, что независимо от погодных условий и времени года Бубба со своей шинелью был неразлучен, как Харпо Маркс [1] с арфой) извлек три стопарика, налил каждый доверху и протянул нам.

— Очень нервы успокаивает. — Он запрокинул голову и не моргнув глазом осушил свой стопарик.

Мы с Энджи, конечно, моргнули, но оказалось, и впрямь успокаивает, во всяком случае наши. Что там успокаивал Бубба, ума не приложу, насколько мне известно, у него вообще не было нервов, как, впрочем, и многих других вещей, необходимых для жизни сапиенсов.

---

[1] Комик из популярного в 1930-е гг. комедийного квинтета.

Двести тридцать фунтов живого веса нашего друга плюхнулись на диван.

— Так зачем вам Джек Рауз?

Мы рассказали.

— На Джека не похоже. Эффектно, конечно, но совсем не в его духе. Слишком изощренно.

— Как насчет Кевина Херлихи? — спросила Энджи.

— То, что для Джека изощренно, Кевину недостижимо. — Бубба глотнул из бутылки. — Ему вообще многое недоступно. Сложение и вычитание, алфавит, дела вроде вашего. Неужели забыли за столько лет?

— Он мог измениться...

Бубба рассмеялся:

— Как же, как же! Он стал еще хуже.

— Значит, он опасен, — сказал я.

— Ясное дело, — кивнул Бубба. — Как цепной пес. Умеет насиловать, драться, пугать до смерти и многое другое, причем делает это на совесть.

Он протянул мне бутылку, я наполнил очередную рюмку.

— При таком раскладе парочка, решившая взяться за дело, за которым может стоять он и его босс...

— Это парочка дебилов, — закончил мою фразу Бубба и забрал бутылку.

Энджи показала мне язык.

— Хотите, чтобы я прикончил? — Бубба вытянулся на диване.

Я нервно моргнул:

— Э-э-э-э...

Бубба зевнул:

— Нет проблем.

Энджи примирительно коснулась его колена.

— Не сейчас.

— На самом деле, — Бубба принял сидячее положение, — нет ничего проще. Я тут соорудил одну штуку, надеваете ему ее на голову и зажимаете...

— Мы непременно скажем, когда будет пора, — пообещал я.

— Идет. — Он снова улегся и задумчиво уставился на нас. — По правде сказать, не представляю, откуда у него взяться подружке. Он скорее заплатит шлюхе или возьмет силой.

— Это-то меня и беспокоит, — признался я.

— Вам нельзя идти к ним одним. Не заявитесь же вы с предложением оставить вашего клиента в покое. Вы и договорить не успеете, как вам настанет крышка. Они ж психи конченые.

И это говорит человек, который охраняет свое жилище минными растяжками! Джек Рауз и Кевин ему, видите ли, психи! Тоже мне, образец душевного здоровья!

Обратный путь мы преодолели довольно бойко, перемещаясь так, будто танцевали джигу.

— Будем действовать через Толстяка Фредди, — сказал Бубба.

— Что-о? — поперхнулась Энджи.

Толстяк Фредди Константине был крестным отцом бостонской мафии. В свое время он отвоевал контроль у некогда преуспевающей группировки «Провидение», затем усилил свою власть. Джек Рауз, Кевин Херлихи и другие — словом, каждый, кто в этом городе продавал хотя бы копеечный пакет, — должны были отчитываться перед Толстяком Фредди.

— Это единственный путь. — Бубба был невозмутим. — Сходите к нему, выразите свое уважение, и, если эту встречу устрою я, они будут знать, что вы друзья, и не тронут вас.

— Пусть так, — согласился я.

— Когда хотите встретиться?

— Как можно скорее, — ответила Энджи.

Бубба пожал плечами и взял с пола мобильник. Набрал номер, пока шли гудки, отхлебывал из горлышка.

— Лу, — сказал он в трубку, — передай хозяину, что я звонил. — На этом разговор закончился.

— Хозяину? — удивился я.

Бубба развел руками:

— Они насмотрелись Скорсезе и полицейских сериалов и уверены, что так надо говорить в их среде. Смех, да и только. — Он налил Энджи очередную стопку. — Ты уже развелась официально, Дженнаро?

Она улыбнулась и выпила водку залпом.

— Официально нет.

— А когда? — Он поднял брови.

Энджи уперлась ногами в открытую коробку от АК-47 и откинулась на спинку стула.

— Колеса правосудия вращаются слишком медленно, а развод — дело тонкое.

Бубба скорчил гримасу.

— Контрабанда комплексов «земля—воздух» из Ливии — вот тонкое дело. А развод...

Энджи посмотрела на облупившуюся трубу отопления, протянутую через потолок.

— Ну да, по-твоему, любовь длится не дольше шестидневки. Ну вот что ты смыслишь в разводах?

Бубба вздохнул:

— Я знаю одно: люди, желающие изменить свою жизнь, должны начисто отрезать прошлое. — Он снял ноги с дивана, описав ими в воздухе дугу и приземлившись подошвами армейских ботинок на пол. — А как твои дела, парень?

— Мои? — удивился я.

— А чьи же. Как у тебя по части развода?

— Без проблем. Это как с китайской кухней, один звонок — и все доставлено.

Бубба взглянул на Энджи:

— Вот видишь?

Она безнадежно махнула рукой в мою сторону.

— И ты веришь ему, доктор Фрейд?

— Протестую, — притворно возмутился я.

— Иди ты со своим протестом знаешь куда?

— Вы что, ребята, хорош наезжать друг на друга, брейк!

Наступила неловкая пауза, такая возникает, когда кто-то пытается намекнуть, что между мной и моим напарником существует нечто большее, чем просто дружба. Бубба улыбался, чувствуя себя хозяином положения. И тут зазвонил телефон.

— Да. — Бубба кивнул нам. — Мистер Константине, как поживаете? — Пока Бубба слушал ответ, на его лице отразилась гамма самых разнообразных чувств. — Рад слышать. Послушайте, мистер Константине, двум моим друзьям необходимо поговорить с вами. Это займет у вас максимум полчасика. Да, сэр, это хорошие люди. Специалисты по гражданскому праву, но они наткнулись на нечто, что может заинтересовать и вас. Это касается Джека и Кевина.

Толстяк Фредди заговорил, слушая его, Бубба сделал универсальный выразительный жест кулаком.

— Да, сэр. Патрик Кензи и Анджела Дженнаро. — Он послушал, помолчал, моргнул недоуменно и взглянул на Энджи. Закрыв рукой микрофон, спросил: — Ты в родстве с семьей Патризо?

Она закурила.

— Увы.

— Да, сэр, — сказал Бубба в трубку. — Это та самая Анджела Дженнаро. — Он взглянул на нее, подняв левую бровь. — Сегодня в десять вечера. Спасибо, мистер Константине. — Он уставился на деревянный ящик, на котором стояли ноги Энджи. — Что? Да. Лу знает где. Шесть ящиков. Сегодня ночью. Будьте уверены. Как по свистку, мистер Константине. Да, сэр. Счастливо. — Опустив трубку, Бубба громко вздохнул и ребром ладони всадил антенну обратно в телефон. — Вонючий итальяшка. Каждый раз: «Да, сэр. Нет, сэр. Как ваша жена?» Даже волынщикам-ирландцам и тем начхать, как там твоя жена.

Если учесть, что эти слова исходили от Буббы, их можно счесть большим комплиментом в адрес моего родного этноса. Я спросил:

— Так где мы с ним встретимся?

Бубба смотрел на Энджи со странной смесью трепета и страха на одутловатом лице.

— В его кофейне на Прайм-стрит. Сегодня в десять. Почему ты никогда не говорила, что связана с ним?

Энджи стряхнула пепел на пол. Это не было демонстрацией, просто пол и был Буббиной пепельницей.

— А я и не связана.

— Фредди иного мнения.

— Он ошибается. Случайное совпадение крови, вот и все.

Бубба взглянул на меня:

— Ты знал, что она в родстве с семьей Патризо?

— Угу.

— И?

— Ее это не волнует, поэтому меня тоже.

— Бубба, — сказала Энджи, — это совсем не то, чем я хотела бы гордиться.

Он присвистнул:

— И все эти годы во всех передрягах, в которые вы попадали, ты никогда не обращалась к ним за поддержкой?

Энджи взглянула из-под длинной челки.

— В голову не приходило.

— Но почему???

— Потому что нам хватает и одного мафиози. Тебя, красавчик.

Он вспыхнул так, как мог только в присутствии Энджи, и это кое-чего стоило. Крупное одутловатое лицо разгладилось, как переспевший грейпфрут, на нем явно читалось какое-то детское недоумение.

— Хватит, — сказал он, — ты меня смущаешь.

Когда мы вернулись в офис, я сварил кофе, дабы развеять водочный угар, а Энджи прослушивала записи на нашем автоответчике.

Первое послание было от нашего недавнего клиента Бобо Джедменсона, хозяина «Йо-Йо» — сети подростковых танцевальных клубов и нескольких стриптиз-шоу в Саугусе и Пибоди. Названия у них тоже были соответствующие, типа «Капающая ваниль» и «Капля меда». Когда мы отыскали его бывшего партнера и вернули большую часть его денег, Бобо вдруг стал выяснять размер наших ставок, прибедняться и плакаться в жилетку.

— Ну и народ, — покачал я головой.

— Паразит, — согласилась Энджи, когда стих голос Бобо.

Я подумал, что неплохо бы подключить Буббу к сбору информации. Но тут раздалось следующее послание:

— «Привет. Желаю удачи и везения в новом деле, и все такое. Слышал, оно того стоит. Ладно, буду поблизости. Всем пока».

Я взглянул на Энджи:

— Кто это, черт возьми?

— Думала, ты знаешь. Не знаю никакого британца.

— Я тоже. Ошиблись номером?

— Удачи в новом деле? Звучит, будто он знает, о чем говорит.

— Тебе знаком акцент?

Энджи кивнула:

— Похоже, он слишком увлекался сериалом «Питон».

— А много народу умеет имитировать акценты?

— Да пальцев не хватит.

Следующий голос принадлежал Грейс Коул. Фоном шел гомон голосов в приемном покое «Скорой помощи», где она работала.

— «Я вырвалась на минутку глотнуть кофе, вот звоню. Я здесь до завтрашнего утра, звякни мне домой завтра вечером. Соскучилась».

Энджи ухмыльнулась:

— И когда свадьба?

— Завтра. Разве не знаешь?

Она улыбнулась:

— Ты влип, Патрик. И ты это знаешь, верно?

— Кто так считает?

— Я и все твои друзья. — Ее ухмылка исчезла. — Никогда не видела, чтобы ты смотрел на женщину так, как смотришь на Грейс.

— И?

Она выглянула в окно.

— Желаю тебе побольше сил. — Энджи попыталась улыбнуться, но у нее не получилось. — Желаю вам всего наилучшего.

4

В тот же вечер мы с Энджи сидели в маленькой кофейне на узкой улочке Принс-стрит, узнавая малоаппетитные подробности о состоянии простаты Толстяка Фредди.

Принс-стрит пересекает Норт-Энд от Коммершиал до Мун-стрит, и подобно большинству улиц в этом квартале здесь может свободно проехать только мотоцикл. Термометр показывал всего лишь 13 градусов, но здешние завсегдатаи сидели на улице за столиками в легких рубашках или в майках с короткими рукавами. Развалясь в плетеных креслах, они курили сигары, играли в карты и взрывались внезапным хохотом, как люди, уверенные, что находятся у себя дома.

В кофейне был всего один зальчик с четырьмя столиками на черно-белом кафельном полу, два столика приткнулись у входа. На потолке вяло жужжал вентилятор, шевеля страницы газет на барной стойке. Из-за тяжелой черной портьеры доносился голос Дина Мартина.

Нас встретили два молодых человека, темноволосые и темнокожие, в одинаковых розовых теннисках «Балли» с вырезом, открывавшим скульптурную шею, и с одинаковыми золотыми цепочками на шее.

— Вы что, ребята, затариваетесь в одной лавке? — неосторожно полюбопытствовал я.

Один из них нашел шутку настолько остроумной, что обыскал меня по высшему разряду: он так добросовестно обшаривал меня своими ручищами, что казалось, хотел меня сплющить. Наши пистолеты остались в машине, поэтому у нас забрали только бумажники. Нам это не понравилось, но им было наплевать. Нас провели к столику, где восседал дон Фредерико Константине собственной персоной.

Толстяк Фредди был похож на моржа, только без усов. Его массивная фигура была окутана серой пеленой сигаретного дыма, шея практически отсутствовала, казалось, что квадратная, напоминающая обрубок голова вбита прямо в плечи. Миндалевидные глаза с поволокой смотрели тепло, можно сказать, по-отечески, с лица не сходила улыбка. Он улыбался всем: незнакомцам на улице, репортерам на судебной лестнице и даже своим жертвам — перед тем как его головорезы расправлялись с ними.

— Присаживайтесь, — пригласил он.

Кроме Фредди и нас, в помещении был еще один человек. Он сидел, закинув ногу на ногу, метрах в пяти-шести от нас, рядом с несущей колонной.

Одна рука спокойно лежала на столе. На нем были легкие брюки цвета хаки, белая рубашка, серое кашне и полотняный янтарного цвета пиджак с кожаным воротником. Он почти не смотрел на нас, казалось, он полностью погружен в свои мысли. Фамилия его была Пайн, имени я никогда не слышал. Он был легендой в своих кругах: говорили, он спас четырех боссов, остановил три семейных войны, а его враги исчезали настолько же незаметно, насколько бесследно, и о них забывали, будто их никогда и не было на свете. Вид у него был совершенно безобидный, внешность приятная, но не запоминающаяся, высокий, волосы пепельные, глаза зеленые, телосложение, можно сказать, среднее.

Однако от его присутствия у меня по спине пробегал холодок и звенело в ушах.

Мы с Энджи сели, и тут Фредди произнес:

— Простата.

— Извините? — не поняла Энджи.

— Простата, — с готовностью повторил Фредди. Налил в чашку кофе из оловянного кофейника, протянул ее Энджи. — Вам как представительнице прекрасной половины человечества этого не понять. — Он кивнул мне, передавая чашку, подвинул нам сахар и сливки. — Скажу честно, я достиг вершины в своем деле, мою дочь недавно приняли в Гарвард, что до денег, я ни в чем не нуждаюсь. Мне мало надо. — Он хотел усесться поудобней, но вдруг болезненно скривился. — Но клянусь, я хоть завтра отдал бы все за здоровую простату. — Он вздохнул. — А вы?

— Что? — спросил я.

— У вас простата в порядке?

— Недавно проверялся, мистер Константине.

Он наклонился ко мне.

— Вам повезло, мой юный друг. Дважды повезло. Мужчина без здоровой простаты... — Он положил руки на стол. — ...Это мужчина без секретов, мужчина без достоинства. Эти доктора, Иисусе, укладывают тебя на живот и лезут в тебя своими дьявольскими приспособлениями, тычут в вас чем-то острым, раздирают вас, они...

— Какой ужас, — посочувствовала Энджи.

Ее слова несколько охладили его пыл. Он кивнул:

— Ужас — не то слово. — Он внезапно взглянул на нее, как если бы только что увидел. — А вы, детка, слишком изысканны для таких разговоров. — Он поцеловал ей руку, я едва удержал удивленный возглас. — Я хорошо знаю вашего дедушку, Анджела. Очень хорошо.

Энджи улыбнулась:

— Он гордится знакомством с вами, мистер Константине.

— Я непременно похвастаюсь ему, что имел удовольствие познакомиться с его прелестной внучкой. — Он взглянул на меня, и его игривость приугасла. — А вы, мистер Кензи, не спускайте глаз с этой женщины. Позаботьтесь, чтобы ей не угрожала никакая опасность.

— Эта женщина может и сама за себя постоять, — суховато возразила Энджи.

Глаза Толстого Фредди, вновь потемнев, остановились на мне, словно он никак не мог разглядеть, что именно находится перед ним.

— Наши друзья присоединятся к нам через минуту, — проговорил он.

Когда Фредди отодвинулся, чтобы налить себе очередную чашку кофе, я услышал, как один из телохранителей у входной двери сказал: «Проходите, мистер Рауз». В глазах Энджи мелькнула паника, когда вошли Джек Рауз и Кевин Херлихи.

Джек Рауз держал Саути, Чарльзтаун и участок между Сейвин-Хилл и рекой Непонсет в Дорчестере. Он был худощав, но жилист, серые, с металлическим отливом, глаза, густые, коротко стриженные волосы. Ничего устрашающего, для устрашения у него был Кевин.

Я знал Кевина с шестилетнего возраста, и все, что наполняло его мозг и сосуды, было лишено человечности. Он избегал смотреть на Пайна, якобы игнорируя его присутствие, хотя в глубине души мечтал быть похожим на него. Пайн излучал спокойствие и собранность, а Кевин — ходячий оголенный провод, он мог разрядить обойму в человека только потому, что подобная мысль пришла ему в голову. Для Пайна убийство было работой, такой же, как любая другая. Для Кевина — единственно любимым занятием, он мог заниматься этим и бесплатно, исключительно из любви к процессу.

Пожав Фредди руку, он уселся рядом со мной и ткнул сигарету в мою чашку кофе. Затем запустил пятерню в свои всклоченные волосы и изучающе уставился на меня.

— Джек, Кевин, вы знакомы с мистером Кензи и мисс Дженнаро, не так ли?

— Конечно, старые друзья, — сказал Джек, усаживаясь рядом с Энджи. — Жили по соседству, как и Кевин. — Рауз снял синий пиджак и повесил его на спинку стула. — Правда, Кевин?

Кевин промолчал, он был слишком поглощен созерцанием моей скромной особы.

Слово взял Толстяк Фредди:

— Вот и славно. Роговски сказал, что вы его друзья и у вас есть проблема, с которой я могу помочь. Так тому и быть. Но, так как все вы земляки, я спросил Джека, желает ли он присутствовать при этом. Понимаете, что я имею в виду?

Мы оба кивнули.

Кевин зажег очередную сигарету и выпустил дым прямо на меня.

Фредди положил руку на стол.

— Отлично! Итак, мистер Кензи, в чем ваша проблема?

— Нас наняла клиентка, — сказал я, — которая...

— Как твой кофе, Джек? — спросил Фредди. — Достаточно сливок?

— Все хорошо, мистер Константине. Очень хорошо.

— ...которая, — повторил я, — предполагает, что вызывает раздражение у одного из людей Джека.

— Людей? — изумленно поднял брови Фредди. — Мы мелкие предприниматели, мистер Кензи. У нас есть служащие, но их обязанности прекращаются с получением чека. — Он вновь взглянул на Джека. — Люди? — Они оба рассмеялись.

Энджи вздохнула.

Кевин продолжать меня обкуривать.

Я чувствовал усталость. Остатки Буббиной водки все еще терзали мой мозг, поэтому не было ни малейшего желания разыгрывать комедию с этими тупыми психопатами, насмотревшимися «Крестного отца» и вообразившими себя респектабельными бизнесменами. Но, напомнил себе я, Фредди очень влиятельный психопат, который при желании может поужинать моей селезенкой завтра же.

— Мистер Константине, один из... коллег мистера Рауза выразил недовольство в адрес нашей клиентки и высказал определенные угрозы...

— Угрозы? — спросил Фредди. — Угрозы?

— Угрозы? — переспросил Джек, улыбаясь Фредди.

— Угрозы, — сказала Энджи. — Наша клиентка, к несчастью, беседовала с подругой вашего коллеги, которая заявила, что знает о его преступной деятельности, включая... Как бы это сказать? — Она встретилась глазами с Фредди. — Манипуляции с некогда живой плотью.

Понадобилась целая минута, чтобы Фредди переварил услышанное. Маленькие глазки сузились. Он откинул свою колодоподобную голову и раскатисто захохотал, этот звук рикошетил об стены и вылетал на улицу. Джек, похоже, был смущен. Кевин же выглядел посрамленным, хотя это было его обычное состояние.

— Пайн, — сказал Фредди. — Ты слышал?

Пайн не подал виду, что вообще что-то слышал. По нему трудно было определить, дышит ли он. Он сидел неподвижно, одновременно глядя и не глядя в нашу сторону.

— Манипуляции с некогда живой плотью, — повторил Фредди, тяжело дыша. Он взглянул на Джека и понял: шутка до него еще не дошла. — Черт возьми, Джек, иди поищи свои мозги, а?

Джек начал моргать, а Кевин сделал движение вперед, и голова Пайна слегка повернулась в его сторону. Фредди же сделал вид, что ничего не заметил.

Он вытер уголки рта льняной салфеткой и слегка кивнул в сторону Энджи.

— Погодите, я расскажу об этом в клубе. Клянусь. Вы хоть и носите фамилию отца, но вы истинная Патризо. Вне всякого сомнения.

— Патризо? — спросил Джек.

— Да, — сказал Фредди. — Это внучка мистера Патризо. Ты не знал?

Джек не знал. Похоже, это задело его.

— Дай сигарету, — сказал он Кевину.

Кевин наклонился через стол, зажег ему сигарету, при этом его локоть оказался в миллиметре от моих глаз.

— Мистер Константине, — сказала Энджи, — наша клиентка опасается, что список объектов, которых ваш коллега желает ликвидировать, может оказаться слишком длинным.

Фредди поднял мясистую руку.

— О чем мы, собственно, говорим?

— Наша клиентка уверена, что навлекла на себя гнев мистера Херлихи.

— Что? — спросил Джек.

— Объясните, — сказал Фредди. — Покороче.

Не называя имени Дайандры, мы изложили суть дела.

— Выходит, — сказал Фредди, — какая-то там потаскушка Кевина рассказала этому психиатру некую небылицу о — я правильно понял? — каком-то трупе, а Кевин погорячился, позвонил ей и немного пошумел? — Он покачал головой. — Кевин, не хочешь ли ты рассказать мне об этом?

Кевин посмотрел на Джека.

— Кевин, — повторил Фредди.

Кевин повернул голову.

— У тебя есть подружка?

Голос Кевина напоминал хруст стекла, попавшего под колеса.

— Нет, мистер Константине.

Фредди посмотрел на Джека, и оба расхохотались. Кевин напоминал монахиню, пойманную при покупке порнографии.

Фредди повернулся к нам.

— Разыгрываете нас? — И засмеялся еще громче. — При всем уважении к Кевину, женщины — не по его части, надеюсь, вы меня понимаете.

— Мистер Константине, — сказала Энджи, — войдите, пожалуйста, в наше положение — мы отнюдь не выдумали все это.

Фредди доверительно похлопал ее по руке:

— Анджела, я этого и не говорил. Но вас подставили. Какие-то невероятные требования и угрозы со стороны Кевина, и все из-за его мифической знакомой? Подумайте сами.

— И ради этого я оставил игру в карты? — сказал Джек. — Ради этой чуши? — Он фыркнул и начал вставать.

— Сядь, — приказал Фредди.

Джек застыл в воздухе в полуприседе. Фредди взглянул на Кевина:

— Сядь, Джек.

Джек сел.

Фредди улыбнулся:

— Так мы решили вашу проблему?

Я полез во внутренний карман пиджака за фотографией Джейсона Уоррена, рука Кевина нырнула в его пиджак. Джек откинулся на стуле, Пайн неуловимо шевельнулся. Фредди не сводил глаз с моей руки. Очень медленно я извлек фотографию и положил ее на стол.

— На днях наша клиентка получила это по почте.

Бровь Фредди изогнулась дугой.

— Что это?

— Мы расценили это, — сказала Энджи, — как послание Кевина с целью уведомления, что он знает ее слабое место. Теперь мы допускаем, что это не так, но, признаться, мы в замешательстве.

Джек кивнул Кевину, и его рука выползла из пиджака.

Фредди взглянул на фото Джейсона Уоррена и отхлебнул кофе.

— Этот парень — сын вашей клиентки?

— Не мой же, — сказал я.

Фредди тяжело посмотрел на меня:

— Да кто ты такой, щенок, что позволяешь себе такой тон? — Неужели эти глаза несколько минут назад светились теплом? Сейчас от них пробирал мороз по коже.

У меня во рту появилось ощущение, что я проглотил клубок шерсти.

Кевин посмеивался.

Не отрывая от меня взгляда, Фредди полез в складки своего пиджака и извлек оттуда блокнот в кожаном переплете. Открыл, перелистал несколько страниц, наконец нашел нужную.

— Патрик Кензи, — прочитал он. — Тридцать три года. Родители умерли. Сестра Эрин Марголис, тридцать шесть лет, живет в Сиэтле, штат

Вашингтон. В прошлом году заработал сорок восемь тысяч долларов в качестве напарника мисс Дженнаро. Семь лет разведен. Бывшая жена отбыла в неизвестном направлении. — Он улыбнулся мне. — Но мы работаем над этим, можете мне верить. — Он перевернул страницу и поджал толстые губы. — В прошлом году вы хладнокровно застрелили сутенера. Это случилось в надземном переходе через пути. — Он подмигнул мне. — Да, Кензи, мы знаем о вас все. Будете убивать в следующий раз, не оставляйте свидетелей. — Он вновь заглянул в блокнот. — Где мы остановились? Да, вот. Любимый цвет — синий. Любимое пиво — «Девушка Сан-Паули», любимая еда — мексиканская. Он искоса взглянул на нас. — Продолжать?

— Потрясающе, — оценила Энджи.

— Анджела Дженнаро. Недавно разошлась с Филиппом Димасси. Отец умер, мать, Антония, живет со вторым мужем во Флэгстаффе, штат Аризона. Как и ее партнер Кензи, замешана в прошлогоднем убийстве сутенера. С недавнего времени снимает квартиру на первом этаже по Хауз-стрит, на задней двери слабый замок. — Он захлопнул блокнот. — Ну и на кой черт нам посылать кому-то фотографию?

Мой внутренний голос молил меня сохранять благоразумие. Я откашлялся.

— Просто невероятно.

— Чертовски верно, так и есть, — сказал Джек Рауз.

— Мы не посылаем фотографии, мистер Кензи, — сказал Фредди. — Наши послания более конкретны.

Джек и Фредди смотрели на нас с циничной хитринкой в глазах, а Кевин Херлихи расплылся в глупейшей улыбке шириной с каньон.

— Значит, у моей задней двери слабый замок? — негромко спросила Энджи.

Фредди пожал плечами:

— Так мне доложили.

Рука Джека Рауза потянулась к засаленной твидовой кепке на голове, он приподнял ее, глядя в сторону Энджи.

Она улыбнулась, глядя то на меня, то на Фредди. И только тот, кто знал ее долгое время, мог определить степень ее ярости. Она принадлежала к категории людей, чей гнев мог быть обуздан только путем снижения физической активности. Судя по застывшей позе, она уже минут пять как благополучно миновала весьма опасный внутренний риф.

— Фредди, — сказала она таким тоном, что тот часто-часто заморгал. — Вы подчиняетесь клану Имбрулья в Нью-Йорке, я не ошибаюсь?

Фредди едва заметно вздрогнул.

Пайн сделал такое движение, будто хочет размять ноги.

— А клан Имбрулья, — продолжила Энджи, — отчитывается перед кланом Молиак, который, в свою очередь, по-прежнему считается нижестоящим по отношению к клану Патризо. Верно?

Фредди сосредоточенно что-то соображал, левая рука Джека застыла на полпути между столом и чашкой кофе, рядом со мной напряженно сопел Кевин.

— И вы — я имею право на этот вопрос — посылаете человека найти слабину в охранной системе квартиры единственной внучки мистера Патризо? — Она покровительственно коснулась его руки. — Как думаете, он сочтет такие действия уважительными по отношению к себе или нет?

Фредди проблеял:

— Анджела...

— Спасибо, что уделили нам время.

— Приятно было повидаться, ребята. — Я вознамерился пойти на выход.

Стул под Кевином зловеще скрежетнул, когда тот вскочил и преградил мне путь.

— Сядь, черт тебя побери, — сказал Фредди.

— Разве не слышал? — повторил я. — Сядь, черт тебя побери.

Кевин оскалился, отер губы рукой.

Краем глаза я увидел, что Пайн снова закинул ногу на ногу.

— Кевин, — негромко позвал Джек Рауз.

На лице Кевина отразилась застарелая и мучительная классовая ненависть и махровый психоз. Умственное развитие этого ублюдка природы остановилось где-то между первым и вторым классом средней школы. А еще это лицо выражало жажду убийства.

— Анджела, — сказал Фредди, — мистер Кензи. Давайте разберемся.

— Кевин, — уже с нажимом повторил Джек Рауз.

Кевин положил руку мне на плечо. Ощущение, прямо скажем, не из приятных. Затем он кивнул, будто отвечая на какой-то непроизнесенный вопрос, и отступил.

— Анджела, не могли бы мы...

— Всего хорошего, Фредди.

Мы дошли до машины, которую оставили на Коммершиал-стрит, на расстоянии одного квартала от дома Дайандры Уоррен, и Энджи сказала:

— Мне еще надо кое-что сделать, поэтому я вернусь домой на такси.

— Уверена?

Женщина, только что вышедшая с мафиозной сходки, посмотрела на меня так, что мне не захотелось вступать с ней в пререкания.

— А ты что собираешься делать?

— Думаю поговорить с Дайандрой. Возможно, узнаю что-нибудь еще об этой Мойре Кензи.

— Я тебе нужна?

— Справлюсь.

— Я ему верю.

— Кевину?

Она кивнула.

— Я тоже. Ему незачем лгать.

Энджи всмотрелась в Льюис-Уорф, единственный огонек горел в квартире Дайандры Уоррен.

— Но если это не Кевин, то кто послал это фото?

— Никакой зацепки.

— Хреновые мы сыщики, да?

— Разберемся, — успокоил ее я. — Мы привычные.

Я бросил взгляд в начало Принс-стрит и увидел двоих парней, явно направляющихся к нам. Один низкорослый, худой, крепко сбитый, на голове засаленная кепка. Другой был высок, худощав и, вероятно, хихикал, когда убивал людей. Они и остановились у золоченого «мицубиси-диамант», в двух шагах от нас. Открывая Джеку пассажирскую дверцу, Кевин смотрел прямо на нас.

«Этот парень, — подсказал мне внутренний голос, — очень не любит вас обоих».

Повернув голову, я увидел Пайна, сидящего на капоте моей машины. Он легко взмахнул рукой, и я еле успел подхватить свой бумажник.

Кевин обошел машину спереди, все еще глядя на нас, затем влез в нее, и они двинулись вверх по Коммершиал, затем вокруг Уотерфронт-парка и исчезли на повороте Атлантик-Эйв.

— Мисс Дженнаро. — Пайн с поклоном вручил ей кошелек. — Это был прекрасный спектакль. Браво.

— Благодарю.

— Но не стоит повторять его дважды.

— Вы уверены?

— Абсолютно. Это было бы неразумно.

Она кивнула.

— Этот парень, — Пайн посмотрел в ту сторону, куда уехал «диамант», потом на меня, — спит и видит, как попортить тебе жизнь.

— Пусть спит, — как можно более небрежно ответил я.

Пайн аккуратно, без единого резкого движения слез с машины, будто стек с нее.

— Когда-то он точно так же смотрел на меня. Если бы взглядом можно было заводить двигатель, он бы непременно завелся. — Он передернул плечами. — Но я — это я.

— Мы привыкли к Кевину. Еще в детском саду горшки рядом стояли, — сказала Энджи.

Пайн неопределенно мотнул головой.

— Тогда и надо было его придавить. — Он прошел между нами, и я ощутил ледяной холод в груди. — Доброй ночи.

Он пересек Коммершиал и стал подниматься вверх по Принс-стрит.

Становилось прохладно, ветер усилился. Энджи поежилась.

— Не нравится мне это дело, Патрик.

— Мне тоже. Совсем не нравится.

5

Мы сидели на кухне у Дайандры Уоррен, белый фарообразный светильник был единственным источником света в темной квартире, на полу лежали неуклюжие тени от мебели. Огоньки соседних домов заглядывали в окна, но внутрь не проникали, на противоположной стороне гавани огни Чарльзтауна расчертили черное небо на желтые квадраты.

Стояла теплая ночь, но у Дайандры было холодно. Она поставила передо мной вторую бутылку светлого «Бруклина», села и начала задумчиво крутить в пальцах бокал с вином.

— Вы верите этим мафиози? — спросил Эрик.

Я кивнул. Я только что рассказывал им о встрече у Толстяка Фредди, опустив лишь связь Энджи с Винсентом Патризо.

— Они мало что выиграли бы от лжи, — сказал я.

— Это преступники, ложь — их вторая натура.

Я отхлебнул пива.

— Согласен, но все-таки лгут либо от страха, либо для самозащиты. У этих ребят нет причин бояться меня. Я для них никто. Если они угрожали вам, Дайандра, а я выступал от вашего имени, их ответ был бы следующим: «Да, мы угрожали ей. Из чего вытекает — не суйте нос, иначе и вас прикончим. Точка».

— Но они не сказали этого. — Она кивнула как бы сама себе.

— Нет. Добавьте к этому, что Кевин не относится к числу мужчин, у которых есть постоянные девушки. Но гораздо важнее другое...

— Но... — начал Эрик.

Я не дал ему договорить и посмотрел на Дайандру.

— Мне следовало спросить у вас еще при первой встрече, но мне никогда не приходило в голову, что это может быть обман. У парня, который звонил и выдавал себя за Кевина, было что-то странное с голосом?

— Странное? Что именно?

— Подумайте.

— Мне кажется, голос был низкий и сиплый.

— Вы уверены?

Она отпила из бокала, затем кивнула:

— Да.

— Тогда это был не Кевин.

— Как вы?..

— Ему в детстве сделали операцию на горле, с тех пор голос так и не смог развиться, он у него тонкий и ломкий, как у подростка.

— Тогда это действительно звонил не он.

Эрик устало помассировал лицо.

— А кто звонил?

— И зачем? — спросила Дайандра.

Я поднял руки.

— Не знаю, пока не знаю. Есть ли у вас враги?

Дайандра покачала головой.

— Как вы определяете, что такое враги? — спросил Эрик.

— Враги, — сказал я, — это люди, которые звонят вам в четыре утра и угрожают, либо посылают фотографию вашего ребенка без всяких разъяснений, либо просто желают вам смерти. Пожалуй, так.

Эрик подумал, затем отрицательно покачал головой.

— Вы уверены?

Он поморщился:

— Полагаю, у меня есть профессиональные конкуренты и клеветники, которые не согласны со мной...

— В каком смысле?

Эрик кисло улыбнулся:

— Патрик, вы слушали мои лекции. Знаете, что я не согласен со многими экспертами в моей области, равно как и они не согласны со мной. Но сомневаюсь, что все они жаждут физической расправы надо мной. Кроме того, мои враги преследовали бы меня, а не Дайандру и ее сына.

— Возможно. Однако никогда нельзя знать... — Я взглянул на Дайандру. — Вы упоминали, что в прошлом боялись своих пациентов. Некоторые из них недавно освободились из больниц и тюрем. Кто может затаить на вас злобу?

— Обычно меня ставят в известность. — Наши взгляды встретились, в ее глазах я прочел замешательство и страх, глубокий, затаенный страх.

— Не было ли у вас в недавнем прошлом пациентов, у которых мог быть мотив, а главное, возможность осуществить свой замысел?

На минуту она задумалась, но в конце концов покачала головой:

— Нет.

— Мне нужно переговорить с вашим бывшим мужем.

— Стэном? Зачем? Не вижу смысла.

— Мне нужно исключить возможность этого следа. Простите за прямоту, но только дурак не думал бы об этом.

— Я не настолько глупа, мистер Кензи. Но поверьте, Стэн не имеет никакого отношения к моей жизни и не имел на протяжении последних двух десятилетий.

— Я должен знать все о тех, кто присутствовал в вашей жизни, доктор Уоррен, особенно о тех, с кем у вас не самые лучшие отношения.

— Патрик, это уже называется вторжением в частную жизнь, ты переходишь границы...

Я чертыхнулся.

— Я, пожалуй, пойду.

— Как это пойдешь, куда, а как же мы?

— Знаешь что, Эрик, плевал я на твою частную жизнь, а также на частную жизнь доктора Уоррен. Ты втянул меня в это и прекрасно знаешь, как я работаю. Не нравится мне это дело. Очень не нравится, поэтому я пытаюсь найти какие-то зацепки, которые помогут уберечь доктора и ее сына от опасности. Чтобы выполнить эту задачу, мне нужно знать все о вашей жизни. Все. Если вас это не устраивает, мне делать нечего.

— Неужели ты оставишь женщину в беде? — спросил Эрик.

— Запросто.

Дайандра не удержалась от колкости:

— Вы всегда такой грубый?

На долю секунды в моей памяти всплыла картина: падающая на раскаленный цемент Дженна Энджелайн, изрешеченная пулями, мое лицо и одежда залиты ее кровью. Умерла чудным летним утром, а всего в нескольких дюймах от нее стоял я собственной персоной.

— Однажды, — сказал я, — по моей вине погиб человек. Потому что я опоздал. Всего на шаг. Потому что не знал всех деталей. Я не хочу, чтобы это повторилось снова.

На шее у нее чуть заметно подрагивала голубоватая жилка. Она обхватила шею руками.

— Вы думаете, мне что-то всерьез угрожает?

Я обреченно вздохнул:

— Не знаю. Но вам угрожали. Прислали фото сына. Кто-то хочет причинить вам большие неприятности и разрушить вашу жизнь. Я хочу выяснить, кто это, и остановить его. Для этого вы меня и наняли. Можете позвонить Тимпсону и устроить нашу с ним встречу, скажем, завтра?

Она пожала плечами:

— Думаю, да.

— Хорошо. Мне также нужно описание Мойры Кензи, все, что вы вспомните о ней, не важно, сколь незначительным это покажется.

С минуту Дайандра сидела с закрытыми глазами, восстанавливая в памяти облик своей злополучной гостьи. Я раскрыл блокнот и приготовил ручку.

— На ней были джинсы и черная водолазка, сверху красная фланелевая рубашка. — Дайандра открыла глаза. — Красивые светло-русые волосы, слегка растрепанные, и она курила как паровоз. Выглядела по-настоящему испуганной.

— Рост?

— Где-то сто семьдесят.

— Вес?

— Килограммов пятьдесят или около того.

— Какие сигареты она курила?

Дайандра вновь прикрыла глаза.

— Длинные, с белым фильтром. Пачка золотистого цвета. Кажется, «Делюкс».

— «Бенсон и Хеджис делюкс ультра лайтс»?

Ее глаза моментально открылись.

— Да.

Я пожал плечами:

— Моя напарница всегда переходит на них, когда пытается бросить курить. А глаза?

— Зеленые.

— Никаких догадок по поводу происхождения?

Она отпила немного из своего бокала.

— Возможно, Северная Европа, но несколько поколений тому назад, а может, и смесь. Возможно, ирландка, британка, даже славянка. Очень белокожая.

— Что-нибудь еще? Не говорила, откуда родом?

— Бельмонт, — проговорила она с некоторым удивлением.

— Здесь что-то не так... Какое-то несоответствие, верно?

— Пожалуй... уж если кто-то из Бельмонта, он всегда попадает в хорошую подготовительную школу и так далее.

— Верно.

— И одна из особенностей, которую они теряют, если, не дай бог, она у них была, это бостонский акцент.

— Но не эпатируют им, особенно незнакомцев.

— Точно.

— У Мойры он был?

Дайандра кивнула:

— Тогда я не придала этому значения, но, пожалуй, да, это все довольно странно. Это не бельмонтский акцент, скорее реверский, или восточно-бостонский, или... — Она взглянула на меня.

— Или дорчестерский, — сказал я.

— Да.

— То есть местный. — Я захлопнул свой блокнот.

— Да. Что вы собираетесь предпринять?

— Прежде всего встретиться с Джейсоном. Ему грозит опасность. Именно он ощутил слежку, именно его фотографию прислали вам.

— Хорошо.

— Мне хотелось бы, чтобы вы ограничили свою деятельность.

— Не могу.

— Оставьте приемные часы и назначенные встречи, не договаривайтесь о новых, в остальное время держитесь подальше от университета, пока я что-нибудь не выясню.

Она кивнула.

— Эрик.

Он взглянул на меня.

— Твой револьвер... Умеешь им пользоваться?

— Практикуюсь раз в неделю. Получается вроде неплохо.

— Стрелять в живую цель — совсем другое дело.

— Знаю.

— Мне надо, чтобы ты был с ней рядом хотя бы несколько дней. Сможешь?

— Конечно.

— Если что-то случится, не пытайся всадить противнику пулю в голову или в сердце.

— А куда?

— Разряди в него всю обойму куда придется. Шесть выстрелов уложат кого угодно при условии, что он меньше носорога.

На Эрика было жалко смотреть. Возможно, он и вправду хороший стрелок, но вряд ли у нападающего будет на лбу, как в тире, нарисован огромный бычий глаз.

— Проводишь меня немного?

Он кивнул. Мы дошли до лифта.

— Наша дружба не может повлиять на мою работу. Надеюсь, ты это понимаешь?

Он уставился в пол и кивнул.

— Какие у тебя с ней отношения?

Он с вызовом посмотрел на меня:

— А что?

— Никаких тайн, Эрик. Запомни. Мне надо знать, какова твоя роль.

Он пожал плечами:

— Мы друзья.

— Спящие в одной кроватке?

Он горько усмехнулся:

— Патрик, тебе бы не помешало взять несколько уроков хороших манер.

— Мне платят не за соблюдение этикета.

— Мы познакомились в Брауне, я писал диссертацию, она только поступила в аспирантуру.

— Повторяю свой вопрос: ты с ней спишь?

— Нет. Мы просто добрые друзья. Как вы с Энджи.

— Понятно, почему я сделал такое предположение?

Он кивнул.

— У нее есть любовник?

Он отрицательно покачал головой.

— Она... — Он взглянул на потолок, затем на свои ботинки.

— Она — что?

— Не относится к сексуально активным женщинам, Патрик. Так она для себя решила. Она уже лет десять, как с этим завязала.

— Почему?

Его лицо помрачнело.

— Это ее выбор. Для некоторых либидо — далеко не решающий фактор в жизни, Патрик. Жаль, что данная концепция у многих не находит понимания точно так же, как и у тебя.

— О'кей, — мягко проговорил я. — Есть ли что-нибудь еще, чего ты мне не сказал?

— Что ты имеешь в виду?

— Какой-нибудь скелет в шкафу. Причина, по которой этот субъект угрожает Джейсону, чтобы добраться до тебя?

— На что ты намекаешь?

— Ровным счетом ни на что, Эрик. Я задал прямой вопрос. И жду ответа. Да или нет?

— Нет. — В его голосе зазвенел лед.

— Прости. Я должен был задать эти вопросы.

— Да иди ты... — Он круто развернулся и вернулся в дом.

6

Была уже почти полночь. Улицы давно обезлюдели, температура держалась на отметке двенадцать, я опустил стекла, чтобы проветрить застоявшийся воздух в салоне.

После того как моя последняя служебная машина приказала долго жить посреди одной из мрачных и безлюдных улочек Роксбэри, я нашел эту, коричневую «Краун-Виктория-86». Случилось это на полицейском аукционе, о котором мне сообщил знакомый полицейский по имени Дэвин. Мотор был в прекрасном состоянии: если такую машину сбросить с тридцатого этажа, она распалась бы на запчасти, а мотор продолжал бы работать. Я потратил кучу денег на ее начинку под капотом, поставил лучшие шины, однако внутреннее убранство оставил прежним: потолок и сиденья пожелтели от дыма дешевых сигарет, задние сиденья порваны и испускают запах резины, радио сломано. Задние дверцы здорово вогнуты внутрь, как будто их сдавили щипцами, а краска на кузове содрана, образовав круг с рваными краями, из-под которых проглядывала старая покраска.

Зрелище было ужасным, зато я был абсолютно уверен: ни один уважающий себя автомобильный воришка не захочет найти свою смерть в таком драндулете.

У светофора возле Харбор-Тауэрз я остановился. Мотор, жрущий несколько галлонов бензина в минуту, счастливо урчал. Перед нами переходили дорогу две хорошенькие барышни. Внешне они походили на офисных служащих: узкие обтягивающие темные юбки с блузками, темные чулки, белые теннисные туфли. В их походке ощущалась едва заметная неуверенность, как будто тротуар под их ногами пружинил. Отрывистый смех рыжеволосой девушки звучал чересчур громко.

Я встретился глазами с ее спутницей-брюнеткой и улыбнулся ей приветливой спокойной улыбкой, которая может появиться только в момент, когда одна человеческая душа встречает другую в такую нежную, тихую ночь в таком вечно суматошном городе.

Она улыбнулась в ответ, но тут на ее подругу напала икота, обе расхохотались, обо мне было забыто.

Я тронулся с места, выехав на центральную полосу, дорога нырнула под темно-зеленый надземный переход, и я подумал, что все-таки я странный типчик, если улыбка подвыпившей женщины могла так легко поднять мне настроение.

Но странным был не я, а мир, населенный Кевинами Херлихи и Толстыми Фредди, а также женщинами вроде той, о которой я прочитал в утренней газете. Она оставила троих детей в кишащей крысами квартире, а сама отправилась в загул с очередным кавалером. Через четыре дня, когда представители детского опекунского комитета вошли в квартиру, им пришлось практически отрывать одного из малышей от матраца с криками и воплями, так как уже появились пролежни. В подобном мире — в ночь, когда меня переполняет нарастающее чувство страха по поводу клиентки, которой угрожают неизвестные силы по неизвестным причинам, чьи мотивы, по всей видимости, далеки от невинности, — кажется, что женская улыбка не способна произвести какое-либо впечатление. Но это не так. Произвела.

Но если та улыбка подняла мне настроение, она не шла ни в какое сравнение с улыбкой Грейс, когда я подъехал к своему дому и увидел ее, сидящую на ступеньках парадного входа. На ней был зеленый полотняный жакет размеров на пять больше ее собственного, под ним майка с короткими рукавами и больничные штаны небесной голубизны. Обычно аккуратно уложенная короткая каштановая челка была взлохмачена, видимо, за последние тридцать часов дежурства ее слишком часто теребили. Лицо выглядело осунувшимся из-за глубокого недосыпа, который компенсировался бесчисленными чашками кофе.

И все же она была одной из самых красивых женщин, которых я встречал в своей жизни.

Пока я поднимался по лестнице, она, не двигаясь с места, наблюдала за мной, едва заметно улыбаясь одними уголками губ. Когда мне оставалось всего три ступеньки, она раскинула руки и наклонилась вперед, как ныряльщик.

— Лови меня!

Столкновение вызвало во мне ураган чувств — от сладостных до болезненно-пронзительных. Она поцеловала меня, я поставил ноги вместе, и она с лету обвила меня ногами, скрестив лодыжки на уровне моих колен. Казалось, мы слились в единое существо, я каждой клеткой слышал запах ее кожи, ощущал жар тела. На секунду оторвавшись от моих губ, она прошептала:

— Я скучала по тебе.

— Это я понял, — пробормотал я, целуя ее в шею. — Как тебе удалось ускользнуть?

Она вздохнула:

— Там наконец все угомонились.

— Ты долго меня ждала?

Она кивнула, ткнулась носом мне в ключицу, мы как-то расплелись и, не выпуская друг друга из объятий, встали на ноги.

— Где Мэй?

— Дома с Аннабет. Спит.

Аннабет была младшей сестрой Грейс и исполняла роль няни.

— Видела ее?

— О да, успела прочитать вечернюю сказку, поцеловать и сказать «доброй ночи». Она мгновенно уснула.

— А ты? — Я погладил ее по спине. — Тебе совсем не нужен сон?

Она вновь вздохнула, кивнула, уперлась в меня лбом.

— Ох...

— Ты очень устала.

— «Очень» не то слово. Но больше, чем сон, мне нужен ты. — Она поцеловала меня. — Глубоко, очень глубоко внутри. Как думаешь, у нас получится, детектив?

— Мечтаю об этом больше всего на свете, доктор!

— Я уже это слышала. Пригласишь меня к себе или устроим показательные выступления прямо здесь, на радость соседям?

— Ну...

Ее рука коснулась моего живота.

— Скажешь, когда будет больно.

— Чуть ниже, — сказал я.

Не успел я закрыть дверь квартиры, как Грейс буквально пригвоздила меня к стенке и страстно поцеловала. Левой рукой она крепко обхватила мой затылок, а правая шарила по моему телу, как маленький голодный зверек. Обычно я всегда в хорошей форме, но если б не бросил курить несколько лет назад, боюсь, Грейс пришлось бы применять интенсивную терапию.

— Похоже, леди берет командование в свои руки! Мне остается только подчиниться.

— Леди, — она ущипнула меня за плечо, — настолько устала, что нуждается в помощи по части раздевания.

— И снова джентльмен счастлив услужить.

Она отступила и, глядя на меня, сняла жакет и бросила его на пол. Грейс не была скромницей. Затем она снова жадно поцеловала меня и, повернувшись на каблуках, пошла по коридору.

— Ты далеко? — спросил я внезапно севшим голосом.

— В душ.

У двери в ванную она сняла майку. Узкий луч уличного света проникал через спальню в коридор и в этот момент скользнул по ее спине. Она повесила майку на шарообразную ручку двери и, скрестив руки на обнаженной груди, обернулась.

— Ты превратился в соляной столб?

— Я любуюсь.

Она провела руками по волосам, изогнув при этом спину, от чего под кожей проступили ребра. Когда она сбрасывала кроссовки и снимала носки, то вновь посмотрела на меня. Больничные штаны упали к ее ногам. Она переступила через них.

— Давай оживай скорее.

— Я уже.

Она прислонилась к косяку двери, зацепив большим пальцем резинку черных трусиков. Я больше не мог себя сдерживать. В этой поднятой брови, в улыбке было что-то дьявольское.

— Будьте так добры, детектив, помогите мне снять вот это...

Когда мы с Грейс занимались в душе любовью, мне пришла в голову странная мысль: когда бы я ни думал о ней, это всегда было как-то связано с водой. Мы познакомились в самую сырую неделю холодного и дождливого лета. Ее зеленые глаза были так светлы, что напоминали мне зимний дождь, кроме того, впервые мы занимались любовью в море, где ночной дождь полоскал наши тела.

После душа мы, не успев обсохнуть, рухнули на постель. Ее каштановые волосы разметались по моей груди, а эхо наших ласк все еще звучало в моих ушах.

На ключице у Грейс был небольшой шрамик в форме канцелярской кнопки — свидетельство того, что в детстве она решила поиграть в амбаре своего дяди, где были оставлены без присмотра гвозди с широкими шляпками. Я поцеловал его.

— Мм... — пробормотала она. — Еще, пожалуйста.

Мой язык скользнул по шрамику.

Она закинула ногу на мою, проведя ступней по моей лодыжке.

— Может ли шрам быть эрогенной зоной?

— Все, что угодно, может быть эрогенной зоной.

Ее пальцы легко пробежались по моему животу, нащупав рубец, напоминающий по форме медузу.

— А что это?

— Ничего эрогенного, Грейс.

— Ты всегда избегаешь разговоров об этом. Это ожог или что-то в этом роде.

— Ты что, доктор, что ли?

Она хихикнула:

— Что-то вроде. — Ее ладонь скользнула ниже. — Скажи, где болит, детектив.

Помолчав мгновение, она посмотрела на меня долгим взглядом и мягко добавила:

— Если не хочешь, не рассказывай.

Я убрал волосы с ее лба, провел пальцем по лицу, спустился ниже, к нежной шее, еще ниже, пока не достиг упругой округлости груди. Накрыл ладонью затвердевший сосок и, обняв ее, перекатил на себя сверху. Я сжал ее так крепко, что услышал биение наших сердец так отчетливо, будто посыпался град.

— Мой отец приложил ко мне утюг, дабы преподать урок.

— Что за бред? Какой урок?

— Не играть с огнем.

—?!

— Он был моим отцом, я — его сыном. Если бы он хотел сжечь меня, он мог это сделать.

Ее глаза потемнели от ярости, а поцелуй был таким крепким, будто она хотела вытянуть из меня всю мою боль.

Когда она отодвинулась перевести дыхание, лицо ее было влажным.

— Он умер?

— Отец?

Она кивнула.

— Да, умер.

— Это хорошо.

Через несколько минут мы снова занялись любовью, и это было одно из самых волшебных ощущений в моей жизни. Наши тела переплелись, она захватила меня в плен, я будто растворился в ней...

Грейс вскрикнула, а мне показалось, что звук вышел из моего горла.

— Грейс, Грейс...

Уже засыпая, я услышал над ухом сонное «спокойной ночи».

— Ночи.

Она лизнула меня в ухо: «Я люблю тебя».

Когда я открыл глаза, чтобы ответить ей, она уже спала.

В шесть утра меня разбудил звук льющейся воды. Простыни пахли ее духами, ее кожей, едва уловимым запахом антисептика, потом наших любовных игр, въевшимся в ткань настолько, что казалось, здесь прошла не одна, а тысяча ночей.

Я ждал ее у двери ванной, выйдя, она прислонилась ко мне, пока расчесывалась.

Моя рука скользнула под полотенце, которым она была обмотана.

— Даже не думай. — Она звонко чмокнула меня в щеку. — Мне надо успеть повидаться с дочкой и вернуться в больницу, а я и так уже ни рукой ни ногой шевельнуть не могу после этой ночи, не то чтоб ходить. Иди мойся.

Пока Грейс искала чистое белье в ящике комода, который она по договоренности присвоила себе, я наспех сполоснулся и теперь ждал, когда же наступит то неизбежное чувство неловкости, которое всегда наступало, когда женщина проводила в моей постели более часа. Как ни странно, сегодня его не было.

«Я люблю тебя», — пробормотала она тогда, засыпая.

Очень странно.

Когда я вернулся в спальню, Грейс снимала с кровати простыни. Она уже переоделась в черные джинсы и темно-синюю рубаху.

Когда она наклонилась над подушкой, я сам не понял, как оказался рядом.

— Дотронешься — убью, — пригрозила, не оборачиваясь, она.

Я встал по стойке смирно.

— Ты знаком со словом «прачечная»? — ехидно поинтересовалась она.

— Слыхал.

Она бросила подушку в угол.

— Могу я надеяться, что в следующий раз здесь будет свежее белье, иначе нам придется спать на голом матрасе?

— Все будет в наилучшем виде, мадам.

Еще несколько минут пролетели в поцелуях и объятиях.

— Кто-то звонил, пока ты был в душе. — Она чуть откинулась в моих руках.

— Кто? Еще нет и семи утра.

— Вот и я так подумала. Своего имени он не назвал.

— Что он сказал?

— Он знает мое имя.

— Что?

— Он ирландец. Я подумала, это твой дядя или кто-то знакомый.

Я покачал головой:

— Со своими дядьями я не общаюсь.

— Почему?

— Потому что они братья моего отца и ничем не отличаются от него самого.

— Гм...

— Грейс. — Я взял ее за руку и усадил на кровать рядом с собой. — Что этот ирландец тебе сказал?

— Он сказал: «Вы, наверное, прелестная Грейс. Рад слышать ваш прелестный голосок». — Она взглянула на стопку постельного белья. — Когда я сказала, что ты в душе, он сказал: «Ладно, передайте, что я звонил и иногда буду наведываться», — и повесил трубку прежде, чем я спросила его имя.

— И все?

Грейс кивнула:

— В чем дело?

Я пожал плечами:

— Не знаю. Мало кто звонит мне в семь утра, но если такое случается, всегда представляются.

— Патрик, кто из твоих друзей знает, что мы встречаемся?

— Энджи, Дэвин, Ричи и Шерилин, Оскар и Бубба.

— Бубба?

— Ты видела его. Громадный парень, всегда в шинели...

— Такого не забудешь. Вид у него такой, будто он в один прекрасный день может войти в какую-нибудь забегаловку и расстрелять всех до одного только потому, что там испорчен игральный автомат.

— Угадала, это он. Ты видела его на...

— На вечере в прошлом месяце. Я помню. — Ее передернуло.

— Он безобиден.

— Возможно, для тебя — да.

Я взял ее за подбородок и повернул лицом к себе.

— Не только для меня. Для всех, кто мне дорог. Бубба безумно благородный.

— Он психопат. Такие, как он, заполняют приемные покои новыми жертвами.

— Неправда.

— Я не хочу, чтобы он когда-нибудь приближался к моей дочке. Понятно?

Когда родитель чувствует угрозу для своего ребенка и необходимость его защитить, он обретает особенный, звериный взгляд, излучающий угрозу. Он может быть бессознательным, и, несмотря на то что происходит от глубокого чувства любви, пощады от него не жди.

Именно такой взгляд был у Грейс в данный момент.

— Договорились.

Она поцеловала меня в лоб.

— Не нужно наводить справки об этом ирландце, хорошо?

— Не буду. Он больше ничего не сказал?

— «Скоро». — Она обошла кровать кругом, заглянула под нее. — Где я оставила свой жакет?

— В гостиной, — сказал я. — Что значит «скоро»?

— Он сказал, что будет наведываться. Помолчал секунду и добавил: «Скоро».

Она вышла из спальни, и я услышал легкое поскрипывание паркета в гостиной.

Скоро.

7

Вскоре после ухода Грейс позвонила Дайандра. Стэн Тимпсон согласился уделить мне пять минут по телефону в одиннадцать часов.

— Целых пять минут! — воскликнул я.

— Для Стэна это очень щедро. Я дала ему ваш номер. Он позвонит вам ровно в одиннадцать, Стэнли очень точен.

Дайандра дала мне расписание занятий Джейсона на неделю и номер его комнаты в общежитии. Я записал все, но тут голос ее стал слабым и ломким, в нем зазвучал страх, и, прежде чем мы попрощались, она сказала:

— Я ужасно нервничаю. Как мне это надоело.

— Не волнуйтесь, доктор Уоррен. Все образуется.

— Думаете?

Я позвонил Энджи, трубку сняли после второго звонка. Но сначала я уловил непонятный шорох и шум, как если бы она переходила из рук в руки, а потом услышал шепот Энджи:

— Я возьму.

Голос Энджи был чуть хрипловатым ото сна.

— Алло?

— Доброе утро.

— Угу, — сказала она. — Так и есть. — На другом конце снова послышался шорох, на этот раз простынь, из которых пытались выпутаться, и скрип матрасных пружин. — Что стряслось, Патрик?

Я передал ей содержание разговора с Дайандрой и Эриком.

— В таком случае это точно не Кевин. Это какая-то бессмыслица.

— Не совсем. У тебя есть ручка?

— Где-то есть. Сейчас найду.

Снова шелест и шорох, что означало, что Энджи бросила трубку на кровать и отправилась искать ручку. Надо сказать, что кухня у Энджи без единого пятнышка, так как она просто не пользуется ею, ванная у нее сверкает, потому что хозяйка не терпит грязи, но зато спальня всегда выглядит так, будто в ней только что распаковали сумки после длительного путешествия во время урагана. Носки и нижнее белье выглядывают из ящиков комода, чистые джинсы, рубахи и колготки разбросаны по полу или свисают с дверных ручек и со спинки кровати. Сколько я знал Энджи, она никогда не надевала то, что решала надеть с вечера. Среди этого беспорядка можно было увидеть и книги, и журналы, и согнутые и сломанные расчески, которые валялись по полу.

Масса предметов была потеряна в спальне Энджи, и вот теперь она решила найти здесь ручку.

После того как несколько ящиков были выпотрошены, а денежная мелочь, зажигалки и серёжки рассыпаны по прикроватной тумбочке, чей-то голос спросил:

— Что ты ищешь?

— Ручку.

— Вот, возьми.

Она вернулась к телефону.

— Ручка есть.

— А бумага? — спросил я.

— Да, бумага.

Прошла еще минута.

— Давай говори, — сказала она.

Я дал ей учебное расписание Джейсона и номер его комнаты в общежитии. Она должна была понаблюдать за ним, пока я ждал звонка Стэна Тимпсона.

— Заметано, — сказала Энджи. — Но, черт побери, мне надо бежать!

Я взглянул на часы:

— Первое занятие начнется не раньше полдесятого. У тебя еще есть время.

— У меня полдесятого встреча.

— С кем?

Ее дыхание было несколько затруднено, из чего я сделал вывод: она натягивает джинсы.

— С моим адвокатом. Увидимся в университете, позже.

Она повесила трубку, а я стал смотреть на улицу внизу. День был таким ясным, что улица казалась замерзшей рекой, вытекающей из каньона и продолжающей свой путь между рядами домов, трехэтажных и кирпичных особняков. Ветровые стекла в машинах были сухие, белые и непроницаемые для солнца.

Адвокат? На протяжении последних трех месяцев моего романа с Грейс в моем сознании иногда бывали некоторые просветления, во время которых я с удивлением вспоминал, что у моей напарницы есть своя жизнь. Отдельная от моей. В ней имели место адвокаты, сложности, мини-драмы и даже мужчины, которые подавали ей ручки в полвосьмого утра.

Итак, кто был этот адвокат? И кто тот парень, что давал ей ручку? И какое мне до этого дело?

И что за чертовщина с этим «скоро»?

До звонка Тимпсона оставалось еще полтора часа, и мне их надо было как-то убить, а сделав зарядку, я обнаружил, что в моем распоряжении еще больше часа. Я полез в холодильник в надежде найти там что-то, кроме пива и содовой, но он был пуст, поэтому я вышел на улицу, чтобы выпить чашку кофе на углу.

Я купил кофе и вышел на улицу. Прислонившись к фонарному столбу, я несколько минут потягивал его и наслаждался чудным днем, наблюдая за уличным движением и пешеходами, спешащими по своим делам в сторону метро в конце Кресчент-стрит.

Позади меня из заведения под названием «Таверна «Черный изумруд» доносился запах несвежего пива и въевшегося в дерево виски. «Изумруд» открывался в восемь утра для тех, кто возвращался с ночной смены, и теперь, ближе к десяти, там было так же шумно, как в пятницу вечером: в помещении стоял монотонный гул голосов, прерываемый иногда громкими возгласами или резким ударом кия по шару, посылаемому в сетку.

— Эй, парень!

Я повернулся и очутился лицом к лицу с невысокой женщиной, на лице которой играла смутная, изменчивая усмешка. Она заслонила рукой глаза от солнца, поэтому я не сразу узнал ее. Она изменила прическу, стиль одежды, даже голос стал другим, чуть более глубоким, с тех пор как я его последний раз слышал.

— Привет, Кара. Когда вернулась?

— Недавно. Как твои дела, Патрик?

— Хорошо.

Кара покачалась на каблуках, отвела глаза в сторону, чуть улыбнулась, на левой щеке появилась ямочка, и она сразу стала такой знакомой, такой родной.

Она была чудным ребенком, веселым, но одиноким. В то время когда большинство сверстников гоняли мяч, она сидела на спортплощадке с блокнотом в руках, выводила там понятные только ей каракули либо рисовала. Когда она подросла и заняла вместе со своими друзьями место на углу Блейк-Ярд, которое, кстати, десять лет назад моя компания считала своим, то и тогда Кару можно было видеть где-нибудь в стороне сидящей прислонившись спиной к забору и взирающей на окрестности так, словно увидела их впервые. Она была красива, очень красива, а настоящая красота ценится в нашей округе больше, чем любой другой товар, так как считается еще более редким даром, чем получение богатого наследства.

С тех пор как Кара начала ходить, каждому было ясно, что она не задержится в родительском доме.

Так уж повелось, что красивые девушки не задерживались здесь, поэтому отъезд был обозначен в ее глазах так же, как крапинки на радужной оболочке. Она была в постоянном движении, казалось, она торопится попасть в то место, что ей грезилось.

Возможно, для друзей Кары она была необыкновенной, но похожие истории в разных вариациях повторялись примерно каждые пять лет. Во времена нашей тусовки на углу это была Энджи. Насколько мне известно, она была единственной, кто отверг эту странную логику наших мест крушения надежд и остался дома.

До Энджи была Эйлин Мак, поскакавшая по дорогам Америки прямо с выпускного вечера, в бальном платье. Спустя несколько лет она мелькнула в сериале «Старский и Хатч». В эпизоде, который длился двадцать шесть минут, она познакомилась со Старским, переспала с ним, добилась одобрения Хатча (хотя он заглянул туда всего на минутку) и приняла предложение выйти замуж за смущенного Старского. После рекламной паузы она уже умерла, а Старский, придя в ярость, отправляется на поиски убийцы жены, находит его и хладнокровно убивает. Заканчивается эпизод сценой на кладбище: Старский стоит под дождем у могилы жены, а зритель остается в уверенности, что он никогда не забудет ее.

В следующей серии у него уже новая подружка, об Эйлин он никогда не вспоминает. Не видели ее больше не только Старский и Хатч, но и жители округи.

Кара отправилась в Нью-Йорк, проучившись год в Массачусетском университете. Вот все, что я слышал о ней. Однажды мы с Энджи, выходя от Тома Инглиша пополудни, видели, как она садилась в автобус. Был разгар лета, и Кара стояла на автобусной остановке. Ее волосы от природы были светлыми, цвета спелой пшеницы, ветер задувал их ей в глаза, пока она застегивала ремешок на своем ярком сарафанчике. Она помахала нам, мы ответили ей тем же, она подняла свою сумку, вошла в подъехавший автобус и отбыла с ним.

Сейчас ее голову украшала короткая стрижка, иссиня-черные волосы торчали сосульками. Бледная кожа странно контрастировала с ними. На ней была черная безрукавка с высоким воротом, заправленная в разрисованные джинсы цвета древесного угля. Каждая фраза заканчивалась странным звуком, напоминавшим икоту или нервное придыхание.

— Хороший день, правда?

— Согласен. Конец октября, в это время обычно уже снег.

— В Нью-Йорке тоже. — Она усмехнулась, кивнула сама себе и посмотрела на свои обшарпанные ботинки. — Гм. Да.

Я отпил кофе.

— Так как ты живешь, Кара?

Она снова приложила руку к глазам, закрываясь от солнца, и стала смотреть на чахлый поток утренних машин.

— Хорошо, Патрик. Правда хорошо. А как ты?

— Не жалуюсь. — Я взглянул на улицу, а когда повернулся к ней, она внимательно смотрела мне в лицо, будто пытаясь понять, привлекает оно ее или отталкивает.

Она слегка покачивалась из стороны в сторону. Сквозь открытую дверь «Черного изумруда» доносились голоса двух парней, спорящих о пяти долларах по поводу бейсбольного матча.

— Ты все еще детектив? — спросила Кара.

— Угу.

— Хорошо зарабатываешь?

— Когда как.

— В прошлом году мама говорила в письме, что о тебе писали все газеты. Крупное дело.

Странно, что ее мать оторвалась от своего виски, причем на достаточно длительное время, чтобы прочитать газету и даже написать дочке письмо о том событии.

— Видно, была скучная неделя по части новостей, — сказал я.

Кара оглянулась на здание кафе, провела пальцем над ухом, как если б хотела откинуть назад волосы, которых там не было.

— Какова твоя ставка?

— Зависит от дела. Тебе нужен детектив?

Ее губы стали совсем тонкими, образовав горестную гримаску, как если бы она во время поцелуя закрыла глаза, а открыв их, обнаружила, что возлюбленный исчез.

— Нет. — Она засмеялась, затем икнула. — Я еду в Лос-Анджелес. Скоро. Получила роль в сериале «Дни нашей жизни».

— Правда? Ну, поздр...

— Всего лишь роль без слов, — сказала она, тряхнув головой. — Играю роль медсестры, которая всегда торчит с бумагами за спиной другой, той, что стоит за стойкой в приемном покое.

— Не важно, — сказал я, — все равно это начало.

В дверях бара появилась голова мужчины. Затуманенными глазами он посмотрел вправо, затем влево, наконец увидел нас. Мики Дуг, строительный рабочий на подхвате и одновременно дилер в коксовом бизнесе на полной ставке. В свое время он принадлежал к компании Кары и слыл большим сердцеедом. Он до сих пор пытался играть эту роль, хотя волосы его заметно поредели, а мышцы обмякли. Увидев меня, он заморгал и втянул голову в плечи.

Плечи Кары напряглись, как если б он стоял рядом, она невольно потянулась ко мне, и я почувствовал резкий запах рома. И это в десять утра.

— Безумный мир, правда? — Ее глаза сверкнули, как бритвы.

— Мм... пожалуй, — сказал я. — Тебе нужна помощь?

Она вновь засмеялась, затем начала икать.

— Нет, нет. Нет, я всего лишь хотела поздороваться, Патрик. Ты был для нашей компании классным старшим братом. — Она вновь повернула голову в сторону бара, поэтому мне стало очевидно, где именно закончили сегодняшнее утро некоторые члены этой «компании». — Я ведь хотела просто поздороваться.

Я кивнул и заметил, что ее руки слегка подрагивают. Она продолжала смотреть мне в лицо, как будто оно могло открыть ей что-то, потом, не обнаружив ничего, отводила взгляд вдаль, но лишь затем, чтобы через секунду вернуть его обратно. Она напоминала ребенка, стоящего у лотка с мороженым без денег, в то время как у остальных ребят деньги имелись. При этом, провожая взглядом каждую порцию мороженого и шоколадного эклера, которые через ее голову направлялись в другие руки, какая-то ее часть знала, что ей никогда ничего не достанется, в то время как другая лелеяла слабую надежду, что продавец мороженого по ошибке либо из жалости все же даст ей лакомство. Тщетность ожидания была невыносима.

Я протянул ей свою визитку.

Кара насупилась, потом зло ухмыльнулась:

— У меня все хорошо, Патрик.

— Ты уже порядком набралась, а сейчас только десять утра.

Она пожала плечами:

— Кое-где уже полдень.

— Пусть полдень, суть не меняется.

Мики Дуг снова высунулся из двери. На этот раз он смотрел прямо на меня, туман в глазах прояснился, видимо благодаря уколу или не знаю, чем он там торговал теперь.

— Эй, Кара, зайдешь ты наконец в зал?

Ее плечи чуть шевельнулись, визитка исчезла в потной ладошке.

— Побудь там еще, Мик.

Похоже, Мики собирался сказать что-то еще, но, постучав по двери, как по барабану, исчез за ней.

Кара смотрела на улицу, на автомобили долгим, задумчивым взглядом.

— Когда уезжаешь, — сказала она, — ожидаешь, что все станет меньше, когда вернешься. — Она тряхнула головой и вздохнула.

— Не стало?

Она покачала головой:

— Все выглядит так же, как раньше, просто охренеть.

Она отступила на несколько шагов, похлопывая моей визиткой по бедру, широко распахнула глаза, глядя на меня, и отработанным жестом повела плечами.

— Береги себя, Патрик.

— И ты себя, Кара.

Она указала на мою визитку:

— А зачем, когда у меня есть это?

Засунув визитку в задний карман джинсов, она повернулась в сторону открытых дверей «Черного изумруда». Затем остановилась, повернулась и улыбнулась мне. Это была открытая хорошая улыбка, но ее лицо явно отвыкло от такой мимики и дрогнуло от напряжения.

— Береги себя, Патрик. Хорошо?

— Беречь от чего?

— От всего. От всего.

Я ответил ей беспечным взглядом — по крайней мере, постарался. Она кивнула мне так, как будто у нас теперь был свой секрет, и зашагала к бару.

8

До того как преуспеть на политическом поприще, мой отец занимался политикой в местных масштабах. Он и плакаты держал, и по избирателям ходил, а бамперы всех «шевроле» в нашей семье пестрели наклейками, кричащими о его фанатичной преданности делу. Для него политика не имела ничего общего с социальными переменами, и он не дал бы ломаного гроша за то, что политические деятели обычно обещали народу; единственное, что он признавал, были личные связи. Политика представлялась ему эдаким пряничным домиком на высоком дереве, и если будешь водиться с правильными ребятами, они возьмут тебя с собой, оставив неудачников внизу.

Отец поддержал Стэна Тимпсона, когда тот, новоиспеченный выпускник юридической школы и новичок в офисе окружного прокурора, баллотировался в члены городского управления. В конце концов, рассуждал он, Тимпсон был жителем нашей округи, начинающим свой путь наверх, и если все пойдет хорошо, вскоре он станет своим парнем, к которому можно обратиться, если ваша улица нуждается в ремонте или у вас слишком шумные соседи, а ваш кузен как раз хлопочет о профсоюзном пособии по безработице.

Я смутно помнил Тимпсона еще с детских лет, но этот образ слился с тем, который я не раз видел по телевидению, и мне трудно было различить их. Поэтому когда его голос наконец просочился в мою телефонную трубку, он показался мне каким-то искусственным, словно мне позвонил автоответчик.

— Пэт Кензи? — вежливо осведомился он.

— Патрик, мистер Тимпсон.

— Как поживаете, Патрик?

— Хорошо, сэр. А вы?

— Великолепно. Лучше быть не может. — Он рассмеялся так, будто услышал остроумную шутку, которую я почему-то не уловил. — Дайандра сказала, что у вас ко мне есть вопросы.

— Да, есть.

— Хорошо, валяй, сынок, задавай.

Тимпсон был всего на десять или двенадцать лет старше меня. Поэтому мне было не вполне ясно, каким образом я мог быть для него «сынком».

— Дайандра рассказала вам о фотографии Джейсона, которую она получила?

— Разумеется. Все это выглядит довольно странно.

— Да, пожалуй...

— Лично я думаю, кто-то пытается сыграть с ней шутку.

— Очень продуманную и разработанную.

— Она сказала, вы исключили версию связи с мафией?

— На данный момент — да.

— Если честно, я не знаю, что вам сказать, Пэт.

— Возможно ли, сэр, что вы работаете над чем-то, что может заставить кое-кого угрожать вашей бывшей жене и сыну?

— Это из области фантастики, Пэт.

— Патрик.

— Думаю, где-нибудь в Боготе окружного прокурора могут преследовать ради личной вендетты. Но не в Бостоне. Итак, что дальше, сынок, это все, что вы можете сделать? — Снова проникновенный смех.

— Сэр, жизнь вашего сына, возможно, в опасности и...

— Защитите его, Пэт.

— Я пытаюсь это сделать, сэр. Но я не смогу, если...

— Знаете, что я думаю по этому поводу? Что это кто-то из психов Дайандры. Забыл принять успокоительное и решил пощекотать ей нервы. Просмотри список ее пациентов, сынок. Таково мое мнение.

— Сэр, если бы вы только...

— Пэт, слушайте меня. Мы разошлись с Дайандрой почти двадцать лет назад. Когда она позвонила вчера вечером, я услышал ее голос впервые за шесть лет. Никто не знает, что мы когда-то были женаты. Никто не знает о Джейсоне. Во время прошлой предвыборной кампании мы ждали, что кто-нибудь раскопает и вытащит этот материал — как я оставил свою первую жену и малыша, к тому же плохо их содержал. Грязная политическая гонка в грязном политическом городе, но эта тайна так и не была раскрыта. Представляешь, Пэт? Она так и не была обнаружена. Никто не знает о Джейсоне, Дайандре и нашей связи.

— А как насчет...

— Приятно было побеседовать, Пэт. Передавай отцу привет от Стэна Тимпсона. Скучаю по вашему старику. Где он скрывается сейчас?

— На кладбище Седар-Гроув.

— Нашел себе работу, копать землю, да? Ну, должен бежать. Береги себя, Пэт.

— Этот мальчик, — сказала Энджи, — еще больший кобель, чем ты.

— Так не бывает.

На четвертый день слежки за Джейсоном Уорреном нам стало казаться, что мы висим на хвосте у молодого Валентино. Дайандра настаивала, чтобы Джейсон ни в коем случае не заподозрил, что за ним наблюдают, ссылаясь на мужское нежелание терпеть чей-то контроль и вмешательство в свою жизнь, а также именно Джейсоново «преувеличенное чувство личного пространства», как она выразилась.

Я бы тоже загордился, подумал я, если б за три дня обработал трех женщин.

— Настоящий фокус, — сказал я.

— Что? — спросила Энджи.

— В среду малыш показал настоящий фокус. Его бюст можно выставлять в зале Славы.

— Все мужчины — свиньи, — сказала Энджи.

— Что правда, то правда.

— И убери эту идиотскую улыбочку.

Если Джейсон и был под наблюдением, то, скорее всего, со стороны одной из своих трех любовниц, оскорбленной красавицы, не желавшей быть просто охотничьим трофеем, — номера два. Но мы беспрерывно следили за ним на протяжении восьмидесяти часов и никакого наблюдения с чьей-нибудь стороны, кроме нашего, не заметили. Кстати, Джейсон всегда был на виду. Почти весь день он проводил в учебном корпусе, устраивая обеденный секс-перерыв в своей комнате в общежитии — по договоренности с соседом, «пыхальщиком» из Орегоны, который по вечерам в отсутствие Джейсона устраивал приемы с марихуаной. После занятий Джейсон до заката занимался на лужайке, обедал в кафетериях всегда в окружении женщин, затем всю ночь шатался по барам.

Женщины, с которыми он спал, по крайней мере те три, которых мы видели, похоже, относились друг к другу без ревности. Все они также принадлежали к одному типу. Носили модную одежду, в основном черного цвета, со сверхмодными разрезами в некоторых местах. И при этом — неизменно безвкусная бижутерия, хотя, судя по машинам, а также сумкам, курткам и туфлям мягкой импортной кожи, они прекрасно это сознавали. Этакая небрежная роскошь, думаю, своего рода самоирония, постмодернистский плевок этому безнадежному миру. А может, и нет. Ни у одной не было постоянного приятеля.

Все они значились в списках Школы искусств и науки. Габриэль специализировалась по литературе. Лорен — по истории искусств, но большую часть своего времени проводила в обществе членов женской рок-группы, где была лидирующей гитаристкой. Их группа исповедовала тяжелый рок и панк, пожалуй, чересчур серьезно подражая Кортни Лав и Ким Дил. Джейд — маленькая, тощая самовлюбленная болтушка — была художницей.

Ни одна из них не была любительницей водных процедур. Меня бы это покоробило, но, похоже, Джейсона мало волновало. Он, кстати, и сам не слишком часто мылся. Я никогда не был консервативным в своих эротических пристрастиях, но у меня есть два правила: насчет мытья и насчет клиторальных стимуляторов, и я неколебим в отношении и того и другого. Полагаю, это создало мне репутацию неисправимого кайфолома.

Что же до Джейсона, он вовсю расслаблялся. Судя по тому, что мы видели, он был настоящим «насосом». В среду он вылез из постели Джейд, и они вместе отправились в бар под названием «Харперз Ферри», где встретили Габриэль. Джейд осталась в баре, а Джейсон с Габриэль уединились в ее машине и предались любовным утехам, которые мне, к несчастью, пришлось наблюдать. Когда они вернулись в бар, Габриэль и Джейд удалились в дамскую комнату, где, не обращая внимания на Энджи, стали весело обмениваться сексуальными впечатлениями.

— Говорят, толстый, как питон, — сказала Энджи.

— Так не бывает.

— Убеждай себя, Патрик, может, когда-нибудь да поверишь.

Вскоре обе дамочки со своим мальчиком-игрушкой отправились в «Медвежью берлогу» на Центральную площадь, где Лорен со товарищи нестройно исполняли хиты «Хоул». Оттуда Джейсон уехал с Лорен. Добравшись до ее дома, они выкурили по косяку и до рассвета неутомимо трахались, как кролики, под старые записи Патти Смит до самого рассвета.

На следующую ночь в баре на Норт-Гарвард я столкнулся с Джейсоном при выходе из туалета лицом к лицу. Я шарил глазами в толпе, пытаясь увидеть Энджи, и не заметил, как ткнулся подбородком в его плечо.

— Кого-то ищете?

— Что? — спросил я.

В его грустных — с чего бы это, мимолетно удивился я, — глазах мерцали яркие зеленые огоньки.

— Ищете кого-то?

— Да, свою девушку, — сказал я. — Простите, что толкнул вас.

— Пустяки, — сказал он, немного возвысив голос, чтобы прорваться сквозь монотонное бренчание гитар. — Вид у вас какой-то потерянный. Всего доброго.

— Что-что?

— Всего доброго! — прокричал он мне прямо в ухо. — Короче, желаю вам найти вашу девушку!

— Спасибо.

Когда он повернулся к Джейд, сказав ей на ухо, по-видимому, очень смешное, я смешался с толпой.

— Сначала было забавно, — сказала Энджи на четвертый день.

— Что именно?

— Эротические наблюдения.

— Не трогай их. Американская культура не состоялась бы без них.

— Я и не трогаю. Но внутри меня что-то закипает, когда я вижу, как этот малыш трахает все, что плохо лежит.

Я кивнул.

— А выглядят одинокими.

— Кто? — не понял я.

— Все они. Джейсон, Габриэль, Джейд, Лорен.

— Одинокими. Гм. В таком случае они, похоже, хорошо скрывают это от остального мира.

— Точно так же, как это делал ты на протяжении долгого времени, Патрик. Точно так же.

В конце четвертого дня мы распределили обязанности. Для парня, который обхаживает за один день столько женщин и столько баров, Джейсон был очень организован. Можно было до минуты предсказать, где он находится в тот или иной момент. В эту ночь я пошел домой, а Энджи осталась следить за комнатой в общежитии.

Она позвонила как раз тогда, когда я готовил ужин, и рассказала, что Джейсон, похоже, расположился на ночь с Габриэль в собственной комнате. Энджи собиралась чуть-чуть вздремнуть, а утром проводить его на занятия.

После ужина я сел на балконе и стал смотреть, как улица погружается в глубокую холодную ночь. Это не было плавное уменьшение тепла. Это был настоящий обвал. Луна пылала, как кусок сухого льда, а воздух наполняли запахи, висящие обычно над стадионом после вечерней студенческой игры в футбол. Жесткий ветер гулял по улице, прорываясь сквозь деревья, обрывая сухие листья.

Когда я вошел в комнату, зазвонил телефон. Это был Дэвин.

— Что случилось? — спросил я.

— В каком смысле?

— Ты никогда не звонишь просто поболтать.

— Возможно, я изменился.

— Не верю.

Он усмехнулся:

— Ладно. Убедил. Тогда слушай. Кто-то только что пришил девчонку на Митинг-Хаус-Хилл, у нее нет документов, а я хочу знать, кто она.

— А при чем тут я?

— Возможно, ни при чем. Но она умерла с твоей визиткой в лапке.

— С моей визиткой?

— С твоей, — сказал он. — Митинг-Хаус-Хилл. Жду тебя через десять минут.

Он повесил трубку, а я продолжал сидеть, прижав свою к уху, вслушиваясь, пока не раздались короткие гудки. Но я все сидел и слушал, ожидая, что он сообщит, что мертвая девушка на Митинг-Хаус-Хилл — не Кара Райдер. Но тщетно.

9

К тому времени как я добрался до Митинг-Хаус-Хилл, температура упала до семи градусов. Холод был сухой, безветренный и пронизывал до мозга костей, а кровь наполнял крупицами льда.

Митинг-Хаус-Хилл — пограничная полоса, здесь кончается территория моего района и начинается чужая, Филдз-Корнер. Гора начиналась ниже тротуара и вынуждала улицы совершать крутой подъем, на котором в ледяные ночи автомобили часто заносило и даже переворачивало. Вверху, где сходились несколько улиц, вершина Митинг-Хаус-Хилл пробивалась сквозь цемент и гудрон, признак царства нищих — такие жуткие трущобы, что, взорвись там баллистическая ракета, никто бы и не заметил, разве что вы попали бы в бар или продуктовую лавку.

Колокол на соборе Святого Петра пробил один раз, когда Дэвин встретил меня у машины, и мы потащились вверх по горе. Звук колокола был каким-то потерянным и уныло звучал в эту холодную ночь в этой забытой богом местности. Земля начинала твердеть, и пучки сухой травы скрипели у нас под ногами.

На вершине горы при свете уличных фонарей я различил несколько фигур, поэтому повернулся к Дэвину:

— Ты что, притащил сюда все отделение?

Он взглянул на меня и втянул голову в плечи.

— А ты предпочел бы созвать пресс-конференцию? Для радио и телевидения, да? Созвать толпу репортеров, зевак и новичков-легавых, которые вытоптали бы все улики. — Он взглянул вниз на ряды трехэтажных домов. — Подумаешь, великое дело — самоубийство в захудалом районе, никто за него ни черта не даст, поэтому здесь никого и нет.

— Никто ничего не даст, а значит, никто не собирается ничего тебе рассказывать.

— Разумеется, но это уже другой вопрос.

Первым, кого я узнал, был напарник Дэвина, полицейский Оскар Ли. В жизни не встречал такого громадного человека. Рядом с ним Демис Руссос выглядел дистрофиком, а Майкл Джордан — лилипутом, и даже Бубба по сравнению с ним казался слегка тщедушным. На черной, внушительных размеров голове красовалась кожаная кепка, а курил он сигару, которая пахла, как залитый нефтью берег моря. Когда мы приблизились, он повернулся к нам:

— Какого черта здесь делает Кензи?

Оскар. Вот уж действительно друг в беде.

— Визитка. Помнишь?

— Так ты можешь опознать ее, Кензи?

— Если увижу, Оскар. Возможно.

Оскар пожал плечами:

— Раньше она выглядела лучше.

Он отошел в сторону, чтобы я мог лучше разглядеть тело при свете уличных фонарей.

Она была обнажена, если не считать легких голубых сатиновых трусиков. Тело распухло от холода, пыток. Челка откинута со лба, рот и глаза открыты. Губы посинели от холода, она, казалось, смотрела на что-то за моей спиной. Худые руки и ноги были широко раскинуты, темная кровь стекала прямо в слякоть. Она вытекала из горла, из подушечек вывернутых ладоней, а также из ступней. Маленькие плоские кружочки металла отражали тусклый свет из каждой ладони и из каждой лодыжки.

Это была Кара Райдер.

Она была распята.

— Трехцентовые гвозди, — говорил позднее Дэвин, когда мы сидели в «Изумруде». — Отличная зацепка. Всего две трети домов в городе имеют их в своем хозяйстве. Именно их предпочитают плотники.

— Плотники, — задумчиво повторил Оскар.

— Именно, — заметил Дэвин. — Преступник-плотник. И плевать он хотел на все эти Христовы дела. Он сам за себя. Решил отомстить за рабочего человека своей профессии.

— Ты записываешь? — спросил меня Оскар.

Мы пришли в бар в надежде найти там Мики Дуга, последнего человека, с которым я видел Кару, но его с тех пор никто не видел. Дэвин раздобыл у Джерри Глинна, хозяина бара, адрес и послал туда несколько полицейских, но мать Мики сказала, что не видела сына со вчерашнего дня.

— Несколько человек из этой компании были сегодня здесь утром, — сказал Джерри. — Кара, Мики, Джон Буччиерри, Мишель Рурк — одним словом, те, что тусуются уже несколько лет подряд.

— Они ушли вместе?

Джерри кивнул:

— Я как раз входил, когда они выходили. Порядком навеселе, а было-то всего около часу дня. Она хорошая девочка, эта Кара.

— Была, — сказал Оскар. — Была хорошей девочкой.

Время близилось к двум часам ночи, и мы были пьяны.

Собака Джерри, Пэттон, мощная немецкая овчарка, чья шерсть переливалась от черного до темно-янтарного цвета, лежала на стойке бара и наблюдала за нами с таким видом, будто никак не могла решить — нужны ей наши ключи от машины или нет. В конце концов пес зевнул, вывалив язык из пасти, и отвернулся, выказывая нам глубокое безразличие.

После ухода патологоанатомов я еще два часа простоял на холоде, пока тело Кары не погрузили в «скорую помощь» и не отправили в морг. Команда судмедэкспертов шарила по территории в поисках вещдоков, Дэвин и Оскар опрашивали жителей, окна которых выходили на парк, не слышали ли они чего. Как и следовало ожидать, никто ничего не слышал, так как женские крики раздаются здесь каждую ночь и, подобно автомобильным гудкам, к ним просто-напросто привыкли.

Оскар заметил волокна ткани, застрявшие в зубах Кары, а Дэвин почти не обнаружил крови в дырках от гвоздей в промерзлой грязи под телом.

Следовательно, девушка была убита в другом месте после того, как убийца заткнул ей рот носовым платком либо куском рубахи, затем с помощью острого ножа или ножа для колки льда он перерезал ей горло, чтобы она не могла кричать. После этого он мог спокойно наблюдать, как она умирает — либо от шока, либо от сердечного приступа, а может, захлебнувшись собственной кровью. Как бы то ни было, убийца перевез труп на Митинг-Хаус-Хилл и распял Кару на замерзшей грязи.

— Он душка, этот парень, — сказал Дэвин.

— Возможно, ему просто нужна взбучка, — проговорил Оскар. — Живо придет в себя.

— «Плохих людей не бывает»? — сказал Дэвин.

— Циник чертов, — ответил Оскар.

С тех пор как я увидел труп Кары, я будто онемел. В отличие от Оскара и Дэвина я не профессионал по части убийств. Конечно, мне приходилось с этим сталкиваться, но далеко не в тех масштабах, какие выпали на долю моих коллег.

— Я не могу, — признался я.

— Ничего, — сказал Дэвин, — сможешь.

— Выпей еще, — предложил Оскар. Он кивнул Джерри Глинну. Джерри стал хозяином «Черного изумруда» еще в свою бытность полицейским, и, хотя бар обычно закрывался в час ночи, для своих двери были открыты круглые сутки. Он поставил выпивку перед нами прежде, чем Оскар завершил свой кивок, и был на другом конце бара прежде, чем мы осознали, что он вообще подходил. Высший пилотаж для бармена.

— Распята, — в двадцатый раз за эту ночь повторил я, пока Дэвин вкладывал мне в руку очередной бокал пива.

— Думаю, по этому поводу у нас полное согласие, Патрик.

— Дэвин, — сказал я, пытаясь сфокусироваться, хотя он, поганец, никак не мог усидеть на месте, — девочке было двадцать два года от роду. Я знаю ее с двухлетнего возраста.

В его глазах ничего не отразилось.

Оскар жевал недокуренную погасшую сигарету и, повернувшись, посмотрел на меня так, будто я был табуретом, который он не знает куда поставить.

Я грязно выругался.

— Патрик, — окликнул меня Дэвин. — Патрик. Ты меня слышишь?

Я повернул голову. Наконец-то у меня вроде бы почти перестало двоиться в глазах.

— Что?

— Ей было двадцать два. Совсем дитя. Но будь ей пятнадцать или сорок, это не меняло бы дела. Смерть есть смерть, убийство есть убийство. И не стоит усложнять все сантиментами по поводу возраста, Патрик. Она была убита. Зверски. Вне всяких сомнений. Но... — Он не глядя облокотился о стойку бара, закрыв при этом один глаз. — Напарник! В чем состоит мое «но»?

— Но, — сказал Оскар, — не имеет никакого значения, была она мужчиной или женщиной, богатой или бедной, молодой или старой...

— Черной или белой, — продолжил Дэвин.

— ...черной или белой, — подхватил Оскар, хмуро глядя на Дэвина, — она была убита, Кензи. Жестоко убита.

Я посмотрел на него.

— Вы когда-нибудь видели подобное?

— Видали и похуже.

Я повернулся к Дэвину:

— А ты?

— Да, черт побери, да. — Он сделал несколько глотков из своей кружки. — Мир полон насилием. Убийство доставляет людям наслаждение. Оно...

— Придает им силы, — подсказал Оскар.

— Точно. В нем есть нечто такое, что заставляет чувствовать себя по-королевски. Это некая власть. — Он пожал плечами. — Но зачем мы рассказываем это тебе? Ты ведь все знаешь сам.

— Я? Откуда?

Оскар положил свою руку величиной с боксерскую перчатку мне на плечо.

— Все знают, что прошлым летом ты пристрелил Мариона Сосию. Мы также знаем, что ты пришил пару подонков в новостройке возле Мелни-Кэсс.

Я обалдел.

— Что значит «вы знаете»? А почему вы тогда не повязали меня?

— Патрик, Патрик, уймись, не мельтеши, — заговорил Дэвин, — если бы это зависело от нас, ты бы получил медаль за этого ублюдка. На хрен его. Да еще подальше. Но, — продолжал он, прищурившись, — ты не можешь отрицать, что какая-то частичка твоего существа ликовала, видя, как гаснет жизнь в его глазах.

— Без комментариев.

— Кензи, — сказал Оскар, — ты знаешь, что он прав. Он пьян, но он прав. Ты засек этот мешок с дерьмом, взглянул ему в глаза и уложил его. — С помощью большого и указательного пальца он изобразил нечто, напоминающее пистолет, и приставил к моему виску. — Бабах! — Он убрал палец. — Нет больше Мариона Сосии. Такое чувство, будто ты на минуту стал богом, разве нет?

Мои чувства в момент убийства Мариона Сосии под эстакадой, когда над головой стоял металлический грохот грузовиков, были одними из самых противоречивых из всех, что я когда-либо пережил, и меньше всего мне хотелось предаваться воспоминаниям о них в обществе двух детективов, спецов по убийствам, да еще когда я в стельку пьян. А может, болен паранойей.

Дэвин улыбнулся:

— Убивая кого-то, чувствуешь себя превосходно, Патрик. Не обманывай себя.

Джерри Глинн спустился в бар.

— Еще по одной, ребята?

Дэвин кивнул:

— Давай, Джерри.

Джерри стоял на лестнице на полпути к бару.

— Когда-нибудь убивали кого-то на службе?

Джерри выглядел несколько смущенным, как если бы слышал этот вопрос слишком много раз.

— Никогда даже не вытаскивал свою пушку.

— Ну да, — сказал Оскар.

Джерри пожал плечами, его добрые глаза никак не вязались с той работой, которую он выполнял на протяжении двадцати лет. Он рассеянно почесывал Пэттона.

— Тогда были другие времена.

Дэвин кивнул:

— Совсем другие.

Джерри открыл кран, чтобы наполнить мою кружку.

— Совсем другой мир, правда.

— Совсем другой, — подтвердил Дэвин.

Он принес свежую выпивку и поставил перед нами.

— Хотел бы помочь вам, ребята, — закончил мысль Джерри.

Я посмотрел на Дэвина:

— Кто-нибудь сообщил матери Кары?

Он кивнул:

— Она напилась до потери сознания и валялась на кухне. Разбудили, сообщили. Кто-то из наших остался дежурить у нее.

— Кензи, — сказал Оскар, — мы собираемся взять этого Мики Дуга. Был, видимо, кто-то еще, возможно, целая банда, в любом случае скрутим всех. Через несколько часов, когда все проснутся, мы прочешем каждый дом, может, найдется тот, кто что-нибудь видел. И мы выведем на чистую воду этого подлеца, допросим его как положено, будем долбить по башке, пока он не расколется. Вернуть ее мы не сможем, но хоть отомстим.

— Да, — сказал я, — но...

Дэвин наклонился ко мне:

— Гад, который это сделал, уже мертвец, Патрик. Верь мне.

Хотелось бы. Очень даже.

Перед нашим уходом, когда Дэвин и Оскар отлучились в туалет, я оторвал наконец свой взгляд от грязной стойки бара и обнаружил, что Джерри и Пэттон внимательно разглядывают меня. Пэттон жил у Джерри последние четыре года, и я считал, что единственное занятие этого пса — лаять, но одна встреча с его внимательным взглядом убеждала в том, что с ним лучше не иметь никаких дел. Эти собачьи глаза, очевидно, имели для

Джерри до сорока различных оттенков — в диапазоне от любви до простой симпатии, но для любого постороннего — только один: открытая угроза.

Джерри чесал Пэттона за ухом.

— Распятие.

Я кивнул.

— Как думаешь, сколько раз подобное случалось в нашем городе, Патрик?

Я пожал плечами, не доверяя своему языку роль посредника.

— Думаю, не так много, — сказал Джерри, глядя на Пэттона, который лизал его руку.

В ту ночь мне приснилась Кара Райдер.

Я шел через поле, усаженное капустой с человеческими лицами, которые я почему-то не мог узнать. Здесь же бродили пятнистые черно-белые коровы. Вдалеке горел город, и я различал силуэт моего отца на вершине пожарной лестницы, с которой он гасил пламя с помощью бензина.

Огонь постепенно распространялся за пределы города, затрагивая уже края капустного поля. Человеческие лица вокруг меня начали переговариваться, вначале это был невнятный лепет, но вскоре я смог различить четкие голоса.

— Пахнет дымом, — сказал один.

— Ты всегда говоришь так, — ответила одна из коров, сплевывая жвачку на капустный лист, в то время как из ее чрева вывалился мертворожденный теленок, которого она тут же втоптала копытами в грязь.

Откуда-то доносились крики Кары, но воздух над полем темнел, запах бензина все сгущался, а дым разъедал мне глаза. Кара продолжала выкрикивать мое имя, я уже перестал отличать человеческие головы от капустных, коровы мычали и шатались от ветра, дым окутывал меня все больше, и вскоре крики Кары прекратились вообще, а я с благодарностью принимал ласки пламени, которое начало лизать мои ноги. Итак, я опустился на землю посреди поля, спиной к ветру, и стал наблюдать за охваченным пламенем миром, а коровы жевали траву и качались взад-вперед, отказываясь убегать.

Когда я проснулся в своей постели, то задыхался от нехватки воздуха, а запах горящей плоти все еще бил мне в ноздри. Я следил за простыней, прыгающей в такт моему бешено колотящемуся сердцу, и дал себе слово никогда больше не пить с Оскаром и Дэвином.

10

Я приполз в свою постель где-то около четырех утра, но сон в стиле Сальвадора Дали разбудил меня около семи, а заснуть мне удалось лишь около восьми.

Однако все это ничего не значило для Лайла Диммика и его кореша Уэйлона Дженнингса. Ровно в девять Уэйлон начал вопить, что его обломали, и вскоре визг деревенской скрипки перевалился через мой подоконник и устроил в моем мозгу чудовищную какофонию.

Лайл Диммик, дочерна загорелый маляр из Одессы, штат Техас, оказался у нас «из-за женщины». Он то находил ее, то терял, то возвращал обратно, то снова потерял, так как она убежала обратно в Одессу с парнем, которого встретила в здешнем баре, — это был слесарь-водопроводчик, ирландец, который вдруг понял, что в глубине души всегда был ковбоем.

Эд Доннеган владел почти всеми трехэтажными домами в моем квартале, за исключением моего, и регулярно красил их заново, при этом нанимая одного-единственного маляра, чтобы тот работал, пока не покрасит все, — в дождь, снег или солнцепек.

Лайл носил широкополую шляпу и красный платок вокруг шеи, а также большие темные очки в диковинной оправе, заслонявшие почти половину маленького веснушчатого лица. Он говорил, что эти очки придают человеку городской лоск, и это была его единственная уступка позорному миру янки, который был не способен оценить три главных божьих дара человечеству — виски «Джек Дэниэлс», лошадь и, конечно же, Уэйлона.

Я высунулся из окна и увидел, что Лайл стоит ко мне спиной и красит соседний дом. Музыка гремела с такой силой, что он никогда в жизни не услышал бы меня, поэтому я просто закрыл окно, затем подумал и закрыл все остальные. Тем самым я свел рев музыки до одного тоненького голоска, звенящего в моей голове, снова забрался в постель и закрыл глаза, моляясь только об одном — о тишине.

Однако все это ничего не значило для Энджи.

Она разбудила меня около десяти часов, шныряя по квартире, варя кофе, открывая окна навстречу хорошему осеннему деньку и шаря в моем холодильнике. При этом Уэйлон, или Мерл, или, может, Хэнк-младший вновь вонзился в мой мозг.

Когда это не возымело желаемого эффекта, она просто открыла дверь в спальню и сказала:

— Подъем!

— Ни за что! — Я натянул одеяло себе на голову.

— Вставай, милый. Не капризничай.

Я швырнул в нее подушку, но она увернулась, и та пролетела дальше, разбив что-то на кухне.

— Надеюсь, тебе не очень нравились эти тарелки, — сказала она.

Я встал и, чтобы скрыть светящиеся в темноте «боксеры» а-ля Марвин-марсианин, завернулся в простыню.

Энджи стояла посреди кухни, держа обеими руками чашку с кофе. Несколько разбитых тарелок валялось на полу и в раковине.

— Кофе будешь?

Я нашел веник и стал собирать осколки. Она поставила чашку на стол и подала совок.

— И что тебе не спится в такую рань? — пробурчал я.

— Я выспалась. — Она высыпала мусор в мусорную корзину.

— Этого не может быть. Ты никогда не пробовала поспать подольше?

— Патрик, — сказала она, сваливая в корзину очередную порцию стекла, — я не виновата, что ты до утра пил со своими дружками.

Надо же, моими дружками.

— Откуда ты знаешь, что я с кем-то пил?

Она выбросила последнюю кучку стекла и выпрямилась.

— Потому что твоя кожа имеет характерный зеленый оттенок, и еще потому, что на моем автоответчике утром раздавался невнятный пьяный лепет.

— А-а... — Я едва вспомнил телефон-автомат и короткие гудки. — И что было в том послании?

Она взяла свою чашку кофе со стола и прислонилась к стиральной машине.

— Что-то вроде: «Где ты, сейчас три часа ночи, случилось страшное, надо поговорить». Остальное не поняла, потому что, мне кажется, ты перешел на суахили.

Я спрятал совок, веник и корзину для мусора в кладовку и налил себе чашку кофе.

— Итак, — сказал я, — где же ты была в три часа ночи?

— Ты мне что, отец? — Она нахмурила брови и ущипнула меня за талию выше простыни. — А сам вон жирок нарастил.

Я достал сливки.

— Ничего подобного.

— А знаешь почему? Потому что ты до сих пор пьешь пиво, как студент.

Я пристально посмотрел на нее и добавил в кофе сливок.

— Ты собираешься отвечать на мой вопрос?

— Где я была прошлой ночью?

— Да.

Она отхлебнула кофе и взглянула на меня поверх чашки.

— И не подумаю. Я проснулась сегодня с приятным ощущением и улыбкой. Во всю физиономию.

— Такой же, как сейчас?

— Шире.

— Гм-м-м...

Энджи уселась на стиральную машину.

— Итак, ты звонишь мне на бровях в три часа ночи, чтобы проконтролировать мою сексуальную жизнь. В чем дело? — Она зажгла сигарету.

— Помнишь Кару Райдер?

— Конечно.

— Ее убили прошлой ночью.

— О нет!

— Да. — Из-за дополнительной порции сливок мой кофе напоминал детское питание. — Распята на Митинг-Хаус-Хилл.

Энджи на мгновение зажмурилась. Она посмотрела на свою сигарету так, словно та могла ей что-то объяснить.

— Есть предположения, кто мог это сделать?

— Да нет, никто вроде не марширował по Митинг-Хаус-Хилл с окровавленным молотком, выкрикивая: «Кто со мной распять бабенку?» — если ты это имела в виду. — Я вылил остатки кофе в раковину и налил себе свежего. — Не знаю. Еще слишком рано. — Я повернулся, а она соскользнула со стиральной машины и стала передо мной.

Я видел худенькое тело Кары, лежащее в холодной ночи, распухшее, выставленное на всеобщее обозрение, пустые, невидящие глаза.

— Позавчера я встретил ее возле «Изумруда». Мне показалось, что у нее неприятности, но я не стал ничего выяснять. Одним словом, проморгал.

— Чувствуешь себя виноватым?

Я пожал плечами.

— Ты не прав, — сказала она, проведя теплой ладонью по моему затылку и заставляя меня взглянуть ей прямо в глаза. — Понятно?

Никто не должен умирать, как Кара.

— Понятно? — переспросила Энджи.

— Да. Думаю, да.

— Нечего думать, — сказала она и, отняв руку, вытащила из кошелька белый конверт и протянула мне. — Он был приклеен скотчем к входной двери внизу. — Потом она указала на маленькую коробку на кухонном столе. — А это стояло у двери.

Моя квартира находилась на третьем этаже, и обе двери, парадная и черная, запирались на засов. К тому же дома всегда имелась пара пистолетов. Но все это не могло сравниться с мощью двойных дверей, что охраняли сам дом. Обе были сделаны из тяжелого черного немецкого дуба и отделаны, для усиления боеготовности, пластинами из стали. Стекло внешней было снабжено сигнализацией плюс на дверях красовалось в общей сложности шесть замков, которые открывались с помощью трех различных ключей. Один набор был у меня. Другой у Энджи. Еще один у жены хозяина, которая занимала квартиру на первом этаже, так как была не в состоянии выносить общество своего мужа. И наконец, двумя комплектами обладал сам Станис, мой сумасшедший хозяин, который боялся, что к нему вломится ударный отряд большевиков.

Короче говоря, мой дом был суперохраняемый, и меня удивило, как это кто-то смог приклеить конверт к парадной двери и оставить под ней коробку, не тронув сигнализацию, которая перебудила бы всю округу.

Конверт был простым, белым, иными словами, обычным конвертом для писем, в центре было напечатано два слова: «патрику кензи». Ни адреса, ни марки, ни обратного адреса. Я распечатал его и вытащил лист бумаги. Развернул. Ни заголовка, ни обращения, ни даты, ни приветствия, ни подписи. В центре, в самой середине листка, всего одно напечатанное слово:

ПРИВЕТ!

И больше ничего.

Энджи тоже посмотрела, перевернула, понюхала.

— Привет! — вслух прочитала она.

— Привет! — ответил я.

— Нет, — сказала она, — не так, скорее: «Приве-эт!» Попробуй по-девичьи хихикнуть.

Я попробовал.

— Неплохо.

ПРИВЕТ!

— Может, это Грейс? — Она налила себе еще кофе.

Я покачал головой:

— Она говорит «привет» совсем по-другому, поверь мне.

— Тогда кто?

Честно говоря, я не знал. Записка казалась безобидной, но вместе с тем странной.

— У чувака талант по части краткости.

— Либо крайне ограниченный словарный запас.

Я бросил записку на стол, развязал ленточку на коробке и открыл ее. Энджи наблюдала из-за моего плеча.

— Что за чертовщина?

Коробка была заполнена бамперными наклейками. Я зачерпнул горсть, там осталось примерно столько же.

Энджи тоже запустила руку и захватила свою порцию.

— Это... странно, — сказал я.

Энджи подняла одну бровь, а на ее лице появилась забавная гримаска, означающая любопытство.

— Можно сказать и так.

Мы перенесли все в гостиную и разложили на полу в виде коллажа из черных, желтых, красных, синих и переливающихся наклеек. Их было девяносто шесть, и, читая надписи, мы ощущали, что соприкасаемся с миром нетерпимости, скудных эмоций и безнадежных попыток найти адекватное самовыражение:

НЕ НАРКОТА, А КРАСОТА!; Я ЗА ВЫБОР, И Я ГОЛОСУЮ; ЛЮБИ МАТЬ ТВОЮ; ЭТО РЕБЕНОК, А НЕ «ВЫБОР»; ОБОЖАЮ ПРОБКИ, БЛЯ; НЕ НРАВИТСЯ ЕЗДА — ЗВОНИ «000-... ЗДА»; РУКИ — ДЛЯ ОБЪЯТИЙ; ЕСЛИ Я — КОЗЕЛ, ТВОЯ ЖЕНА — СУКА; ГОЛОСУЙ ЗА ТЭДА КЕННЕДИ И БРОСЬ БЛОНДИНКУ В ВОДУ; ХОЧЕШЬ МОЮ ПУШКУ? ТОЛЬКО ЧЕРЕЗ МОЙ ТРУП; Я ПРОЩУ ДЖЕЙН ФОНДУ, КОГДА ЕВРЕИ ПРОСТЯТ ГИТЛЕРА; ЕСЛИ ТЫ ПРОТИВ АБОРТОВ — ТАК НЕ ДЕЛАЙ; МИР НА ЗЕМЛЕ — КЛАССНАЯ ИДЕЯ; СМЕРТЬ МАЖОРАМ; МОЯ КАРМА СИЛЬНЕЕ ТВОЕЙ ДОГМЫ; МОЙ БОСС — ПЛОТНИК-ЕВРЕЙ; ПОЛИТИКИ ЛЮБЯТ БЕЗОРУЖНЫХ ЛОХОВ; ЗАБЫТЬ ВЬЕТНАМ? НИКОГДА; ДУМАЙ ГЛОБАЛЬНО, ДЕЙСТВУЙ ЛОКАЛЬНО; ТЫ БОГАТ И КРАСИВ? Я ТВОЯ!; НЕНАВИСТЬ — НЕ СЕМЕЙНАЯ ЦЕННОСТЬ; ПРОЖИГАЮ ДЕНЬГИ МОЕГО РЕБЕНКА; МЫ — КРУТЫЕ НА ДОРОГЕ; ДЕРЬМО ПОВСЮДУ; СКАЖИ НЕТ; МОЯ ЖЕНА СБЕЖАЛА

С МОИМ ДРУГОМ — Я БУДУ ПО НЕМУ СКУЧАТЬ;
НЫРЯЛЬЩИКИ ЛЮБЯТ ПОГЛУБЖЕ; Я БЫ
ЛУЧШЕ ПОРЫБАЧИЛ; ОБИДЕЛИ В ПОЛИЦИИ?
В СЛЕДУЮЩИЙ РАЗ ЗВОНИТЕ ДЕПУТАТУ-ЛИ-
БЕРАЛУ!; ЧЕРТ С ТОБОЙ; ЧЕРТ СО МНОЙ; МОЙ
РЕБЕНОК — ОТЛИЧНИК-ПОДГОТОВИШКА;
МОЙ РЕБЕНОК ПОБИЛ ТВОЕГО ОТЛИЧНИКА;
СЧАСТЛИВО, ПРИДУРОК; СВОБОДУ ТИБЕТУ;
СВОБОДУ МАНДЕЛЕ; СВОБОДУ ГАИТИ; НАКОР-
МИТЕ СОМАЛИ; ХРИСТИАНЕ НЕ СВЯТЫЕ,
ЛИШЬ ПРОЩЕННЫЕ...

...И еще пятьдесят семь штук.

Стоя и глядя на эту груду, пытаясь постигнуть
всю глубину различия пестрых посланий, я обрел
лишь пульсирующую головную боль. Это было
все равно что изучать томограмму шизофреника,
после того как все его личности слились в разди-
рающее единство.

— Придурок, — сказала Энджи.

— Пожалуй, самое подходящее слово.

— Ты видишь что-нибудь общее?

— Помимо того, что это — бамперные наклейки?

— Помимо, Патрик, помимо.

Я отрицательно мотнул головой:

— Тогда не знаю, я пас.

— Я тоже.

— Подумаю над этим в душе.

— Хорошая идея, — одобрила Энджи. — От тебя
несет как от тряпки, которой вытирают барную
стойку.

Стоя с закрытыми глазами под душем, я видел
Кару, как она стоит на тротуаре, вглядываясь
в поток машин на Дорчестер-авеню, и говорит, что

все выглядит так же, как раньше. При этом из бара несет дерьмовым пивом.

«Будь осторожен», — сказала она тогда.

Когда я вышел из-под душа, у меня перед глазами маячило распятое, пригвожденное к грязной земле тело.

Энджи права. Я не виноват. Невозможно спасти людей. Особенно тогда, когда тебя об этом и не просят. На протяжении всей жизни с нами чего только не случается: мы падаем и поднимаемся, разбиваемся вдребезги, и по большей части каждый сам за себя. И Каре я ничего не должен.

И все-таки, шептал мне внутренний голос, никто не должен умирать так, как она.

Из кухни я позвонил Ричи Колгану, старому приятелю и обозревателю газеты «Трибюн». Как всегда, он был очень занят, голос звучал отстраненно и торопливо, а слова сливались воедино:

— РадслышатьтебяПат. Чтостряслось?

— Занят?

— Угадай.

— Можешь проверить кое-что для меня?

— Говори.

— Распятие как способ убийства. Сколько раз случалось в этом городе?

— За?

— Что — за?

— За какой период?

— Скажем, за последние двадцать пять лет.

— Библиотека.

— Что?

— Библиотека. Слышал о таком заведении?

— Да.

— Я что, похож на тех, кто сидит в библиотеке?

— Видишь ли, если я достаю информацию в библиотеке, то не покупаю библиотекарю ящик светлого «Мишлоба» в благодарность.

— Лучше «Хайнекен».

— Договорились.

— Ладно, перезвоню. — Он повесил трубку.

Когда я вернулся в гостиную, листок со словом «Привет!» лежал на кофейном столике, бамперные наклейки были сложены в две аккуратные стопки под ним, а Энджи смотрела телевизор. Я надел джинсы, легкую рубаху и стал вытирать волосы полотенцем.

— Какой канал смотришь?

— Си-эн-эн, — ответила она, глядя в газету, лежащую на коленях.

— Что интересного сегодня в мире?

Энджи пожала плечами:

— Землетрясение в Индии погубило свыше девяти тысяч человек, а парень в Калифорнии расстрелял сотрудников офиса, в котором работал. Уложил автоматом семь человек.

— Почта? — спросил я.

— Финансовая контора.

— Вот что бывает, когда бухгалтеры берут в руки автоматическое оружие.

— Очевидно, да.

— Никаких других приятных новостей?

— В какой-то момент прервали программу, чтобы сообщить нам, что Лиз Тейлор вновь развелась.

— О, наконец-то, — сказал я.

— Итак, — сказала Энджи, — каков наш план?

— Будем продолжать слежку за Джейсоном, возможно, наведаемся в офис Эрика Голта, посмотрим, сможет ли он что-нибудь рассказать.

— При этом предположение, что ни Джек Рауз, ни Кевин не посылали фото, остается в силе?

— Да.

— В таком случае сколько у нас подозреваемых?

— Сколько людей живет в нашем городе?

— Не знаю. Непосредственно в центре примерно шестьсот тысяч; включая остальную территорию — около четырех миллионов.

— В таком случае число подозреваемых колеблется от шестисот тысяч до четырех миллионов, — сказал я, — плюс-минус два человека.

— Спасибо, что прояснил ситуацию, скаут. Ты неотразим.

11

Второй и третий этажи Мак-Ирвин-холла занимали факультеты социологии, психологии и криминологии Университета Брайса. Среди них был и офис Эрика Голта. На первом этаже находились аудитории, в одной из которых в данный момент и пребывал Джейсон Уоррен. Судя по расписанию, спецсеминар, в котором он принимал участие, именовался «Ад как социологическая конструкция» и призван был исследовать «социальные и политические мотивы, приведшие к созданию людьми Земли наказания, со времен шумеров и аккадцев до современности, включая христианское право в Америке».

Мы навели справки о всех преподавателях Джейсона и обнаружили, что Ингрид Ювер-Кетт недавно была исключена из местного отделения

НОЖ[1] за распространение взглядов, согласно которым Андреа Дворкин[2] была современным классиком.

Ее семинар длился три с половиной часа без перерыва и проходил дважды в неделю. Мисс Ювер-Кетт на занятия приезжала из Портленда, штат Мэн, по понедельникам и четвергам, остальное же время, судя по всему, была занята сочинением пасквилей в адрес Раша Лимбо[3].

Мы с Энджи решили, что мисс Ювер-Кетт слишком много времени тратит на создание угрозы для себя, чтобы угрожать еще и Джейсону. Поэтому мы исключили ее из списка подозреваемых.

Мак-Ирвин-холл был белым зданием эпохи кого-то из Георгов, окруженным рощей из берез и рано покрасневших кленов и ведущей к нему вымощенной булыжником дорогой. Мы видели, как Джейсон исчез в толпе студентов, выпорхнувших из парадного входа. Мы слышали их громкое топанье и свист, затем наступила внезапная, почти абсолютная тишина.

Мы позавтракали и вернулись, чтобы увидеть Эрика. Увы, только всеми покинутая ручка у подножия лестницы указывала на то, что хоть единственная душа этим утром прошла через эти двери.

В фойе стоял запах аммиака, скипидара и интеллектуального пота двухсотлетней давности,

---

1 Национальная организация женщин — феминистская организация в США.

2 Андреа Дворкин — радикальная писательница-феминистка.

3 Раш Лимбо — политический радиокомментатор резко консервативных взглядов.

сопровождавшего поиски и добычу знаний, вели-
ких идей, которые рождались под насыщенными
пылинками в лучах солнечного света, струящегося
сквозь витражные окна.

Справа мы увидели стол секретаря, но сам он
отсутствовал. По всему было видно, что здесь каждый сам знает свое предназначение.

Энджи сняла джинсовую рубашку и слегка
помахала краем незаправленной футболки, чтобы
не липла.

— Сама атмосфера возбуждает во мне желание
получить здесь ученую степень.

— Нечего было прогуливать геометрию в
школе.

Следующее, что я изрек, было: «Уф-ф».

Мы карабкались по изогнутой лестнице красного дерева, стены вдоль которой были увешаны
портретами бывших президентов Брайса. У всех
были строгие, напряженные лица, очевидно, от
избытка гениальности. Офис Эрика был в самом
конце коридора, мы постучали и услышали
невнятное «Войдите», доносившееся из-за мато-
вого стекла двери.

Длинный с проседью хвост, сине-бордовая
куртка, из-под нее виднелись джинсовая рубаха
и синий галстук с ручной росписью, с которого
на нас жалобно взирал тюлень-белёк.

Садясь в кресло, я нахально уставился на галстук.

— Да, я живу в ногу с модой, и нечего меня
за это презирать, — с вызовом сказал Эрик, отки-
дываясь в кресле, и наставил палец на открытое
окно. — Погодка-то, а?

— Погода что надо, — согласился я.

Эрик вздохнул и потер глаза.

— Как поживает наш Джейсон?

— У него очень насыщенная жизнь, — сказала Энджи.

— Хотите — верьте, хотите — нет, но он всегда был замкнутым ребенком, — сказал Эрик. — Очень ласковым, никогда не доставлял матери хлопот, буквально с первых дней жизни он был погружен в свой внутренний мир.

— Теперь все по-другому, — сказал я.

Эрик кивнул:

— Приехав сюда, он сломался. Конечно, обычно так и бывает с ребятами, которые не могут приспособиться, проникнуть в веселые или изысканные компании, возникающие в колледжах. Поэтому, попав туда, они просто-напросто расслабляются.

— Что до Джейсона, он сделал это по максимуму, — сказал я.

— И тем не менее он выглядит одиноким, — сказала Энджи.

Эрик кивнул.

— Мне тоже так показалось. То, что он вырос без отца, кое-что объясняет, но все же всегда есть эта... дистанция. Попробую объяснить, что я имел в виду. Вы видите его с... — он улыбнулся, — его гаремом, когда он не знает, что вы за ним наблюдаете. При этом он выглядит совершенно другим человеком, чем тот застенчивый мальчик, которого я всегда знал.

— Что думает по этому поводу Дайандра? — спросил я.

— Ей все равно. Они очень близки с сыном, если он и говорит с кем-то с определенной степенью доверия, то это с ней. Но он никогда не приводит женщин домой, не позволяет себе намеков по поводу образа жизни, который здесь ведет. Она знает, что какую-то часть своей жизни он держит при себе, но успокаивает себя тем, что, раз он умеет хранить свои тайны, это достойно уважения.

— Но у вас по этому поводу иное мнение? — уточнила Энджи.

Эрик пожал плечами и выглянул в окно.

— Когда я был в его возрасте, то жил в том же общежитии того же самого студгородка. Как и он, я был весьма зацикленным на себе парнем и только здесь, как и Джейсон, обрел свободу. Именно в колледже. Это происходило во время занятий, выпивок, курения травки, секса с незнакомыми, послеобеденного сна. Вот из чего состоит твоя жизнь, когда попадаешь в такое место в восемнадцать лет.

— Ты позволял себе секс с незнакомыми? — поразился я. — Я шокирован.

— Сейчас, вспоминая это, я также чувствую себя не лучшим образом. Это так. И, что греха таить, я был далеко не святым в те годы, но что касается Джейсона — столь радикальная перемена и уход в почти садистский разгул переходят все рамки.

— Садистский? Вы, интеллектуалы, клянусь, говорите об этом слишком спокойно.

— И все-таки что вызвало перемену? Что он пытается доказать? — спросила Энджи.

— По правде сказать, не знаю. — Эрик вскинул свою голову и снова напомнил мне кобру, готовую к броску. — Поверьте, Джейсон хороший мальчик. Не могу представить, чтобы он был замешан в чем-то, что повредило бы ему самому или его матери. Но... Я знаю его с самого детства и меньше всего мог ожидать, что им овладеет комплекс Дон Жуана. Вы исключаете мафию?

— В общем, да, — сказал я.

Эрик поджал губы и тяжело вздохнул:

— Тогда, пожалуй, я пас. Все, что я знал, я рассказал. Мне хотелось бы с большей уверенностью утверждать, кто он есть на самом деле, но я варюсь в этом котле довольно давно и пришел к выводу, что никто никого до конца не знает. — Он кивнул в сторону книжных полок, набитых книгами по криминологии и психологии. — Годы исследований не прошли даром.

— Негусто, — сказал я.

Эрик расслабил галстук.

— Вы спросили мое мнение о Джейсоне, и я его высказал, предварив тезисом о том, что у каждого есть своя тайная жизнь и тайное «я».

— А какая у вас, Эрик?

Он недоуменно моргнул.

— А вам зачем?

Когда мы вышли на яркий солнечный свет, Энджи взяла меня под руку, и мы уселись на лужайке под деревом, откуда можно было наблюдать за входной дверью, из которой через несколько минут должен был появиться Джейсон. Вообще-то это был наш давний трюк — изображать влюбленных во время слежки за объектом; опыт показал, что люди относятся настороженно, если кто-то гуляет в одиночестве в не очень подходящем месте, и почти равнодушно воспринимают в той же ситуации влюбленную пару. Влюбленные, по непонятным причинам, зачастую легко могут проникнуть сквозь дверь, закрытую для одиноких особ.

Энджи посмотрела вверх на веерообразную крону дерева над нами. Влажный ветерок бросал желтые листья на хрупкие остроконечные стебельки травы. Энджи прильнула к моему плечу и долго сидела так не шевелясь.

— С тобой все в порядке? — спросил я.

Ее рука сжала мой локоть.

— Энджи?

— Вчера я подписала бумаги. Они лежали у меня дома более двух месяцев. Подписала и отнесла адвокату. Вот. — Она пристроила свою голову мне между плечом и шеей. — Когда я написала свою фамилию, у меня появилось четкое ощущение, что теперь в моей жизни все станет чище. У тебя тоже так было?

Я сосредоточенно пытался вспомнить, что именно чувствовал, когда сидел в кондиционированном офисе адвоката и избавлялся от своего короткого, скучного, идиотского брака, поставив свою подпись на четкой точечной линии, а потом свернув бумагу втрое, прежде чем положить в конверт. Не могу определить терапевтический эффект, скажу только одно: есть что-то безжалостное в подобной упаковке прошлого и обрамлении его ленточкой.

Наш брак с Рене длился меньше двух лет, а завершился целиком и полностью в течение двух месяцев. Энджи была замужем за Филом больше двенадцати лет. Я не мог себе представить, как это — уходить от двенадцати лет, не важно, какими плохими они были.

— Для тебя действительно все стало чище и яснее? — спросила она.

— Нет, — сказал я, крепко прижимая ее к себе. — Совсем нет.

12

Всю следующую неделю мы вели наблюдение за Джейсоном как в пределах студгородка, так и по всему городу, провожая его до аудитории и дверей спальни. Мы укладывали его ночью в постель и поднимались вместе с ним утром. Не скажу, чтобы такие минуты вызывали у нас волнение и трепет. Джейсон вел очень оживленную жизнь, но, если уловить его смысл — пробуждение, еда, занятия, секс, занятия, еда, выпивка, секс, сон, — все это очень быстро приедается. Уверен, если б меня наняли следить за маркизом де Садом в его лучшие годы, я точно так же устал бы на третий или четвертый раз от созерцания выпивок из детских черепов или ночных оргий.

Энджи была права: в Джейсоне и его подружках чувствовалась горечь одиночества. Они трепыхались на волнах жизни, как целлулоидные утята в горячем корыте, иногда опрокидываясь и дожидаясь, что кто-то поставит их пряменько, после чего продолжали в том же духе. Между ними не было ссор, но не было и настоящих чувств. Было только ощущение себя единым организмом, легкомысленно самоуверенным, крайне ироничным, отторгнутым от той жизни, которую они вели, как это бывает с сетчаткой и глазом, потерявшим над ней контроль.

И никакой слежки за Джейсоном не было. В этом мы были уверены. Десять дней, и никого не видно. А мы смотрели вовсю.

На одиннадцатый Джейсон нарушил свой распорядок.

У меня не было информации об убийстве Кары Райдер, потому что Дэвин и Оскар не отвечали на звонки, а из газетных отчетов я понял, что следствие зашло в тупик.

Слежка за Джейсоном первоначально вытеснила эту проблему из моего сознания, зато теперь я так устал, что мне не оставалось ничего другого, как размышлять и размышлять, что, естественно, привело меня все в тот же тупик. Кара была мертва. Я не смог предотвратить это. Убийца неизвестен и на свободе. Ричи Колган все еще не связался со мной, хотя оставил послание, что работает над заданием. Если бы у меня было время, я бы сам занялся этим, но вместо поисков мне надо было караулить Джейсона и его безмозглых подружек, прожигающих роскошное бабье лето в тесных, прокуренных помещениях, облаченных в черную одежду или вообще без оной.

— Появился, — сказала Энджи, и мы покинули аллею, на которой находился наш наблюдательный пост, последовав за Джейсоном через Бруклин-Виллидж. Наш объект произвел беглый осмотр в книжной лавке, купил коробку дискет в «Эггхед софтвер» и не спеша направился в кинотеатр «Кулидж Корнер».

— Это что-то новенькое, — заметила Энджи.

На протяжении десяти дней Джейсон ни разу не менял свой распорядок дня. А сейчас он направлялся в кино. Один.

Зная, что мне надо последовать за ним, я взглянул на афишу в надежде, что это не будет фильм Бергмана. Или, того хуже, Фассбиндера.

Кинотеатр «Кулидж Корнер» тяготел к высокохудожественным фильмам для интеллектуалов, что само по себе прекрасно в наш век шаблонной голливудской продукции. Однако расплачиваться за это приходится недельными демонстрациями кухонных мелодрам из Финляндии, Хорватии или еще какой-нибудь холодной, унылой страны, бледнолицые жители которой только и делают что сидят на кухнях, беседуя о Кьеркегоре да Ницше или о том, как они несчастны. Вместо того чтобы переехать в другое место, где больше солнца и света, а люди более оптимистичны.

Показывали отреставрированную копию фильма Копполы «Апокалипсис сегодня». Насколько я люблю кино, настолько Энджи его терпеть не может. Она говорит, что этот вид искусства вызывает у нее ощущение, будто она сидит на дне болота, приняв при этом слишком много снотворного.

Энджи осталась снаружи, а я вошел внутрь. Одно из преимуществ партнерства в подобной ситуации состоит в том, что входить за объектом в полупустой зал всегда рискованно. Если он решит покинуть зал в середине картины, трудно следовать за ним, не вызывая подозрения. А партнер снаружи спокойно примет его в поле своего внимания.

Кинотеатр был почти пуст. Джейсон уселся в центре ближе к экрану, а я — рядов на десять дальше по левой стороне. Несколькими рядами выше справа сидела какая-то пара, а еще одна одинокая фигура — молодая женщина с раскосыми глазами и красной банданой на голове — делала в блокноте заметки. Сразу видно, студентка, изучающая кино.

Примерно тогда, когда Роберт Дюваль на экране был занят на пляже своим барбекю, в зал вошел мужчина и занял место в ряду позади Джейсона, кресел на пять левее. Когда в саундтрек вторгся Вагнер, а корабельные орудия сотрясли утреннюю деревню огнем и взрывами, свет с экрана залил лицо мужчины, и я смог увидеть его профиль — гладкие щеки с аккуратно подстриженной козлиной бородкой, густые темные волосы, из мочки уха торчит головка гвоздя.

Во время сцены у моста До-Лонг, когда Мартин Шин и Сэм Боттомс ползли через осажденные окопы в поисках командира батальона, мужчина с бородой передвинулся на четыре кресла влево.

— Эй, солдат, — обратился Шин к молодому испуганному темнокожему парню, стараясь перекричать грохот канонады и вспышки огня в небе. — Кто здесь командир?

— Разве не вы? — закричал парень, а мужчина с бородой наклонился вперед, тогда как голова Джейсона откинулась назад.

Мужчина сказал ему всего несколько слов, и к тому времени, как Мартин Шин покинул траншею и вернулся на лодку, мужчина вышел в проход и направился в мою сторону. Он был примерно моего роста и телосложения, возможно, лет тридцати и очень хорош собой. На нем были темная спортивная куртка поверх свободного зеленого свитера с высоким горлом, потертые джинсы и ковбойские сапоги. Перехватив мой взгляд, он заморгал и уставился на свои ботинки, которые как раз выносили его из кинотеатра.

Альберт Холл спросил Шина:

— Вы нашли командующего офицера?

— Ни хрена тут нет, — заявил Шин, залезая в лодку, в то время как Джейсон встал и вышел в боковой проход.

Я выждал три минуты, затем поднялся и двинулся к выходу, покуда на экране надувная лодка неумолимо плыла к лагерю Куртца и безумным поступкам Брандо. Я сунул голову в туалетную комнату, чтобы убедиться, что она пуста, затем покинул кинотеатр.

Очутившись на Гарвард-стрит, я зажмурился от яркого света и оглянулся в надежде увидеть Энджи, Джейсона или парня с бородкой. Никого. Поднялся вверх до Бикона, но и там никого из них не было. Мы с Энджи заранее условились, что тот, кто оторвался в слежке, добирается домой без машины. Поэтому я мурлыкал себе под нос «О соле мио» до тех пор, пока не поймал такси и не очутился дома.

Джейсон и бородач пошли пообедать в бар «Сансет грилл» на Брайтон-авеню. Энджи удалось сфотографировать их с противоположной стороны улицы, и на одном снимке руки обоих мужчин исчезли под столом. Первоначально я предположил: здесь пахнет наркотиками.

Они раздельно оплатили счет и, уже выйдя на Брайтон-авеню, вновь слегка потянулись руками друг к другу, при этом на их лицах играла застенчивая улыбка. Она совсем не походила на ту, что я привык видеть на лице Джейсона последние десять дней. Его обычная улыбка напоминала скорее ухмылку с оттенком издевки и ленивой развязности. Но эта была совсем другой: искренней, льющейся откуда-то из глубины и не знающей никаких преград, пока не попадет на уста и не растянется во всю щеку.

Энджи удалось схватить и улыбку, и рукопожатие на пленку. И мое предположение несколько изменилось.

На другом снимке бородач шагал вверх по Брайтон в направлении Юнион-сквер, а Джейсон — в обратную сторону, в университет.

Вечером мы с Энджи разложили фотографии на кухонном столе, пытаясь понять, что нам сказать Дайандре Уоррен.

Дело в том, что это был один из пунктов, по поводу которых моя ответственность перед клиентом не имела четких границ. У меня не было причин думать, что явная бисексуальность Джейсона каким-то образом связана с телефонными звонками с угрозами, которые получала Дайандра. С другой стороны, у меня не было причины не говорить ей об этом открытии. И все же мне было неизвестно, делает ли сам Джейсон из этого тайну или нет, и у меня не было никакого желания выводить его на чистую воду, особенно теперь, когда с фотографии на меня смотрел юноша, который за все время слежки впервые выглядел по-настоящему счастливым. А возможно, и впервые в жизни.

— Кажется, я придумала!

Энджи протянула мне фотографию, на которой Джейсон и парень с бородой были всецело поглощены едой, не глядя друг на друга.

— Они встретились за ленчем, вот и все. Показываем ее Дайандре вместе с фотографиями Джейсона и его девок, спрашиваем, знает ли она этого парня, и, если она сама не предложит нам подобную идею, мы не станем даже предполагать возможность любовной связи.

— Отличная идея!

— Нет, — сказала Дайандра. — Никогда не видела этого человека. Кто он?

Я покачал головой:

— Не знаю. Эрик, а ты?

Эрик довольно долго смотрел на фото, в конце концов покачал головой:

— Нет. Никогда его не видел.

— Доктор Уоррен, — сказала Энджи, — прошло больше недели, но это все, чем мы располагаем. Социальное окружение Джейсона очень ограничено и до сегодняшнего дня исключительно женское.

Дайандра кивнула, затем постучала пальцем по голове друга Джейсона на фотографии:

— Они любовники?

Я посмотрел на Энджи. Она — на меня.

— Смелее, мистер Кензи, думаете, я не знаю о бисексуальности Джейсона? Он же мой сын.

— Значит, между вами нет тайн? — спросил я.

— Вряд ли. Он никогда не говорит со мной на эти темы, но я знаю. Думаю, у него это с детства. И я даю ему понять, что для меня совершенно не имеет значения ни гомосексуализм, ни бисексуальность, ни любые другие отклонения, даже если он не в силах признаться мне в этом. Но я все-таки думаю, что он озабочен и смущен своей гиперсексуальностью. — Она вновь постучала по фото. — Этот человек опасен?

— У нас нет никаких оснований так думать.

Дайандра зажгла сигарету, откинулась назад на своем диване и внимательно посмотрела на меня:

— И куда нас это привело?

— Вы не получали больше угроз или фотографий по почте?

— Нет.

— Тогда, думается, мы просто зря тратим ваши деньги, доктор Уоррен.

Она взглянула на Эрика, но он только пожал плечами.

Она повернулась к нам снова.

— Мы с Джейсоном собираемся провести выходные в нашем доме в Нью-Хэмпшире. Когда вернемся, не смогли бы вы понаблюдать за Джейсоном еще несколько дней, чтобы все завершить и успокоить материнскую душу?

— Разумеется.

В пятницу утром Энджи позвонила мне и сказала, что Дайандра заехала за Джейсоном и они отбыли в Нью-Хэмпшир. Я следил за ним весь вечер четверга, но ничего существенного не случилось. Ни угроз, ни подозрительных личностей в засаде у общежития, ни контактов с хозяином козлиной бородки.

Пытаясь идентифицировать данную персону, мы с Энджи применили полноценную схему, но бородач, казалось, как появился в свое время из тумана, так и исчез в нем. Он не был ни студентом, ни преподавателем колледжа. Не работал ни в одном из учреждений в радиусе мили от общежития. Мы даже обратились к одному из приятелей Энджи, полицейскому, чтобы он прогнал фотографию бородача через компьютер для криминального опознания, но все впустую. И так как этот тип встречался с Джейсоном в открытую и встреча была более чем сердечной, мы решили, что нет причины его подозревать, надо лишь держать ухо востро, пока он не объявится вновь. Возможно, он где-то за пределами штата. А может, он просто мираж.

— Итак, свободные выходные, — оживилась Энджи. — Что собираешься делать?

— Провести максимум времени с Грейс.

— Превосходно.

— Да. А ты?

— Не скажу.

— Желаю удачи.

— Не надо.

— Будь осторожна.

— Хорошо.

Уборка квартиры заняла немного времени, потому что я редко бывал дома, чтобы замусорить ее.

Когда я вновь наткнулся на листок со словом «Привет!» и бамперные наклейки, то почувствовал, как горячий шип у основания моего мозга превращается в шишку, но тут же встряхнулся и выбросил все из головы.

Снова позвонил Ричи Колгану, попал на автоответчик, наговорил на него сообщение, и мне оставалось лишь принять душ, побриться и отправиться к Грейс домой. О, счастливый день!

Когда я спустился вниз по лестнице, то услышал тяжелое дыхание в холле. Повернув за угол, я увидел Станиса и Ливу, которые в миллион первый раз выясняли отношения.

На шляпе Станиса громоздилась гора овсяной каши, а неряшливый халат Ливы был заляпан кетчупом и горячей яичницей. Они уставились друг на друга, вены у него на шее вздулись, ее левое веко нервно дергалось, в правой руке она усиленно мяла апельсин.

Выяснять, в чем дело, не имело смысла. Все это я и так знал.

Прошмыгнув на цыпочках мимо, я нырнул в ближайшую дверь, закрыл ее за собой и попал в небольшой коридорчик, где наступил на валявшийся на полу белый конверт. Черная резиновая прокладка, прилегающая снизу к парадной двери, настолько плотно охватывала порог, что проще было просунуть гиппопотама через трубку кларнета, чем втиснуть листок бумаги под дверь главного входа.

Я взглянул на конверт. Ни царапин, ни следов.

Слова «патрику кензи» были напечатаны в самом центре.

Я открыл дверь в фойе, где Станис и Лива по-прежнему стояли неподвижно в той же позе, что и в прошлый раз, с едой, остывающей на их телах, и с апельсином, зажатым в руке Ливы.

— Станис, — спросил я, — вы открывали кому-нибудь утром дверь? Примерно полчаса тому назад?

Он тряхнул головой, отчего часть каши свалилась на пол, но глаз от жены так и не отвел.

— Открывал дверь? Кому? Незнакомцу? Я что, чокнутый? — Он указал на Ливу. — Вот она — чокнутая.

— Я покажу тебе чокнутую, — завопила супруга и запустила ему в голову апельсин.

Станис заорал: «А-а-а!» — а я быстро ретировался и закрыл за собой дверь.

Я стоял в коридорчике с конвертом в руках и ощущал резкий прилив страха где-то в желудке, хотя точно определить причину не мог.

Конверт. Записка. «Привет». Бамперные наклейки.

Тебе ничто не угрожает, успокаивал голос. По крайней мере открыто. Всего лишь слова на бумаге.

Я открыл дверь и вышел на крыльцо. В школьном дворе напротив перемена полностью вступила в свои права: монахини охотились за детьми на площадке для «классиков», какой-то мальчик дергал за волосы девочку, очень похожую на Мэй, с ее манерой стоять, чуть склонив голову набок, будто ожидая, что ветерок нашепчет ей какой-то секрет. Когда мальчишка дернул ее за волосы, она вскрикнула и стала шлепать себя ладонями по затылку, будто на нее напали летучие мыши, что побудило мальчика поспешно ретироваться и влиться в толпу сверстников. Девочка же умолкла, одиноко и смущенно поглядывая вокруг, а мне захотелось пересечь улицу, найти сорванца и хорошенько оттаскать за волосы, чтобы он тоже ощутил одиночество и смущение, хотя, признаюсь, сам я в его возрасте проделывал подобное сотни раз.

Думаю, мой порыв объяснялся возрастными изменениями, взглядом в прошлое, где было так мало «невинной» агрессии в отношении детей, и уверенностью в том, что каждая, даже небольшая, боль оставляет рубцы и портит все чистое и ранимое в ребенке.

А может быть, у меня сегодня просто плохое настроение.

Я взглянул на конверт в руке, и что-то подсказывало мне, что я не настроен принимать слишком близко к сердцу то, что там написано, если даже открою его. Но я ошибся. И когда я прочитал послание, то тут же оглянулся на парадную дверь, на ее внушительное, тяжелое дерево и толстое стекло, окаймленное проводком сигнализации, а также три медных замка-задвижки, сверкающие в утреннем солнечном свете, и даже развеселился.

Записка гласила:

патрик, незабудьзаперетьдверь.

13

— Осторожно, Мэй, — сказала Грейс.

Мы переходили мост Массачусетс-Эйв со стороны Кембриджа. Внизу проплывали лодки. «Чарльз» в закатных лучах был цвета карамели, а гарвардские гребцы, скользя по реке, издавали пыхтение, сопровождавшееся точными, будто нож в масло, ударами весел по водной поверхности.

Мэй поднялась на невысокий, сантиметров пятнадцать, парапет, отделявший тротуар от проезжей части, я держал ее за правую ручку.

— Смуты?[1] — вновь спрашивала она, смакуя это слово, будто шоколадку. — Что еще за смуты, Патрик?

— Так измерили этот мост, — сказал я. — Снова и снова переворачивали бедного Оливера Смута по длине моста.

— Он им не нравился? — Она посмотрела вниз на очередную желтую маркировку, и личико ее помрачнело.

— Ну почему же, нравился. Они просто играли.

— Играли?

---

1 С м у т — принятая в США мера длины, равная 5 футам 7 дюймам. Рассказанная история реальна.

Я кивнул.

— Вот так и получилась единица измерения «смут».

— Смуты. — Мэй захихикала. — Смуты, смуты.

Мимо нас прогромыхал грузовик, мост слегка завибрировал у нас под ногами.

— Пора спускаться, детка, — сказала Грейс.

— Я...

— Сейчас же.

Мэй спрыгнула возле меня.

— Смуты. — Она торжествующе улыбнулась, давая понять, что отныне это будет нашей личной шуткой.

В 1958 году кто-то из руководства Международной организации по стандартизации решил выложить мост Массачусетс-Эйв от начала до конца Оливером Смутом, и по завершении провозгласил, что данный мост состоит из 364 смутов плюс кукурузный початок. Как бы там ни было, система измерения Смута стала своего рода достоянием, которое поделили между собой Бостон и Кембридж, и, по мере того как мост вытаптывался, маркировки смутов наносились по-новому, свежей краской.

Мы спустились с моста и направились к востоку по тропинке, идущей вдоль реки. Вечерело, воздух был чист, цвета золотистого виски, деревья сверкали яркостью красок, потемневшая от дыма темная бронза заката резко контрастировала с буйством цветов: вишнево-красного, лимонно-зеленого и ярко-желтого, сплетенных воедино в кронах деревьев над нашими головами.

— Расскажи мне об этом еще раз. — Грейс вложила свою ладонь в мою. — Твоя клиентка встретилась с девушкой, представившейся подругой бандита.

— Но это оказалось не так, парень не имеет никакого отношения к делу, далее, девушка исчезает, а мы не можем найти доказательств того, что она вообще существовала. У парня, Джейсона, похоже, нет никаких тайн, за исключением, возможно, бисексуальности, что не очень-то волнует его мать. Мы следили за ним полторы недели и ни к чему не пришли, никого не выявили, кроме разве что парня с козлиной бородкой, который, может, и связан с Джейсоном, но тоже растворился в воздухе.

— А та девушка, ну, твоя знакомая? Которую убили?

Я пожал плечами:

— По нулям. Все знакомства и связи проверены, даже подонки, с которыми она тусовалась, а Дэвин все молчит. Черт знает что...

— Патрик, — укоризненно перебила меня Грейс.

Мэй заинтересованно прислушивалась.

— Молчу-молчу. Одним словом, кругом невезуха.

— Так лучше.

— Собачка! — воскликнула Мэй. — Собачка!

На лужайке, недалеко от бойкой тропы, сидела супружеская пара средних лет. Рядом с ними, касаясь колена мужчины, лежал черный шотландский терьер, которого хозяин машинально гладил.

— Можно? — спросила Мэй у матери.

— Спроси у дяди.

Мэй сошла с тропы на траву, остановилась в нерешительности. Супруги улыбнулись ей, потом нам. Мы улыбнулись в ответ.

— Он мирный?

Мужчина кивнул:

— Даже слишком.

Мэй протянула было руку в сторону терьера, который все еще не замечал ее, и в полуметре от его головы замерла.

— Он не кусается?

— Не кусается, — ответила женщина. — Как тебя зовут?

— Мэй.

Собака подняла глаза, и Мэй отдернула руку назад. Терьер медленно поднялся и фыркнул.

— Мэй, — сказала женщина. — Это Инди.

Инди обнюхал ногу Мэй. Она испуганно обернулась к нам в поисках поддержки.

— Он хочет, чтобы ты его погладила, — сказал я.

Далее все завертелось как в калейдоскопе. Мэй коснулась черной головы. Пес уткнулся мордой ей в ладошку, она склонилась над ним еще ниже. Меня подмывало переспросить хозяев, так ли они уверены в миролюбивости своего питомца. Странное чувство. По шкале опасности шотландские терьеры находятся где-то между аквариумными рыбками и подсолнухами, но когда я видел маленькую фигурку Мэй все ближе и ближе к острым зубам, мне становилось не по себе.

Когда Инди прыгнул, я сорвался с места, но Грейс удержала меня, вцепившись мне в плечо. Мэй вскрикнула, но уже в следующую секунду оба, девочка и пес, кувыркались в траве, как старые друзья.

Грейс вздохнула.

— До свидания, новое платье!

Мы сели на лавочку. Мэй и Инди носились друг за другом, спотыкаясь и падая, поднимались и начинали все сначала.

— У вас прекрасная дочурка, — сказала женщина.

— Спасибо, — улыбнулась Грейс.

Мэй визжа промчалась мимо скамейки, Инди хватал ее за пятки. Пробежав метров двадцать, оба свалились, подняв вокруг себя облако пыли и пучков травы.

— Вы давно женаты?

Я не успел открыть рот, как Грейс чувствительно ткнула меня пальцем в бедро.

— Пять лет.

— А выглядите как молодожены, — заметила женщина.

— Вы тоже.

Они рассмеялись.

— Мы чувствуем себя молодоженами, — сказала Грейс. — Правда, дорогой?

Мы уложили Мэй около восьми, она уснула, не успев донести голову до подушки. Не каждый день приходится столько играть в догонялки с собакой. Грейс стала собирать с пола альбомы для раскраски, игрушки, комиксы и страшилки. Журналы и книги принадлежали не Грейс, а Аннабет. Их отец умер, когда Грейс училась в колледже, оставил дочкам скромное наследство. Грейс истратила свою часть довольно быстро, сначала оплачивая все, что не покрывала стипендия в последние два года обучения в Йеле, затем содержала себя, своего мужа Брайана и Мэй, пока Брайан не сбежал от них. А когда в «Тафтс медикал» ей предложили стипендию, она прокутила остатки сбережений.

Аннабет была четырьмя годами младше, она проучилась еще год в средней школе, а потом промотала свою часть на годовое турне по Европе. Фотографии из этого путешествия, прикрепленные к изголовью постели, тешили самолюбие. Все они были сделаны в барах. «Как пропить себе путь в Европу за сорок тысяч».

В отношении Мэй ее нельзя было упрекнуть. Она следила, чтобы ребенок вовремя ложился спать, правильно питался, чистил зубы и переходил улицу. Аннабет водила девочку на школьные спектакли, в детский музей, на детские площадки. Одним словом, делала все, на что у Грейс просто не было времени, так как она работала девяносто часов в неделю.

Закончив уборку, мы забрались на диван и попробовали найти что-нибудь стоящее по телевизору, но безуспешно. Брюс Спрингстин был прав: пятьдесят семь телеканалов, а смотреть нечего.

Мы выключили бесполезный ящик, сели по-турецки друг против друга, и Грейс стала рассказывать мне о последних трех днях в отделении: о том, что иногда тела поступают сложенными в штабеля, как дрова; о шуме, который сравним разве что с концертом хеви-метал; о старушке, у которой украли кошелек, ударили головой о тротуар, и она умирала молча, держа Грейс за руку, а по ее щекам катились прозрачные слезы. Потом поступили мальчишки, совсем еще дети, если не считать того, что они состояли в криминальной группировке. Из них фонтаном била кровь, напоминая жидкую краску; здесь был и ребенок, левая ручка которого была полностью вывернута из плечевого сустава и сломана в трех местах выше локтя; при этом родители убеждали всех, что их дитя просто упало. А одна сумасшедшая наркоманка вопила и дралась со всем медперсоналом, потому что ей нужна была очередная доза, и не позволяла врачам вытащить из ее глаза нож.

— А я-то думал, что у меня опасная работа, — сказал я.

Она уткнулась лбом мне в плечо.

— Еще год, и я переведусь в кардиологию. Всего один год. — Она взяла мои руки в свои и положила их себе на колени. — Та девушка, которую убили в парке, не связана с тем, другим делом?

— Почему ты спрашиваешь?

— Просто так. Любопытно.

— Нет. Так уж случилось, мы взяли дело Уоррена почти в то же время, что убили Кару. Почему тебе пришла эта мысль?

Она провела руками снизу вверх по моим бицепсам.

— Потому что ты напряжен, Патрик. Сильнее, чем за все это время.

— Что ты имеешь в виду?

— Что касается твоей активности, с ней все в порядке, но я чувствую это по твоему телу, особенно когда ты стоишь. Такое впечатление, что ты ждешь, что на тебя сзади наедет грузовик. — И она поцеловала меня. — Что-то вывело тебя из равновесия.

Я вспомнил о последних одиннадцати днях. Я сидел за обеденным столом с тремя психопатами, точнее, с четырьмя, если считать и Пайна. Затем видел женщину, распятую на горе. После этого кто-то прислал мне пакет бамперных наклеек и записку с приветом. А вскоре — с «незабудьзаперетьдверь». За это время происходили нападения со стрельбой на клиники, производящие аборты, на вагоны метро, совершались поджоги и взрывы посольств. В Калифорнии с гор съезжали жилые дома, а в Индии запросто проваливались сквозь землю. Одним словом, было от чего выйти из равновесия.

Я обнял Грейс за талию и, откинувшись на спину на диван, уложил ее на себя. Мои руки проникли под ее свитер, а ладони стали совершать прогулки по ее груди. Она прикусила нижнюю губу, а глаза при этом слегка расширились.

— Прошлым утром ты мне что-то сказала, — проговорил я.

— Я много чего говорила прошлым утром, — сказала Грейс. — Если мне не изменяет память, несколько раз произнесла «О господи!».

— Не то.

— О, — воскликнула она, хлопнув меня по груди. — Фраза «Я тебя люблю». Вы ее имеете в виду, детектив?

— Именно так, мадам.

Грейс расстегнула мою рубашку до пупка и начала гладить мне грудь.

— Ну и что из этого? Я. Люблю. Тебя.

— Почему?

— «Почему»? — спросила она.

Я кивнул.

— Самый глупый вопрос, который ты мне задавал. Разве ты не чувствуешь себя достойным любви, Патрик?

— Вообще-то нет, — сказал я, когда она дотронулась до шрама на моем животе.

Наши глаза встретились, и в ее взгляде было столько теплоты, сколько бывает только при благословении. Она наклонилась вперед, и мои руки оставили в покое ее свитер, потому что она соскользнула вниз, и ее голова очутилась на уровне моих коленей. Расстегнув мне рубаху, Грейс прильнула лицом к шраму. Она провела по нему языком, затем поцеловала.

— Мне нравится этот шрам, — сказала она, водружая на него подбородок и глядя вверх, мне в лицо. — Он нравится мне потому, что это метка зла. Это то, чем был твой отец, Патрик. Злом. И он пытался внедрить его в тебя. Но безуспешно. Потому что ты добр и нежен, ты так хорошо относишься к Мэй, и она так сильно любит тебя. — Грейс постучала по шраму кончиком ногтя. — Как видишь, твой отец потерпел фиаско, потому что в тебе было довольно доброты и порядочности, и если он и правда не любил тебя, это, черт побери, его проблема, но никак не твоя. Он был глупым ослом, а ты достоин любви. — Став на колени и опершись на локти, она возвысилась надо мной. — Всей любви, моей и Мэй.

На минуту я потерял дар речи. Я смотрел в лицо Грейс, представляя ее старой, морщинистой, и понимал, что лет через пятнадцать — двадцать многие мужчины не смогут даже представить себе, какое эстетическое наслаждение вызывали когда-то ее лицо и тело, просто не передать. Потому что это не просто фраза. Конечно, я говорил своей бывшей жене, Рене, «Я люблю тебя» и слышал от нее то же самое, но мы оба знали, что это ложь, точнее, страстное желание, однако слишком далекое от реальности. Я любил свою напарницу, свою сестру, наконец, свою мать, хотя никогда по-настоящему не знал ее.

Но, уверен, ничего подобного я никогда раньше не испытывал.

Когда у меня наконец прорезался голос, он оказался дрожащим и хриплым, а слова застревали у меня в горле. Глаза мои увлажнились, а в сердце будто кровоточила рана.

В детстве я любил своего отца, а он только издевался надо мной. Он не имел жалости. Сколько б я ни плакал, сколько бы ни просил, как бы ни старался в точности выполнять его желания, что бы я ни делал, чтобы заслужить его любовь, а не быть постоянной жертвой его гнева.

— Я люблю тебя, — однажды сказал я ему, но он только рассмеялся в ответ. И снова был смех. Затем он избил меня еще сильнее.

— Я люблю тебя, — как-то снова сказал я, когда он таранил моей головой дверь, затем мотал вокруг себя и наконец плюнул мне в лицо.

— Я ненавижу тебя, — сказал я спокойно отцу незадолго до его смерти.

Это также вызвало у него смех.

— Один гол в ворота старика.

— Я люблю тебя, — сказал я теперь Грейс.

И она засмеялась. Смех ее был прекрасен. В нем было и удивление, и облегчение, и радость, и все это сопровождалось двумя слезинками, что скатились по ее щекам и, попав в мои глаза, смешались с моими.

— О господи, — простонала Грейс, опускаясь на меня и слегка касаясь своими губами моих. — Я так люблю тебя, Патрик.

14

Наши отношения с Грейс не достигли еще того уровня, когда мы могли задерживаться в квартире настолько, чтобы Мэй могла застать нас в постели вдвоем. Этот момент, очевидно, вскоре должен был наступить, но для каждого из нас он был не сказать чтобы слишком легким. Мэй знала, что я был «особым другом» ее мамы, но ей совсем не обязательно было знать, чем именно занимаются особые друзья, по крайней мере до тех пор, пока не станет ясно, что особый друг задержится надолго. В детстве у меня было слишком много друзей, у которых не было отцов, зато было огромное количество так называемых дядей, прошедших парадом через постели их матерей. И я видел, как это разлагало их души.

Поэтому я уехал вскоре после полуночи. Когда я вставлял ключ в замочную скважину нижней двери, то слышал, как в отдалении звонит мой телефон. К моменту, когда я снял трубку, Ричи Колган начитывал текст на мой автоответчик:

— ...имя Джамаля Купера в сентябре семьдесят третьего было...

— Я здесь, Рич.

— Патрик, ты жив! А твой автоответчик вновь работает.

— Он никогда и не был сломан.

— Тогда это какие-то проделки темных сил.

— Нашел что-нибудь?

— Звонил тебе за последнюю неделю несколько раз, но в ответ только «динг-динг-динг».

— Пробовал в офис?

— Та же история.

Я снял автоответчик, осмотрел его снизу. Я не надеялся найти там нечто особенное, я просто делал то, что сделал бы каждый. Проверил все переключатели, рычаги и прочее: ничего, все пригнано как надо. К тому же всю неделю я как-никак получал другие сообщения.

— Не знаю, что и сказать, Рич. Похоже, все работает, возможно, ты неправильно набирал.

— Пусть так. У меня есть нужная информация. Кстати, как поживает Грейс?

Ричи и его жена Шерилин прошлым летом играли роль сводников между мной и Грейс. Почему-то именно Шерилин, опиравшейся на опыт моей жизни последнего десятилетия, пришла в голову мысль, что единственное, что мне нужно, — это сильная женщина, которая, вытряхнув из меня всю дурь, крепко взяла бы меня в свои руки. В девяти случаях этот прогноз не сработал, но десятый, похоже, был на подходе к осуществлению.

— Передай Шери, я сражен.

Ричи рассмеялся:

— Ей это понравится. Еще как понравится! Ха-ха, я знал, что ты втюришься в Грейс с первого взгляда. И она сделает с тобой все, что захочет: сварит, поджарит, замаринует и разрежет на кусочки.

— Мм... — пробормотал я.

— Хорошо, — сказал он сам себе и зашепелявил. — Хорошо, так тебе нужна инфо?

— Бумага и ручка наготове.

— Ящик «Хайнекена» неплохо бы тоже.

— Не подлежит обсуждению.

— Лет двадцать пять тому назад, — сказал Ричи, — уже было одно распятие в этом городе. Парень по имени Джамаль Купер. Темнокожий, двадцать один год, был найден распятым на досках пола в подвале ночлежного дома в старой части Сколли-сквер в сентябре семьдесят третьего года.

— Можно вкратце по биографии?

— Он был наркоман. Героин. Список судимостей размером с футбольное поле. В основном мелочевка: незначительные кражи, приставания на улице, но пара ограблений частных домов привели его в старый исправительный дом, Дэдхэм-Хаус. Но, повторяю, Купер гроша медного не стоил. И если б его не распяли, никто б и не заметил, что он умер. Даже потом копы не очень-то шевелились насчет этого дела.

— Кто вел расследование?

— Их было двое. Инспектор Бретт Хардимен и, дай-ка взгляну, да, детектив сержант Джеральд Глинн.

Это меня насторожило.

— Кого-нибудь арестовали?

— Видишь ли, здесь начинается самое интересное. Мне пришлось немного покопаться, но в документах о дне, когда был вызван на допрос парень по имени Алек Хардимен, была какая-то неразбериха местного масштаба.

— Минуточку, не хочешь ли ты сказать?..

— Угадал. Алек Хардимен не кто иной, как сын главного чина, руководящего расследованием, Бретта Хардимена.

— Так что же случилось?

— С молодого Хардимена сняты все подозрения.

— Прикрыли?

— Не похоже. Против него действительно не было веских улик. Он, видимо, случайно был знаком с Джамалем Купером, и это, пожалуй, все. Но...

— Что?

В этот момент на столе Ричи зазвонили сразу несколько телефонов, и он сказал:

— Не клади трубку.

— Нет, Рич. Нет, я...

Он меня переключил, подлец. Я ждал.

Когда он вернулся на линию, его голос вновь изменился, приобретя прежнюю, офисную интонацию:

— Патрик, я должен бежать.

— Нет.

— Да. Значит, так, этот Алек Хардимен был осужден за другое преступление в семьдесят пятом году. Отбывает наказание в Уолполе. Это все, что удалось узнать. Должен бежать.

Он повесил трубку, а я взглянул на имена, записанные в моем блокноте: Джамаль Купер, Бретт Хардимен, Алек Хардимен, Джеральд Глинн.

Мне пришла мысль позвонить Энджи, но было уже слишком поздно, да и недельная слежка за ничего не делающим Джейсоном порядком утомила ее.

Несколько секунд я смотрел на телефон, затем взял куртку и вышел.

По правде сказать, куртка была не нужна. В это время, а была только половина второго ночи, влага стала окутывать мое тело и кожу, проникая постепенно в каждую пору, делая их липкими, болезненными и дурно пахнущими.

Октябрь. Все правильно.

Джерри Глинн был занят мытьем посуды в раковине, когда я вошел в «Черный изумруд». Бар был пуст, но три телевизора были включены, хотя звук их был приглушен. Из музыкального автомата почти шепотом доносилась аранжировка «Старого грязного города» в исполнении группы «Поджис». Стулья были на столах, пол вымыт, янтарные пепельницы чисты, как вываренная кость.

Джерри был поглощен кухонной раковиной.

— Простите, — сказал он, не поднимая взгляда, — у нас закрыто.

Неподалеку от Джерри на столе для игры в карты возлежал Пэттон. Он поднял голову и взглянул на меня. Из-за сигаретного дыма, который все еще, подобно облаку, висел в помещении, я не мог в точности разглядеть его обличье, но, уверен, если б он мог говорить, то наверняка бы сказал: «Разве не слышал, что сказал хозяин? Мы закрыты».

— Привет, Джерри.

— Патрик, — сказал он смущенно, но без энтузиазма. — Что тебя привело сюда?

Он вытер руки, протянул мне правую. Мы обменялись крепкими рукопожатиями, при этом он смотрел мне прямо в глаза, как водилось у старшего поколения, поколения моего отца.

— Мне надо задать вам пару вопросов, Джер, если у вас найдется минутка.

Он вскинул голову, и его всегда мягкий взгляд утратил свою мягкость. Затем он просветлел, после чего Джерри уселся на холодильник, стоявший позади него, и поднял руки ладонями кверху: сдаюсь.

— Разумеется. Тебе пиво или что?

— Не хочу разорять вас, Джер.

Я уселся в кресло напротив. Он открыл дверцу холодильника. Его мощная рука погрузилась внутрь, послышался треск льда.

— Никаких проблем. Правда, не могу обещать, что именно я вытащу.

Я улыбнулся:

— Что угодно, только не «Буш».

Джерри засмеялся:

— Ни в коем случае. Это... — Из холодильника появилась его рука, мокрая от растаявшего льда и покрытая нерастаявшими белыми желеобразными комочками вплоть до самого предплечья. — «Лайт».

Когда он протянул его мне, я усмехнулся.

— Как секс в парусной шлюпке, — сказал я.

Он громко расхохотался, забрызгав слюной стойку.

— Чертовски напоминает воду. Мне нравится. — Он повернулся и, не глядя, достал с полки бутылку «Столичной». Налил немного в высокий стакан, поставил бутылку обратно, затем поднял тост:

— Будь здоров.

— И вы тоже, — сказал я и выпил немного «Лайта». По вкусу он действительно был похож на воду, но все-таки это было лучше, чем «Буш».

— Так что у тебя за вопрос? — спросил Джерри. Он похлопал себя по солидному животу. — Завидуешь?

Я улыбнулся:

— Немного. — Я отпил еще немного «Лайта». — Джерри, что вы можете сказать о человеке по имени Алек Хардимен?

Джерри поднял свой стакан до уровня флюоресцентной лампы, от света которой прозрачная жидкость вообще исчезла. Он смотрел на стакан, вращая его пальцами.

— Так, — спокойно спросил он, все еще не отрывая глаз от стакана, — где ты услышал это имя, Патрик?

— Мне его сказали.

— Надо думать, ты ищешь подходящую кандидатуру на роль убийцы Кары Райдер. — Он поставил стакан и взглянул прямо мне в лицо. Он не выглядел ни рассерженным, ни раздраженным, голос его был таким же ровным и монотонным, как прежде, но в его согнутой фигуре появилась какая-то упрямость, которой не было с минуту назад.

— Есть кого предложить, Джер?

В автомате позади меня «Поджис» уступили место «Уотербойз» с хитом «Не бей в барабан». Телевизоры над головой Джерри были настроены на три различных канала. Один показывал австралийский футбол, другой — древний сериал «Коджак», третий же, демонстрируя развевающийся на ветру государственный флаг, сообщал о том, что программа на этот день окончена.

С того момента, как Джерри поставил свой стакан, он сидел неподвижно, изредка моргая, и в наступившей тишине был слышен только звук легкого присвиста, с каким воздух покидал его легкие через ноздри. Не могу сказать, что он изучал меня, потому что смотрел, казалось, сквозь на нечто, видное ему одному, находящееся ровно за моим затылком.

Джерри вновь повернулся, достал бутылку «Столичной» и налил себе новую порцию.

— Итак, Алек возвращается, чтобы снова нас преследовать. — Он усмехнулся. — Да, конечно, я его знаю.

Пэттон спрыгнул с игорного стола, проковылял в центральную часть бара, посмотрел на меня так, будто я занял его место, затем прыгнул на стойку бара передо мной и улегся, закрыв глаза лапами.

— Он хочет, чтобы ты приласкал его, — сказал Джерри.

— Не думаю. — Я наблюдал, как вздымается и опускается грудная клетка Пэттона.

— Ты ему нравишься, Патрик. Смелее.

На какое-то мгновение я вспомнил Мэй, когда сделал попытку протянуть руку в сторону этой роскошной шубы черно-янтарного цвета. Я почувствовал, что мышца под одеждой сжалась и стала твердой, как бильярдный шар, но Пэттон поднял голову, пробурчал что-то, слегка провел языком по моей свободной руке и с благодарностью обнюхал ее своим холодным носом.

— Он неженка, да? — спросил я.

— К несчастью, — сказал Джерри. — Не говори никому, ладно?

— Джерри, — сказал я, когда пушистая шуба Пэттона обвила мою руку, — этот Алек Хардимен мог убить?..

— Кару Райдер? — Джерри покачал головой. — Нет, нет. Это не под силу даже Алеку. Он ведь в тюрьме с семьдесят пятого и не выйдет оттуда до конца моей жизни. Возможно, и твоей тоже.

Я закончил свой «Лайт», и Джерри, вспомнив, что он все-таки бармен, успел запустить руку в лед холодильника прежде, чем я поставил пустую бутылку на стойку. На этот раз он извлек «Харпун», повертел его в мясистой ладони и ловко открыл с помощью штучки, прикрепленной к стенке холодильника. Я взял у него бутылку, и немного пены расползлось по моей руке, к радости Пэттона, который тут же слизал ее.

Джерри облокотился головой на край полки, висящей на стене.

— Ты помнишь парня по имени Кол Моррисон?

— Не очень, — признался я, стараясь превозмочь дрожь, всегда наползающую при упоминании этого имени. — Он был на несколько лет старше меня.

Джерри кивнул.

— Но ты знаешь, что с ним случилось?

— Убит ударом ножа в спину в Блейк-Ярд.

Джерри молча посмотрел на меня и вздохнул:

— Сколько тебе было в то время?

— Лет девять-десять.

Он достал еще один стакан, налил туда немного «Столичной» и поставил его передо мной:

— Пей.

Мне вспомнилась водка Буббы и ее воздействие на мой позвоночник. В отличие от моего отца и его братьев я, очевидно, утратил некоторые жизненно важные гены, потому что не мог пить крепкие напитки.

Я слабо улыбнулся Джерри:

— До свидания.

Он поднял свой стакан, и мы выпили, после чего я вытер слезы.

— Кол Моррисон, — сказал Джерри, — не был заколот, Патрик. — Он снова вздохнул, издав низкий, меланхолический звук. — Кол Моррисон был распят.

15

— Кол Моррисон не был распят, — сказал я.

— Нет? — переспросил Джерри. — Ты видел тело?

— Нет.

Он отхлебнул из стакана.

— А я видел. Еле сдержался, чтобы не закричать. И Бретт Хардимен тоже.

— Отец Алека Хардимена?

Джерри кивнул.

— Мой напарник. — Он подался вперед и налил немного водки в мой стакан. — Бретт умер в восьмидесятом.

Я взглянул на свой стакан и, пока Джерри вновь наполнял собственный, легонько отодвинул его локтем от себя.

Заметив это, Джерри улыбнулся.

— Ты, Патрик, не похож на своего отца.

— Благодарю за комплимент.

Его лицо осенила ласковая улыбка.

— Однако внешне — очень даже. Вылитый отец. Знай это.

Я пожал плечами.

Джерри повернул свои руки и стал молча смотреть на запястья.

— А все-таки кровь — странная вещь.

— Что вы имеете в виду?

— Она проникает в женскую матку и рождает жизнь. Может быть полностью идентична родительской или совершенно отличной от нее — настолько, что отец начинает подозревать, действительно ли почтальон доставлял в его дом только почту. Ты получил в наследство кровь своего отца, я — своего, Алек Хардимен — своего.

— А его отец был?..

— Хороший человек. — Джерри кивнул больше самому себе, чем мне, и в очередной раз отпил из стакана. — Хороший, по-настоящему хороший человек. Добродетельный. Порядочный. И к тому же такой аккуратист! Если не знать, никогда не скажешь, что он коп! Примешь его за министра или банкира. Он все делал безупречно: одевался, говорил и... все остальное. У него был простой белый дом в Мелроуз, построенный еще до борьбы за независимость, и чудная, добрая жена, которая подарила ему прекрасного сына с белокурыми волосами. Одним словом, это был человек, с которым можно было разделить все, даже обед на сиденье его машины.

Я отпил немного пива, отметив, что второй телевизор, тоже пощеголяв государственным флагом, уже показывал голубой экран, а из автомата слышался «Берег Малабара» в исполнении группы «Чифтейнз».

— Итак, идеальный парень, у которого была идеальная жизнь. Идеальная жена, идеальный автомобиль, идеальный дом, идеальный сын. — Джерри стал разглядывать ноготь своего большого пальца. Затем он взглянул на меня, и его ласковый взгляд чуть встрепенулся, будто он слишком долго смотрел на солнце, а теперь, вернувшись в реальность, вынужден заново воспринимать ее очертания и цвета. — Затем Алек, не знаю, что случилось, одним словом, что-то нашло на него. Вот именно... нашло. Ни один психиатр не мог объяснить, в чем дело. Бывали дни, когда он был совершенно нормален, но в другие... — Джерри поднял руки вверх. — В другие... я просто не знаю.

— Это он убил Кола Моррисона?

— Мы не знаем, — сказал он, и голос его заглох. Не знаю, по какой причине, но Джерри был не в состоянии смотреть на меня. Его лицо покраснело, а вены на шее вздулись, как канаты. Он уставился в пол, скребя каблуком стенку холодильника. — Этого мы не знаем, — снова сказал он.

— Джерри, — сказал я, — позвольте мне вникнуть. Последнее, что мне известно, это: Кол Моррисон был зарезан в Блейк-Ярд каким-то бродягой.

— Темнокожим, — уточнил он, и ласковая улыбка вновь появилась на его губах. — Об этом много судачили в свое время, правда?

Я кивнул.

— Не можешь найти виновного, обвини изгоя. Верно?

Я пожал плечами:

— Дело, конечно, давнее.

— Ладно, он не был зарезан. Эту версию мы просто подкинули журналистам. Он был распят. И сделал это не темнокожий парень. Мы нашли в одежде Кола Моррисона различного цвета волосы — рыжие, светлые, каштановые, но ни одного черного. И еще одно: Алека Хардимена и его друга Чарльза Рагглстоуна в этот вечер видели в нашей округе, вообще на нас свалилось несколько убийств, так что, пока никого не поймали, мы не возражали, чтобы история о темнокожем на какое-то время успокоила общественность. К тому же в то время сюда забредало не так много темнокожих, поэтому мы просто-напросто получили надежное прикрытие для небольшой передышки.

— Джерри, — спросил я, — а что за другие убийства?

Но в эту минуту дверь бара отворилась, ударившись при этом тяжелым деревом о кирпичный фасад, и мы с Джерри уставились на молодого человека с торчащими сосульками волосами, кольцом в носу, одетого в модно дырявую майку навыпуск поверх модно порезанных джинсов.

— Закрыто, — коротко сказал Джерри.

— Одну маленькую стопочку для согрева желудка в одинокую ночь, — сказал парень на ужасно исковерканном ирландском диалекте.

Джерри поднялся с холодильника и прошелся по бару.

— Послушай, сынок, ты хоть знаешь, где находишься?

Мускулы Пэттона под моей рукой напряглись, он поднял голову, чтобы разглядеть пришедшего. Парень сделал шаг вперед.

— Всего лишь махонькую рюмашку виски. — Он хихикнул себе в руку, прищурился, глядя на свет, что касается его лица, то оно было одутловатым то ли от пьянства, то ли от чего другого.

— Тебе нужно заведение на Кенмор-сквер, — сказал Джерри, сделав жест в сторону двери.

— Не нужен мне Кенмор-сквер, — сказал парень. Он слегка покачивался из стороны в сторону, ощупывая при этом свой пояс, видимо, в поисках сигарет.

— Сынок, — сказал Джерри, — по-моему, тебе пора отчалить.

Джерри положил руку на плечо парня, и тот в какой-то момент был готов сбросить ее, но, посмотрев на меня, затем на Пэттона и наконец на Джерри, видимо, передумал. Поведение хозяина было мягким и доброжелательным, да и ростом он был сантиметров на двадцать пониже, но даже этот выпивший юнец сообразил, что ситуация может резко измениться, если он сделает резкое движение.

— Мне бы только выпить, — лепетал он.

— Знаю, — сказал Джерри. — Но не могу тебе дать. У тебя есть деньги на такси? Где ты живешь?

— Мне бы только выпить, — повторил парень. Он посмотрел на меня, и слезы хлынули по его щекам, увлажнив сигарету, бессильно свисающую из его губ. — Я только...

— Где ты живешь? — снова спросил Джерри.

— А? Лоуэр-Миллз. — Парень хлюпнул носом.

— Хочешь сказать, что пришел пешком из Лоуэр-Миллз в таком виде, и никакая кондрашка тебя не хватила? — улыбнулся Джерри. — Видимо, за десять лет это место сильно изменилось.

— Лоуэр-Миллз, — всхлипнул юноша.

— Сынок, — сказал Джерри, — ш-ш-ш. Все в порядке. Все хорошо. Сейчас ты выйдешь за дверь, пойдешь направо, через полквартала увидишь такси. Водителя зовут Ачал, он дежурит до трех ночи. Попросишь его отвезти тебя в Лоуэр-Миллз.

— У меня нет денег.

Джерри похлопал юношу по бедру, а когда убрал руку, за поясом у парня торчала десятидолларовая купюра.

— Похоже, у тебя все-таки была заначка, о которой ты забыл.

Парень с удивлением взглянул на свой пояс.

— Мои?

— Ну не мои же! А теперь шагай к такси. Идет?

— Идет. — Юноша шмыгнул носом и в сопровождении Джерри направился к выходу, но вдруг резко обернулся и, схватив Джерри в охапку, крепко сжал его в объятиях.

Джерри усмехнулся:

— Ну все, все.

— Я люблю тебя, мужик! — сказал парень. — Люблю!

Слышно было, как к тротуару подъехало такси, и, когда появился водитель, Джерри кивнул ему:

— Сейчас поедешь. Слышишь?

Пэттон опустил голову и свернулся в удобной позе на стойке бара, закрыв при этом глаза. Я почесал его нос, а он легонько оттолкнул мою руку, и мне даже показалось, улыбнулся мне во сне.

— Я люблю тебя! — крикнул парнишка снизу, выходя на улицу.

— Я тронут, — сказал Джерри. Он закрыл дверь бара, и слышно было, как заскрипела ось машины при повороте на авеню, которая вела в Лоуэр-Миллз.

— Глубоко тронут. — Джерри запер дверь на замок и, взглянув на меня, провел рукой по своему рыжеватому ежику.

— Все играешь «доброго полицейского»? — спросил я.

Он пожал плечами, затем нахмурился.

— Я что, читал у вас в школе лекцию на эту тему? Я кивнул:

— Второй класс в Сент-Барте.

Джерри взял бутылку водки и стакан и перенес их на столик возле телевизора. Я присоединился к нему, но свой стакан оставил на стойке, там, где он и стоял. Пэттон также оставался на своем месте, закрыв глаза и мечтая об огромных кошках.

Джерри откинулся на спинку стула, выгнулся назад, заложил руки за голову и громко зевнул.

— А знаешь? Я вспомнил.

— Да ладно, — сказал я. — Это было больше двадцати лет назад.

— Мм... — Он вернул ножки стула обратно на пол и налил себе новую порцию. По моим подсчетам, это была уже шестая, но у него, что называется, ни в одном глазу. — Ваш класс, однако, был особенным, — сказал он, протягивая свой стакан к моему, чтобы чокнуться. — В нем был ты, Анджела и тот желторотый птенец, за которого она потом вышла замуж.

— Фил Димасси.

— Фил, да. — Он кивнул. — Еще там был этот больной на голову Кевин Херлихи и другой крепкий орешек, Роговски.

— С Буббой все в порядке.

— Знаю, вы друзья, Патрик, но давай смотреть правде в лицо. Он подозревается примерно в семи нераскрытых убийствах.

— И конечно, жертвы — невинные обыватели.

Джерри пожал плечами:

— Убийство есть убийство. Раз лишаешь кого-то жизни, должен быть наказан. Вот и весь разговор.

Я отхлебнул пива, посмотрел на экран.

— Не согласен?

— По правде сказать, не вникал... Однако сам подумай — уж наверное, жизнь Кары Райдер стоит намного больше, чем того, кто ее убил.

— Прекрасно, — сказал Джерри, подарив мне улыбку, в которой было что-то дьявольское. — Утилитарная логика в своем лучшем проявлении и краеугольный камень большинства фашистских идеологий, между прочим. — Он допил порцию, глядя на меня чистыми, незамутненными глазами. — Если ты предполагаешь, что жизнь жертвы котируется выше, чем ее убийцы, а ты сам готов покончить с ним лично, не значит ли это, что твоя собственная жизнь ценится гораздо ниже, чем жизнь преступника, которого ты прикончил?

— Послушайте, Джерри, — спросил я, — уж не стали ли вы иезуитом? А может, просто хотите опутать меня, связать своими силлогизмами?

— Ты не ответил на вопрос, Патрик. Не увертывайся.

Даже в пору моего детства вокруг личности Джерри существовала некая эфемерная аура, странная и необъяснимая. Он находился в каком-то ином измерении, чем все мы. Чувствовалось, что определенная часть его существа обитала в некоем спиритуальном мраке, о котором священники говорят как о существующем вне нашего повседневного сознания. Это тот источник, откуда берут свое начало мечты, искусство, вера, божественное вдохновение.

Я пошел за стойку бара за следующей бутылкой пива, Джерри же наблюдал за мной своими спокойными, добрыми глазами. Я залез в холодильник, пошарил в нем, нашел еще одну бутылку «Харпуна» и вернулся к столу.

— Знаете, Джерри, можно сидеть вот так и дискутировать всю ночь, возможно, в идеальном мире это по-другому, но в нашем, уверен, жизни одних стоят гораздо дороже, чем других. — Я пожал плечами в ответ на его недоуменный взгляд. — Можете считать меня фашистом, но я считаю, что жизнь матери Терезы гораздо ценнее, чем Майкла Милликена [1]. А жизнь Мартина Лютера Кинга несравнима по значимости с жизнью Гитлера.

— Интересно. — Его голос превратился почти в шепот. — Выходит, если ты в состоянии судить

---

1 Майкл Милликен — известный американский финансист.

о ценности жизни другого человека, значит, ты сам считаешь себя существом высшего порядка по отношению к этой жизни.

— Не обязательно.

— По-твоему, ты лучше Гитлера?

— Безусловно.

— А Сталина?

— Да.

— Пол Пота?

— Да.

— Меня?

— Вас?

Он кивнул.

— Вы же не убийца, Джерри.

Он пожал плечами.

— Значит, это твой критерий? Считаешь себя лучше любого, кто убивал или отдавал подобные приказы другим?

— Если убийства были совершены по отношению к людям, не представлявшим реальной угрозы убийце или человеку, отдавшему приказ убивать, тогда да, я лучше.

— Выходит, ты выше Александра, Цезаря, нескольких американских президентов и даже кое-кого из римских пап.

Я рассмеялся. Он прижал меня к стенке, и хотя я чувствовал, к чему он клонит, но не мог понять, с какой стороны обрушится удар.

— Джерри, я уже понял, вы наполовину иезуит.

Он улыбнулся и потер свой короткий ежик.

— Допускаю, кое-чему они меня научили. И неплохо. — Глаза его сузились, и он наклонился к столу. — Мне просто ненавистна идея о том, что одни люди обладают большим правом лишать кого-то жизни, чем другие. Если так, то это в корне порочное убеждение. Раз ты убил, значит, подлежишь наказанию.

— Как Алек Хардимен?

— А ты ведь и сейчас полицейский, пусть неофициально, правда, Патрик?

— За это мне и платят мои клиенты, Джер. — Я нагнулся через стол и вновь наполнил его стакан. — Расскажите об Алеке Хардимене, Коле Моррисоне и Джамале Купере.

— Возможно, Алек и убил Кола Моррисона и Купера, точно не знаю. Кто бы это ни сотворил, совершенно очевидно: этим поступком он хотел сделать своего рода заявление. Ведь Моррисон был распят под статуей Эдварда Эверетта, в его горло был воткнут нож для колки льда, чтобы пресечь крики, некоторые части его тела были отрезаны и так и не найдены.

— Какие части?

Джерри постучал пальцами по поверхности стола, губы его сжались, по всему видно было, что он решает, что и как можно сказать.

— Отрезаны были яички, коленная чашечка, оба больших пальца. То же самое было с другими жертвами, о которых мы уже знали.

— Другими, помимо Купера?

— Незадолго до того, как убили Кола Моррисона, — сказал Джерри, — в автобусном депо Спрингфилда были найдены тела нескольких пьянчуг и шлюх. Всего шестеро, первым был Купер. И хотя не все совпадало, отличалось как оружие убийства и разрезы на телах, так и методы пыток, но мы с Бреттом были уверены: это дело рук все тех же двух извращенцев.

— Двух? — спросил я.

Джерри кивнул:

— Они работали в паре. В принципе это мог быть и один человек, но тогда он должен был быть чрезвычайно силен, мастер на обе руки и быстр, как молния.

— Но если характер оружия и выбор жертв были так различны, почему вы были уверены, что имеете дело с одними и теми же убийцами?

— Потому что все убийства объединяет невероятно высокий уровень жестокости, какого я раньше не встречал. Да и после не приходилось. Эти парни не только сами получали удовольствие от своей работы, Патрик; они, или он, также думали о тех, кто найдет эти трупы, об их реакции на увиденное. Одного пьянчужку они разрезали на сто шестьдесят четыре кусочка. Вдумайся. Сто шестьдесят четыре кусочка плоти и костей, некоторые не больше фаланги пальца. Все они были разбросаны по комнате — на тумбочке, вдоль изголовья кровати, по всему полу, торчали с крючков и веревки в душе — и все это в маленькой комнатушке ночлежного дома все в той же Зоне. Этого здания уже давно нет, но, веришь, не могу проезжать мимо этого места, чтобы не вспомнить эту комнатку. Или другой случай. Шестнадцатилетняя девчушка, сбежавшая из дому в Вустере. Он свернул ей шею, повернул голову на сто восемьдесят градусов и обклеил основание шеи эластичной лентой, чтобы она держалась в вертикальном положении, — и все это для того, чтобы ошарашить первого, кто войдет в помещение. Это было сверх всяких норм и границ, с которыми мне приходилось сталкиваться, и никто пока не смог убе-

дить меня, что все шестеро — а их дела, кстати,
не закрыты до сих пор — были жертвами разных
преступников.

— А Кол Моррисон?

Джерри кивнул:

— Номер семь. А Чарльз Рагглстоун, возможно,
был бы номером восемь.

— Минуточку, — сказал я, — Рагглстоун, друг
Алека Хардимена?

— Да-да. — Он поднял свой стакан, поставил
обратно и стал рассматривать. — Чарльз Рагглстоун был убит в помещении склада недалеко
отсюда. Он был зарезан — в его тело вогнали нож
для колки льда тридцать два раза, затем нанесли
несколько ударов молотком по голове, настолько
мощных, что отверстия в черепе напоминали норки
загадочных зверьков, решивших выбраться из своего домика наружу. Рагглстоун был также обо-
жжен, сантиметр за сантиметром, от пяток до шеи,
и все это делалось, пока он еще дышал. Алека Хардимена мы нашли без сознания в диспетчерской,
на нем везде была кровь Рагглстоуна, а рядом нож
для колки льда с отпечатками его пальцев.

— Значит, его рук дело.

Джерри пожал плечами:

— Каждый год по просьбе отца я посещал
Алека в тюрьме Уолпол. И уж не знаю почему,
возможно, потому, что люблю его, я все еще вижу
в нем маленького мальчика. Что бы там ни было.
Но хоть я и люблю его, все же должен признать:
на самом деле он всего-навсего ноль без палочки.
Способен ли он убить кого-то? Да. Ни на секунду
не сомневаюсь. Но должен подчеркнуть следующее: ни один человек, как бы силен он ни был,

а Алек, увы, к таковым не принадлежал, не мог сотворить того, что было сделано с Рагглстоуном. — Он поджал губы и поставил стакан на стол. — Когда Алека осудили, убийства, которые мы расследовали, как бы сами по себе заглохли. Его отец, естественно, в скором времени подал в отставку, но я продолжал интересоваться делом Моррисона и тех шести, и должен сказать, что исключил участие Алека по меньшей мере в двух убийствах.

— Но он был осужден.

— Только за убийство Рагглстоуна. Никто не хотел признавать, что где-то бродит серийный убийца, а это скрывают от широкой общественности. Ни у кого не было желания получить еще по яйцам после того, как сын заслуженного полицейского был арестован за жестокое убийство. Поэтому Алек отправился под суд за злодеяние, совершенное над Рагглстоуном, и был приговорен к пожизненному тюремному заключению в Уолполе, где гниет по сей день. Его отец отбыл во Флориду, возможно, уже умер, пытаясь разобраться в том, где искать истоки своих несчастий. И все это не имело бы сейчас никакого значения, если бы кое-кто не распял на горе Кару Райдер, а некто другой не снабдил тебя моим именем, а заодно и именем Алека Хардимена.

— Выходит, — сказал я, — если в действительности убийц было двое и Алек Хардимен был лишь ассистентом...

— Тогда второй все еще среди нас, да. — Под его глазами образовались темные мешки. — И если он снова здесь, если он таился целых двадцать пять лет для нового прыжка, могу сказать только одно: он дико зол.

16

В тот яркий солнечный летний день, когда Кара Райдер остановила меня, чтобы спросить, как продвигается дело Джейсона Уоррена, шел снег.

Она вновь изменила цвет своих волос, вернувшись к естественному, светлому. Она сидела в садовом кресле возле бара «Черный изумруд», на ней были только розовые трусики-бикини, снег обсыпал ее со всех сторон, образуя рядом с креслом сугробы, но ее кожа была освещена лучами солнца. Ее маленькие груди были упруги и покрыты капельками испарины, и мне пришлось напомнить себе, что я знаю ее с детства, поэтому не должен рассматривать их в сексуальном плане.

Грейс и Мэй были неподалеку, Грейс прилаживала черную розу к волосам Мэй. На противоположной стороне улицы за ними наблюдала стайка белых собачек, маленьких и шишковатых, истекающих слюной, обильные потоки которой струились из уголков пастей.

— Я должен идти, — сказал я Каре, но когда оглянулся, то увидел, что Грейс и Мэй уже ушли.

— Сядь, — сказала Кара. — Только на секунду.

Я сел, и снег стал падать мне за воротник, холодя позвоночник. Зубы мои стучали, особенно когда я произнес:

— Я думал, ты умерла.

— Нет, — сказала она. — Я просто уезжала ненадолго.

— Куда именно?

— В Бруклин. Черт.

— Что?

— Это место выглядит так же, как раньше, просто охренеть.

Грейс выглянула из «Изумруда».

— Ты идешь, Патрик?

— Должен идти, — сказал я и похлопал Кару по плечу.

Она взяла мою руку и прижала ее к своей обнаженной груди.

Я посмотрел на Грейс, но она, казалось, не возражала. Рядом с ней стояла Энджи, и обе улыбались.

Кара прижала мою ладонь к своему соску.

— Не забудь обо мне, Патрик.

Снег начал покрывать ее тело, будто желая похоронить ее.

— Не забуду. Я должен идти.

— Прощай.

Под тяжестью снега ножки ее кресла подкосились, и когда я оглянулся назад, то увидел только смутные очертания тела под покровом мягкого снега.

Из бара вышла Мэй, взяла меня за руку и протянула ее своей собаке.

Я наблюдал, как моя кровь превращается в красную пену, наполняющую собачью пасть, но боли не было, наоборот, было почти приятно.

— Видишь, Патрик, — сказала Мэй, — ты ему нравишься.

Была последняя неделя октября, когда мы, по общему согласию с Дайандрой и Эриком, закрыли наконец дело Джейсона Уоррена. Я знаю парней, которые еще доили бы его, играя на материнских страхах, но я этого не делаю. И не потому, что исключительно высокоморален, а просто знаю: когда половина доходов поступает от подобных клиентов, это недолговечный бизнес. Мы завели досье на всех преподавателей Джейсона с момента его поступления в университет (числом одиннадцать) и на всех его близких знакомых (Джейд, Габриэль, Лорен и соседа по комнате), за исключением парня с бородкой, и ни в ком из них не обнаружили хоть какую-то угрозу для Джейсона. У нас имелись отчеты о повседневных наблюдениях, а также краткий обзор наших встреч с Толстым Фредди, Джеком Раузом и Кевином Херлихи и расшифровка моего личного телефонного разговора со Стэном Тимпсоном.

Дайандра больше не получала угроз, телефонных звонков и фотографий по почте. Отдыхая в Нью-Хэмпшире, она в разговоре с Джейсоном упомянула, что кое-кто из ее друзей видел его на прошлой неделе в кинотеатре с молодым человеком, на что тот ответил, что это «всего лишь друг», и разговор на этом завершился.

Мы потратили еще одну неделю на наблюдение за Джейсоном, но результат был тот же: взрыв сексуальной активности, уединение, учеба.

Дайандра согласилась, что мы все зашли в тупик и что, кроме той фотографии, ничто больше не свидетельствовало об угрозе для Джейсона, и в конце концов мы пришли к выводу, что, возможно, наша первоначальная версия — Дайандра ненароком рассердила Кевина Херлихи — была наиболее правильной. А уж после того как мы встретились с Толстым Фредди, любой намек на угрозу просто испарился; возможно, Фредди, Кевин, Джек и вообще вся эта компания решили дать задний ход, но не хотели потерять лицо перед какой-то парочкой интеллектуалов.

В любом случае теперь все было позади. Дайандра расплатилась с нами и поблагодарила, мы оставили наши визитки и номера телефонов на случай, если что-то вдруг проявится и снова ворвется в нашу жизнь в этот мертвый для бизнеса сезон.

Несколько дней спустя по настоянию Дэвина мы встретились с ним в два часа дня в баре «Черный изумруд». На двери висела табличка «Закрыто», но мы постучали, и Дэвин открыл нам, а после того как вошли, запер дверь на замок.

Джерри Глинн сидел с довольно кислым видом на холодильнике за барной стойкой, Оскар сидел там же с тарелкой еды. Дэвин уселся рядом и занялся кровавым чизбургером, видимо так и не дошедшим до открытого огня.

Я уселся позади Дэвина, Энджи — рядом с Оскаром, что позволило ей своровать у него картофель фри.

Я посмотрел на чизбургер Дэвина.

— Похоже, корову просто прислонили к радиатору?

Он проворчал что-то и отправил в рот очередную порцию.

— Дэвин, знаешь ли ты, что делает красное мясо с твоим сердцем, не говоря уж о кишечнике?

Он вытер рот салфеткой.

— Послушай, Кензи, похоже, за то время, что мы не виделись, ты превратился в одного из этих вегетарианцев-чистоплюев?

— Ничуть. Но видел одного, пикетирующего на улице.

Дэвин потянул руку к бедру:

— Вот. Возьми мой пистолет и пристрели придурка. Давай, пока он еще там. Обещаю, тебе ничего не будет.

Позади меня послышалось легкое покашливание, будто кто-то прочищал горло. Я посмотрел в стенное зеркало. В затененной нише, как раз за моим правым плечом, сидел мужчина.

На нем были темный костюм и такой же галстук, белоснежная рубашка и такой же шарф. Его темные волосы имели оттенок полированного красного дерева. Он сидел настолько прямо, что казалось, у него вместо позвоночника вставлена палка.

Дэвин ткнул указательным пальцем через плечо.

— Патрик Кензи, Анджела Дженнаро, знакомьтесь, специальный агент ФБР Бертон Болтон.

Мы с Анджелой повернулись на вертящихся стульях и одновременно сказали: «Здравствуйте».

Специальный агент Болтон промолчал. Он окинул каждого из нас с головы до ног взглядом, который, очевидно, бывал у комендантов концлагерей, когда они оценивали заключенных на предмет, годен ли тот для работы или пусть отправляется в газовую камеру, затем этот взгляд переместился в точку, находящуюся над плечом Оскара.

— У нас проблема, — сказал тот.

— Которая пока маленькая, — подхватил Дэвин, — а может стать большой.

— И в чем же она? — спросила Энджи.

— Давайте сядем вместе. — Оскар отодвинул свою тарелку.

Дэвин сделал то же самое, и мы объединились. Специальный агент Болтон остался в своей нише.

— А Джерри? — спросил я, видя, как тот собирает тарелки со стойки бара.

— Мистера Глинна уже допросили, — ответил Болтон.

— А-а...

— Патрик, — начал Дэвин, — твоя визитка была найдена в руке Кары Райдер.

— Я уже объяснял, как она туда попала.

— Когда мы разрабатывали версию, что Мики Дуг или кто-то из его друзей убили ее, потому что она отшила кого-то из них, это было не важно.

— Ваша версия изменилась? — спросила Энджи.

— Боюсь, что да. — Дэвин зажег сигарету.

— Ты же бросил, — сказал я.

— Неудачно. — Он пожал плечами.

Агент Болтон вынул из своего дипломата фотографию и протянул мне. На ней был изображен молодой человек, примерно тридцати с небольшим лет, фигурой напоминающий греческую статую. На нем были только шорты, он улыбался прямо в камеру, а верхняя часть его торса состояла из упругих округлых мышц и бицепсов, некоторые из которых были размером с бейсбольный мяч.

— Знаете этого человека?

Я сказал «нет» и передал снимок Энджи. Она с минуту смотрела на него.

— Нет.

— Уверены?

— Я бы запомнила такое тело, — сказала она. — Можете мне поверить.

— Кто он?

— Питер Стимович, — сказал Оскар. — На самом деле его полное имя «покойный Питер Стимович». Прошлой ночью был убит.

— У него тоже была моя визитка?

— Насколько нам известно, нет.

— В таком случае почему я здесь?

Дэвин посмотрел на Джерри, находящегося в противоположной стороне бара:

— О чем вы говорили с Джерри, когда приходили сюда несколько дней назад?

— Спросите у него.

— Мы это сделали.

— Минуточку, — сказал я, — откуда вы знаете, что я приходил сюда несколько дней назад?

— Вы находитесь под наблюдением, — сказал Болтон.

— Простите?

Дэвин пожал плечами:

— Все это серьезнее, чем ты думаешь, Патрик. Гораздо серьезнее.

— С каких пор? — спросил я.

— Что?..

— За мной следят? — Я взглянул на Болтона.

— С тех пор как Алек Хардимен отказался отвечать на наши вопросы, — ответил Дэвин.

— При чем же здесь я?

— Когда он отказался беседовать с нами, — сказал Оскар, — он сообщил, что единственный человек, с кем он будет разговаривать, это ты.

— Я?

— Ты, Патрик. Только ты.

17

— Почему Алек Хардимен захотел говорить именно со мной?

— Хороший вопрос, — сказал Болтон. Он помахал рукой, разгоняя дым от сигареты Дэвина. — Мистер Кензи, все, что будет сказано по этому поводу, строго конфиденциально. Понятно?

Мы с Энджи с готовностью пожали плечами.

— Итак, чтобы была полная ясность: если вы разгласите то, о чем говорилось здесь сегодня, вас осудят по обвинению в препятствовании применению федеральных законов на максимальный срок в десять лет.

— Вы явно получаете удовольствие, говоря это? — спросила Энджи.

— Что именно?

Она понизила голос:

— «Препятствование применению законов».

Болтон вздохнул:

— Мистер Кензи, когда Кара Райдер была убита, в руке у нее нашли вашу визитку. Способ ее убийства — возможно, вам это известно — удивительно совпадает с убийством паренька в этой округе в 1974 году. Возможно, вам неизвестно, что сержант Амронклин был тогда патрульным и работал с бывшим детективом Глинном и инспектором Хардименом.

Я посмотрел на Дэвина.

— Ты подумал, что убийство Кары может быть связано со смертью Кола Моррисона в ту ночь, когда мы ее нашли?

— Подумал.

— Но мне ничего не сказал.

— Нельзя было. — Он вытащил сигарету. — Ты частное лицо, Патрик. Я не обязан давать такую информацию. Кроме того, это ведь было так давно. Но в глубине души я все-таки что-то заподозрил.

На стойке бара зазвонил телефон, и Джерри взял трубку, глядя при этом на нас.

— «Черный изумруд». — Он вскинул подбородок, будто ожидал вопроса. — Простите, нет. Сегодня мы закрыты. Чиним трубы. — На какой-то миг он закрыл глаза, затем быстро закивал головой. — Раз вам так отчаянно надо выпить, найдите другой бар. Торопитесь... Слышали, что я сказал? Закрыто. Мне тоже жаль.

Он повесил трубку и пожал плечами.

— А другая жертва? — спросил я.

— Стимович.

— Да. Он тоже был распят?

— Нет, — сказал Болтон.

— Как же он умер?

Болтон взглянул на Дэвина, Дэвин — на Оскара, и тот наконец сказал:

— К чему валять дурака? Скажите им. Нам нужна любая помощь, иначе не избежать новых трупов.

Болтон добавил:

— Мистер Стимович был привязан к стене, с него полосками содрали кожу, после чего еще живого просто-напросто выпотрошили...

— Иисусе, — прошептала Энджи и так быстро перекрестилась, что небось сама не заметила.

Телефон Джерри вновь зазвонил.

Болтон нахмурился:

— Не могли бы вы снять трубку с рычага на какое-то время, мистер Глинн?

Похоже, Джерри это задело.

— Агент Болтон, из уважения к мертвым мое заведение будет закрыто столько, сколько потребуется, но мне постоянно звонят и интересуются, почему это происходит.

Болтон безнадежно махнул рукой, и Джерри ответил на звонок.

Послушав несколько секунд, он кивнул:

— Боб, Боб, послушай, у нас аварийная ситуация. Прости, но весь пол залило водой... — Он снова слушал. — Значит, так, делай то, что я тебе скажу — сходи к Лири или в «Фермана». *В другое место,* ясно?

Он повесил трубку и вновь пожал плечами.

Я спросил:

— Откуда вы знаете, что Кара не была убита кем-то из знакомых? Например, Мики Дугом? Или во время некоего ритуала, придуманного некой бандой?

Оскар покачал головой:

— Не похоже. Все ее знакомые имеют алиби, включая Мики Дуга. Кроме того, большую часть времени по приезде в город она провела неизвестно где и как.

— Она давно здесь не была, — сказал Дэвин. — Ее мать не знает, куда она исчезала. А в этот приезд она пробыла в городе три недели и за это время вряд ли завела много новых знакомых в Бруклине.

— Бруклин? — спросил я, вспоминая свой сон.

— Бруклин. Это единственное место, которое она посещала несколько раз. Ее кредитная карточка зафиксировала счета из Сити-Сайда и нескольких ресторанчиков вокруг Университета Брайса.

— Иисусе, — сказал я.

— Что?

— Ничего. Ничего. Послушайте, почему вы решили, что эти дела как-то связаны, если жертвы были убиты различными способами?

— По фотографиям, — сказал Болтон.

Я почувствовал в своей груди кусок льда, который начал потихоньку таять.

— Каким фотографиям? — спросила Энджи.

— У матери Кары, — сказал Дэвин, — скопилась почта, которую она не открывала несколько дней до смерти дочки. Среди писем был конверт без обратного адреса, без какой-либо записки, в нем была только фотография Кары, обыкновенное фото, ничего...

Энджи сказала:

— Джерри, можно воспользоваться вашим телефоном?

— В чем дело? — спросил Болтон.

Но Энджи была уже возле стойки, набирая номер.

— А другой парень, Стимович? — спросил я.

— В его комнате в общежитии никого, — сказала Энджи и повесила трубку, набирая другой номер.

— В чем дело, Патрик? — спросил Дэвин.

— Расскажите мне о Стимовиче, — сказал я, пытаясь скрыть панические нотки в своем голосе. — Дэвин. Я слушаю.

— Подруга Стимовича Элис Бурстин...

— В офисе Дайандры тоже никого, — сказала Энджи и повесила трубку, но тут же сняла ее и стала снова набирать.

— ...получила аналогичное фото своего друга пару недель тому назад. Все то же. Ни записки, ни адреса, только фотография.

— Дайандра, — сказала Энджи в трубку. — Где Джейсон?

— Патрик, — сказал Оскар, — расскажи.

— У меня есть его расписание занятий, — сказала Энджи. — Сегодня у него только один семинар, и он закончился пять часов тому назад.

— Наша клиентка получила аналогичное письмо с фотографией с месяц назад, — сказал я. — Фото ее сына.

— Мы скоро будем. Оставайтесь на месте. Не волнуйтесь. — Энджи повесила трубку. — Черт, черт, черт, — сказала она.

— Пошли. — Я встал.

— Вы никуда не пойдете, — сказал Болтон.

— Арестуйте меня, — сказал я и пошел вслед за Энджи к выходу.

18

Мы застали Джейд, Габриэль и Лорен за обедом в студенческом союзе, но Джейсона с ними не было. И хотя женщины одарили нас неприязненными взглядами, говорящими «Кто вы, черт возьми, такие?», на наши вопросы они все же ответили. Никто с утра Джейсона не видел.

В своей комнате в общежитии он не был с прошлой ночи. Его сосед стоял посреди комнаты в тумане паров, исходящих из некоего горшка, и внимал воплям Генри Роллинза из динамиков. На наш вопрос он ответил:

— Не знаю, не имею представления, где он может быть. Вот разве только с этим красавчиком, ну, вы знаете.

— Не знаем.

— Ну, такой крутой, да вы знаете, он иногда с ним тусовался.

— У него козлиная бородка? — спросила Энджи. Сосед кивнул.

— И такие пустые, лишённые выражения глаза. Будто он из мира иного. Не похож на других «голубей». Странный, да?

— У него есть имя?

— Никогда не слышал.

Когда мы возвращались к машине, в моих ушах звучал вопрос Грейс, который она задала мне в ту ночь, насчёт того, не может ли быть связи между двумя делами.

Теперь очевидно: да, может. И есть. Что же в таком случае получается?

Дайандра Уоррен получает фотографию своего сына и делает логическое заключение, что это связано с мафиозной компанией, которую она ненароком обидела. Другой вариант — она никого не обижала. С ней в контакт вступило подставное лицо, и встречались они в Бруклине. Эта особа говорила на ярко выраженном бостонском диалекте, и у неё были волосы цвета спелой пшеницы. Волосы Кары, когда я видел её, были свежевыкрашены. Вообще-то у неё были светлые волосы, да и отметки на её кредитке были сделаны в то же время, когда состоялся визит «Мойры Кензи» к Дайандре.

В квартире Дайандры Уоррен не было телевизора. Из газет она всегда читала «Трибюн», а не «Ньюс», которая поместила фотографию Кары на всю первую страницу. Что касается «Трибюн», которая была не так падка на сенсации и всегда опаздывала по части событий, она вообще не поместила фотографию Кары.

Когда мы подошли к машине, то увидели Эрика Голта, который подъезжал сзади на своей «ауди». Вылезая, он с удивлением посмотрел на нас:

— Каким ветром вас сюда занесло?

— Ищем Джейсона.

Он открыл багажник и стал доставать оттуда книги, лежавшие вперемешку со старыми газетами.

— Я думал, вы покончили с этим делом.

— Возникли новые обстоятельства, — сказал я с улыбкой, стараясь придать ей оттенок доверия, которого я на самом деле не испытывал. Я посмотрел на газеты в багажнике Эрика. — Собираете их?

Он кивнул:

— Я сваливаю сюда, а когда багажник уже не закрывается, отвожу все на свалку.

— Меня интересует газета десятидневной давности. Можно?

Эрик посторонился.

— Ради бога.

Я порылся в стопке «Ньюс» и нашел экземпляр с фотографией Кары.

— Спасибо, — сказал я.

— Не стоит. — Эрик закрыл багажник. — Если вы ищете Джейсона, загляните в «Кулидж Корнер» или в бары на Брайтон-авеню, такие как «Келлз», «Харперз Ферри», — это излюбленные места досуга студентов Брайса.

— Спасибо.

Энджи указала на стопку книг, которую Эрик держал под рукой:

— Задолжали в библиотеку?

Он кивнул, глядя на кирпично-белое здание общежития.

— Подработка. В наши непростые времена даже мы, солидные профессора, вынуждены заниматься репетиторством.

Попрощавшись, мы сели в машину.

Эрик помахал нам, затем повернулся и зашагал к зданию общежития, слегка насвистывая на свежем воздухе.

Мы обошли все бары на Брайтон-Эйв, Норт-Гарвард и еще несколько на Юнион-сквер. Джейсона нигде не было.

По дороге к Дайандре Энджи сказала:

— Зачем ты прихватил эту газету?

Я рассказал ей.

— Иисусе, — сказала она, — это же кошмар!

— Да, согласен.

Дорога к Дайандре шла по берегу моря, то взмывая вверх, то опускаясь вместе с ним в чернильную темноту бухты, напоминающей перевернутую вверх дном чашу. Мрачное предчувствие, не покидающее меня последние несколько часов, но пока прочно обосновавшееся в моем желудке, теперь захватило все мое существо настолько, что меня начало тошнить.

Когда Дайандра впустила нас, первое, что я спросил, было:

— О Мойре Кензи: не было ли у нее нервной привычки постоянно убирать волосы за правое ухо, даже если в этом не было необходимости?

Она задумчиво посмотрела на меня.

— Да или нет?

— Да, но откуда вы...

— Вспомните. Был ли в ее речи, точнее, в конце каждого предложения какой-то странный звук, напоминающий то ли смешок, то ли икоту?

На какое-то мгновение Дайандра закрыла глаза.

— Да. Да, был.

Я показал ей «Ньюс».

— Она?

— Да.

— Черт, черт, — громко сказал я.

Да, «Мойрой Кензи» была Кара Райдер.

Я позвонил·Дэвину прямо из квартиры Дайандры.

— Темные волосы, — сказал я ему. — Двадцать лет. Высокий. Хорошо сложен. Ямочка на подбородке. Обычно одет в джинсы и фланелевую рубашку. — Я взглянул на Дайандру. — У вас есть факс?

— Да.

— Дэвин, передаю по факсу его фото. Какой номер?

Он продиктовал.

— Патрик, таких парней, как он, у нас не меньше сотни.

— Проверьте две сотни, будет еще лучше.

Факс находился в другой части квартиры возле письменного стола. Я отправил фото Джейсона, которое Дайандра получила по почте, подождал сообщения о приеме и вернулся к обеим женщинам в гостиную.

Я сказал Дайандре, что мы слегка озабочены, так как получили убедительные доказательства, что ни Джек Рауз, ни Кевин Херлихи не имеют отношения к случившемуся. И еще я сказал, что,

раз Кара Райдер умерла вскоре после ее выступления в роли Мойры Кензи, я хочу возобновить
данное дело. Правда, я не сказал ей, что каждый,
кто получал фотографию, в конце концов терял
любимого человека — убитым.

— Но с ним все в порядке? — Она села на диван,
поджав под себя ноги, и пыталась прочитать ответ
на свой вопрос на наших лицах.

— Насколько нам известно, — ответила Энджи.

Дайандра покачала головой.

— Вы явно обеспокоены. Это очевидно. И вы
что-то скрываете. Пожалуйста, расскажите мне
все. Очень вас прошу.

— В общем-то ничего такого, — сказал я. — Просто мне не нравится, что девушка, которая выда-
вала себя за Мойру Кензи и которая заварила эту
кашу, мертва.

Дайандра не поверила мне, ее тело наклони-
лось вперед, локти уперлись в колени.

— Каждый вечер, где бы он ни был, Джексон
звонит мне между девятью и девятью тридцатью.

Я взглянул на свои часы. Пять минут десятого.

— Как думаете, он позвонит, мистер Кензи?

Я посмотрел на Энджи. Она внимательно смотрела на Дайандру.

Та на мгновение закрыла глаза, а когда открыла
их, спросила:

— У кого-нибудь из вас есть дети?

Энджи покачала головой.

В какой-то момент я подумал о Мэй.

— Нет, — ответил я.

— Я так и думала. — Дайандра направилась
к окну, заложив руки за спину. Пока она стояла там,
огни квартир соседнего дома постепенно угасали,

и темные пятна расползались по светлому полу ее квартиры. — Тебя никогда не покидает беспокойство, — сказала она. — Никогда. Ты помнишь, как он впервые вылез из колыбели и шлепнулся на пол прежде, чем ты успела подхватить его. И решила, что он мертв. Всего на секунду. И ты помнишь ужас при одной этой мысли. Когда он подрос и стал ездить на велосипеде, лазить по деревьям и ходить в школу, выскакивая при этом на проезжую часть перед мчащимися машинами, не дожидаясь сигнала светофора, невольно притворяешься, что все в порядке. Говоришь себе: «Ведь это дети. В его возрасте я была такой же». Но где-то в глубине твоего горла всегда наготове этот крик отчаяния, который ты с трудом сдерживаешь. Перестань. Прекрати. Не терзай себя. — Она повернулась к нам лицом и стала смотреть на нас, оставаясь при этом в тени. — Это никогда не покидает вас. Беспокойство. Страх. Ни на секунду. Такова плата за то, что приносишь новую жизнь в этот мир.

Я вдруг увидел Мэй, когда она протягивала руку к пасти той собаки, вспомнил, как я уже готов был прыгнуть и оторвать голову этому шотландскому терьеру.

Зазвонил телефон. Девять пятнадцать. Мы все вздрогнули, а Дайандра преодолела расстояние до телефона буквально за секунду. Энджи взглянула на меня и с облегчением закатила глаза.

Дайандра взяла трубку.

— Джейсон? — спросила она. — Джейсон?

Но это был не он. Это стало очевидно сразу же, она провела свободной рукой по виску и вцепилась пальцами в корни волос.

— Что? — спросила она и повернула голову в мою сторону. — Возьмите трубку. — Она подала мне ее. — Какой-то Оскар.

Я взял у нее трубку и повернулся к обеим женщинам спиной. В это время в соседнем доме погас еще один островок огней, и темнота, подобно чернилам, стала расползаться по полу. Оскар сообщил мне, что Джейсон Уоррен найден.

По кусочкам.

19

Джейсон Уоррен был убит в заброшенном помещении овощного склада, растянувшегося вдоль берега в Южном Бостоне. Убийца сделал выстрел юноше в живот, в область желудка, нанес ему несколько ран ножом для колки льда, затем избивал молотком. Он также отрезал все его конечности и разложил их на подоконниках, усадил тело в кресло лицом к двери и привязал его голову к свисающему с подъемника обрывку кабеля.

Группа следователей провела здесь ночь и большую часть утра, но так и не смогла найти коленные чашечки Джейсона.

Двое полицейских, обнаружившие труп, были новобранцы. Один уволился через неделю. Другой, по словам Дэвина, взял отпуск, чтобы посоветоваться с адвокатом. Дэвин сообщил также, что, когда они с Оскаром вошли в помещение склада, первое, что им пришло в голову, — Джейсон подвергся нападению льва.

А в тот вечер, когда, выслушав сообщение Оскара, я повесил трубку и повернулся к женщинам, Дайандра уже знала.

— Мой сын мертв, да? — спросила она.

И я кивнул.

Она закрыла глаза и подняла одну руку к уху, будто создавая этим жестом какое-то пространство для тишины, чтобы услышать нечто сокровенное. Она слегка покачивалась, как от дуновения ветерка, и Энджи подошла к ней.

— Не прикасайтесь ко мне, — сказала она, не открывая глаз.

Когда приехал Эрик, Дайандра сидела в своем кресле возле окна, глядя на гавань, а кофе, сваренный Энджи, уже остыл, нетронутый. За истекший час она не проронила ни слова.

Когда Эрик вошел, Дайандра молча смотрела, как он снял плащ и шляпу, повесил их на крючок и уставился на нас.

Мы с ним отошли в кухню, и я все рассказал.

— Иисусе, — проговорил он, и в следующее мгновение у него стал вид тяжело больного человека. Его лицо обрело цвет белой глины, он ухватился за стойку бара так цепко, что суставы его пальцев побелели. — Убит? Каким образом?

— На сегодня достаточно того, что он убит, — сказал я.

Он распластал обе руки на поверхности бара и опустил голову.

— Что она делала с тех пор, как узнала?

— Молчала.

Он кивнул.

— Это в ее духе. Ты сообщил Стэну Тимпсону?

Я покачал головой:

— Думаю, это сделает полиция.

Глаза Эрика наполнились слезами.

— Мальчик, бедный красивый мальчик...

— Расскажите, — проговорил я.

Он растерянно смотрел на холодильник.

— Что именно?

— Что вы знаете о Джейсоне. То, что скрывали.

— Скрывал? — Голос его ослабел.

— Да, — повторил я. — Вам не по себе с самого начала.

— Какие у вас основания?..

— Считайте это подозрением, Эрик. Что вы делали в колледже сегодня вечером?

— Я же сказал. Репетиторство.

— Чушь. Я видел книги, которые вы вытаскивали из багажника. Одна из них — руководство по вождению автомобиля «чилтон», Эрик.

— Послушайте, — сказал Эрик, — сейчас я пойду к Дайандре. Я знаю, как она будет реагировать, и думаю, вам с Энджи лучше уйти. Она не захочет, чтобы вы видели ее, когда она сорвется.

Я кивнул:

— Ладно, я свяжусь с вами.

Он поправил очки и прошел мимо меня.

— Я прослежу, чтобы вам полностью заплатили по счету.

— Уже все оплачено, Эрик.

Он направился через всю квартиру к Дайандре. А я, глядя на Энджи, прислонился головой к двери. Она подняла с пола сумочку, взяла с дивана куртку. Эрик положил руку на плечо Дайандры.

— Эрик, — сказала она. — О Эрик. Почему? Почему?

Она буквально упала в его объятия как раз в тот момент, когда Энджи подошла ко мне. А когда я открыл дверь, Дайандра в полном смысле этого слова завыла. Это были самые страшные звуки, какие мне когда-либо приходилось слышать: яростный, мучительный, опустошающий стон, вырывающийся из ее груди и резонирующий по всей квартире, он еще долго звучал в моей голове после того, как я покинул ее дом.

В лифте я сказал Энджи:

— Я не верю Эрику.

— В каком смысле?

— Тут что-то не то, — сказал я. — Он в чем-то замаран. Либо что-то скрывает.

— Что именно?

— Не знаю. Он наш друг, Энджи, но мне не нравится его отношение к этому делу.

— Надо подумать, — сказала она.

Я кивнул. У меня в ушах все еще звучал ужасный вой Дайандры, и мне хотелось свернуться калачиком и спрятаться.

Энджи прислонилась к стеклянной стене лифта, крепко обхватив себя руками, и по дороге домой мы оба молчали.

Когда вы постоянно с детьми, это учит по крайней мере одному: что бы ни случилось, не опускай руки. У тебя нет выбора. Задолго до смерти Джейсона, точнее, еще до того, как я услышал о нем и его матери, я согласился взять к себе Мэй на полтора дня, пока Грейс будет занята на работе, а Аннабет отправится в Мэн на встречу со старым другом из колледжа.

Когда Грейс услышала о Джейсоне, она сказала:

— Найду кого-нибудь другого. Или постараюсь как-то освободиться.

— Нет, — сказал я, — никаких изменений. Я хочу взять ее.

И я взял. Это было одно из лучших решений, которое я принимал в жизни. Знаю, в обществе бытует мнение, что в подобных случаях хорошо поговорить с кем-то о трагедии, обсудить все с друзьями или, наоборот, незнакомцами, и все в таком духе. Но мне кажется, в нашем обществе придают слишком большое значение разговорам, считая слова панацеей от всех бед, чем они не являются, и закрывая глаза на непременный побочный эффект — болезненное самоедание.

Я от природы склонен к размышлениям и провожу много времени наедине с собой, что только усугубляет ситуацию. Возможно, было бы лучше, если бы я обсудил с кем-то смерть Джейсона и мои ощущения по этому поводу. Но я этого не сделал.

Вместо этого я провел время с Мэй, и сам факт простого общения с ней, попытки развлечь ее, кормление, укладывание спать после обеда, разъяснение шуток братьев Маркс во время просмотра «Спятивших животных» и «Утиного супа», последовавшее за этим чтение вслух доктора Сойса — при этом она сидела в шезлонге, а я в спальне, — одним словом, простая человеческая забота о ком-то, о маленьком человечке, оказалась более действенным средством, чем тысячи бесед с психотерапевтом, и я подумал: может, минувшие поколения были правы, считая это нормой.

Примерно в середине рассказа «Лисичка в Соксе» веки Мэй начали слипаться. Я подтянул простыню к ее подбородку и отложил книгу.

— Ты любишь мамочку? — спросила она.

— Да, очень. Спи.

— Мамочка любит тебя, — пролепетала она.

— Знаю. Спи.

— А меня ты любишь?

Я поцеловал ее в щечку, снова подтянул одеяло к ее подбородку.

— Я обожаю тебя, Мэй.

Но она уже спала.

Около одиннадцати позвонила Грейс:

— Как там мой маленький ужастик?

— Прекрасно. Спит.

— Надо же! Неделями напролет она ведет себя как суперхулиганка, но, проведя день с тобой, превращается в ангелочка!

— Ну, — сказал я, — по правде сказать, я разбился перед ней в лепешку.

Грейс хихикнула:

— Что, она и вправду хорошо себя вела?

— Да.

— Тебе стало полегче насчет Джейсона?

— Насколько это возможно, пока не думаешь об этом.

— Понятно. Как самочувствие после той ночи?

— Той, вдвоем? — спросил я.

— Да.

— Разве тогда что-то случилось?

Она вздохнула:

— Скотина.

— Эй.

— Что?

— Я люблю тебя.

— Я тебя тоже.

— Разве это не прекрасно?

— Самая прекрасная вещь на свете, — сказала она.

На следующее утро, когда Мэй еще спала, я вышел на крыльцо и увидел Кевина Херлихи, стоящего на улице внизу и облокотившегося на позолоченный «диамант», который он водил для Джека Рауза.

С тех пор как анонимный «друг» прислал мне «незабудьзаперетьдверь», я постоянно ношу с собой оружие, куда бы ни пошел. Даже когда спускаюсь вниз за почтой. Точнее сказать, особенно тогда, когда спускаюсь вниз за почтой.

Поэтому, когда я вышел на крыльцо и увидел на улице психа Кевина, который глядел на меня снизу вверх, я успокоил себя тем, что по крайней мере мой пистолет тут, под рукой. К счастью, это была моя «беретта», калибр 6,5, с пятнадцатизарядной обоймой, потому что у меня было предчувствие, что с Кевином мне понадобится не один выстрел.

Какое-то время он молча разглядывал меня. В конце концов я уселся на верхнюю ступеньку, вскрыл три конверта со счетами, пролистал последний выпуск «Спина», пробежал глазами статью о «Машинери-Холл».

— Слушаешь «Машинери-Холл», Кев? — наконец спросил я.

Кевин молча смотрел на меня и тяжело дышал.

— Хорошая группа, — сказал я. — Советую купить диск.

Не похоже было, что Кевин собирался бежать в «Тауэр рекордс» после нашего разговора.

— Правда, они несколько компилятивны, но кто сегодня без греха?

Не похоже было, чтобы Кевин знал значение слова «компиляция».

Он молча простоял так минут десять, не сводя с меня глаз, тусклых и мрачных, как болотная вода. Полагаю, это был утренний вариант Кевина. Его ночная ипостась обладала горящими глазами, жаждущими убийства. Утренний Кевин больше напоминал призрак.

— Итак, Кев, думаю, точнее, вижу, ты не слишком разбираешься в музыке.

Кевин зажег сигарету.

— Я, кстати, тоже не разбирался, но моя напарница смогла убедить меня, что кроме «Стоунз» и Спрингстина есть и другие. Многие из них — полнейшие бездарности, другие, пойми меня правильно, удостоены слишком высокой оценки. К примеру, Моррисси. Но если взять Курта Кобейна или Трента Резнора, можно с уверенностью сказать: это ребята что надо, и это вселяет надежду. Хотя, может, я и ошибаюсь. Между прочим, Кев, что думаешь о смерти Курта? Считаешь, мы потеряли лучший голос нашего поколения или это уже случилось после распада «Фрэнки едет в Голливуд»?

Резкий порыв ветра закружил по улице, и, когда Кевин заговорил, его голос превратился в отвратительный бездушный свист:

— Кензи, пару лет назад один чувак стянул у Джека сорок штук.

— Круто, — сказал я.

— Он собирался через два часа отбыть в Парагвай или куда-то к черту на кулички, но я-таки нашел его у его шлюшки. — Кевин швырнул сигарету в кусты перед домом. — Я положил его на пол лицом вниз, вскочил ему на спину и прыгал по ней до тех пор, пока позвоночник не треснул пополам. Звук был такой, будто взламываешь дверь. Точно такой. Один громкий хлопок и вместе с ним это потрескивание мелких щепок.

Резкий ветер вновь прокатился по улице, и заледеневшие листья в сточных канавах зашуршали.

— Одним словом, — сказал Кевин, — парень орет, его подружка вопит, и оба не отрывают глаз от двери этой засранной квартиры — не потому, что надеются на счастливый случай, который поможет им выбраться, а потому, что знают: они заперты на замок. Со мной. А я силен. И мне решать, каким именно способом они отправятся в ад.

Кевин вновь зажег сигарету, а я почувствовал холодный ветерок в своей груди.

— И все же, — сказал он, — я поднял этого парня. Я заставил его сесть, опираясь на сломанный позвоночник, затем я насиловал его подружку на протяжении, не знаю, часов трех. Чтобы он не брякнулся в обморок, брызгал ему в лицо виски. Затем я выпустил в его подружку восемь, возможно, девять пуль. Налил себе виски и долго смотрел парню прямо в глаза. И знаешь, все исчезло. Его надежда. Его гордость. Его любовь. Все перешло ко мне. Мне. Я завладел всем этим. И он знал это. Я стал позади него. Приставил револьвер к его голове, к центру мозга. И знаешь, что я сделал потом?

Я ничего не ответил.

— Я ждал. Примерно пять минут. И что бы ты думал? Догадайся, что этот парень сделал, Кензи. Догадайся.

Я скрестил руки на коленях.

— Он умолял, Кензи. Этот парализованный мудак. На его глазах другой мужик только что изнасиловал и убил его девушку, и он был бессилен что-либо предпринять. Ему больше незачем было жить на свете. Незачем, и тем не менее он умолял оставить его в живых! Безумный, дерьмовый мир, Кензи.

Он швырнул свою сигарету на ступеньки подо мной, пепел подхватило и унесло ветром.

— Я выстрелил ему прямо в мозг, как только он начал умолять меня.

Обычно, когда я в прошлом смотрел на Кевина, мне казалось, я не вижу перед собой ничего, эдакая огромная дыра. Но теперь я понял: это не было «ничто», наоборот, это было все — все зло мира. Свастики, минные поля, концлагеря, преступность, напалм, льющийся с неба. То, что я принял в Кевине за пустоту, на самом деле оказалось безграничной способностью ко всему вышеперечисленному и даже большему.

— Отвали от Джейсона Уоррена, — сказал Кевин. — Помнишь про парня, обокравшего Джека? А его подружку? Они были моими друзьями. А ты, — добавил он, — мне никогда не нравился.

Он постоял с минуту, не сводя с меня глаз, я буквально физически ощущал, как этот взгляд гонит в меня всю мерзость и грязь, которые сливаются с моей кровью и разносятся по всему телу.

Он обошел машину кругом и, подойдя к двери водителя, положил руки на капот.

— Слышал, ты уже почти завел семью, Кензи. Некая докторша и маленькая дочка. Девчушке, кажется, годика четыре?

Я подумал о Мэй, спавшей всего тремя этажами выше.

— Как считаешь, крепкий позвоночник у четырехлетней девочки, а, Кензи?

— Кевин, — сказал я, и голос мой стал низким и хриплым, — если ты...

Он поднял руку и изобразил стрельбу из автомата, затем, глядя вниз, открыл дверцу.

— Эй ты, говно, — сказал я, и голос мой прозвучал громко и резко на безлюдной улице. — Я к тебе обращаюсь.

Он взглянул на меня.

— Кевин, — сказал я, — если ты приблизишься к этой женщине или ребенку, я так изрешечу твою башку, что она сгодится для боулинга.

— Одни слова, — сказал он, открывая дверцу. — Много слов, Кензи. Увидимся.

Я вытащил из заднего кармана пистолет и пробил пулями круг в окне с пассажирской стороны.

Когда стекло посыпалось на его кресло, Кевин отпрянул и посмотрел на меня:

— За мной должок, Кензи. Как в банке.

В какую-то долю секунды я подумал, что он что-то сделает. Вот сейчас. Но нет. Он только сказал:

— Ты только что купил место на кладбище, Кензи. И ты это знаешь.

Я кивнул.

Он глянул на осколки на сиденье, его лицо исказила ярость. Он полез к себе за пояс и быстро зашагал вокруг машины.

Я нацелил пистолет прямо в центр его лба.

И он замер, все еще держа руку за поясом, затем очень медленно, но улыбнулся. Он вернулся к своей дверце, открыл ее, затем положил руки на капот и посмотрел на меня.

— Слушай, что будет. Любись со своей подружкой, трахай ее дважды за ночь, если можешь, и будь особенно нежен с ребеночком. Скоро — может, сегодня вечером, может, на следующей неделе, я дам о себе знать. Сначала я убью тебя. Затем выжду немного. Может, схожу перекусить, прогуляться или выпить пива. Что-то в этом роде. А после этого отправлюсь на квартиру к твоей подруге и убью ее и малышку. Потом вернусь домой, Кензи, и буду над вами ржать.

Он сел в машину и отъехал, а я стоял на крыльце, и кровь моя бурлила и закипала в жилах.

20

Когда я поднялся наверх, то перво-наперво проверил, как там Мэй. Она лежала на боку, свернувшись калачиком, крепко обняв одну из подушек. На ее глаза упала челка, а щечки слегка разрумянились от тепла и сна.

Я взглянул на часы. Восемь тридцать. Сколько бы ее мать ни недосыпала от чрезмерной работы, ее дочурка восполняла этот пробел сполна.

Я закрыл дверь, вошел в кухню, где мне пришлось отбиваться от трех телефонных звонков раздраженных соседей, которые требовали объяснений по поводу моей стрельбы в восемь утра. Я так и не понял, что их разгневало больше — сам факт стрельбы или столь ранний час, но решил не уточнять. Я извинился, и двое, успокоившись, повесили трубки, а третий поинтересовался, не нужна ли мне помощь профессионала.

Когда и с третьим было покончено, я позвонил Буббе.

— В чем дело?

— У тебя найдется время, чтобы пару дней проследить кое за кем?

— За кем именно?

— За Кевином Херлихи и Грейс.

— Конечно. Но, помнится, они не вращаются в одних и тех же кругах.

— Ты прав, нет. Но он может напасть на нее, чтобы отомстить мне, поэтому мне необходимо знать, где оба находятся в любое время дня и ночи. Это работа для двоих.

Он зевнул.

— Возьму Нельсона.

Нельсон Ферраре был парнем из нашей округи, он подрабатывал у Буббы в его оружейном бизнесе, когда тому нужен был лишний механик или водитель. Это был коротышка, голос которого не поднимался выше шепота, а за день он произносил не более нескольких слов. Нельсон был таким же чокнутым, как Бубба, с наполеоновским комплексом по части высоты каблуков, но, подобно все тому же Буббе, мог справляться со своим психозом только в период выполнения какого-то дела.

— Ясно. И вот еще что, Бубба. Если на следующей неделе со мной что-либо случится, скажем, несчастный случай, можешь ты кое-что сделать для меня?

— Говори.

— Найди безопасное место для Мэй и Грейс...

— Лады.

— ...и затем прокомпостируй этого Херлихи.

— Нет проблем. Это все?

— Все.

— Ладно. Увидимся.

— Будем надеяться.

Я повесил трубку и заметил, что дрожь, охватившая мои руки и запястья с тех пор, как я выстрелом выбил окно машины Кевина, исчезла.

Мой следующий звонок был Дэвину.

— С тобой хочет поговорить агент Болтон.

— Разумеется.

— Ему не нравится, что ты так или иначе связан с двумя из четырех убитых.

— Четырех?

— По нашему мнению, прошлой ночью этот тип убил еще одного. Не могу сейчас углубляться. Ты заскочишь или Болтону подъехать к тебе?

— Я загляну.

— Когда?

— Скоро. Мне только что нанес визит Кевин Херлихи и предложил держаться подальше от этого дела, вот так.

— Он уже несколько дней у нас под наблюдением. Думаю, он не наш киллер.

— Я и не думал, что это он. У него не хватило бы воображения сотворить то, что сделал тот урод. Но каким-то краем он все-таки пристыкован к этому делу.

— Согласен, все это странно. Послушай, подними свой зад и дуй в штаб-квартиру ФБР. Болтон собирается раскинуть сеть и заполучить в нее тебя, Джерри Глинна, Джека Рауза, Толстого Фредди и других, кто хоть как-то связан с жертвами.

— Благодарю за намек.

Я повесил трубку, и в это время через открытое окно кухни в мою квартиру ворвался шквал музыки в стиле кантри. Ну конечно, раз зазвучал голос Уэйлона, значит, уже девять.

Взглянул на часы. Точно, девять.

Вышел на боковой балкон. Лайл работал на соседнем доме и, когда увидел меня, сделал звук радио несколько тише.

— Привет, Патрик, как дела, сынок?

— Лайл, — сказал я, — у меня в гостях дочка моей девушки, и она спит. Нельзя ли сделать потише?

— Конечно, сынок. Конечно.

— Спасибо, — сказал я. — Мы скоро уедем, и вы сможете снова включить погромче.

Лайл пожал плечами:

— Сегодня работаю только треть дня. Проклятый зуб полночи не давал спать.

— Идешь к дантисту? — спросил я, морщась.

— Да, — мрачно ответил он. — Ненавижу платить этим подлецам, но пробовал вытащить зуб сам этой ночью, конечно, с помощью плоскогубцев и пассатижей, но этот паразит только чуть вылез, но пошевелиться и сдвинуться с места даже не подумал. К тому же плоскогубцы из-за крови стали липкими, и вообще...

— Крепись, Лайл.

— Спасибо, — ответил он. — И вот еще что. Этот подлец не делает мне укол новокаина. Старина Лайл почти теряет сознание при виде шприца. Видимо, я из разряда осиновых листов, да?

Конечно, Лайл, думаю я. Ты большой трусливый кот. Продолжай вытаскивать свои зубы плоскогубцами, все равно каждый скажет, что ты недотепа.

Я вернулся в спальню и обнаружил, что Мэй исчезла.

Стеганое ватное одеяло лежало скомканное на полу возле ножки кровати, а мисс Лилли, ее кукла, покоилась на кушетке, глядя на меня своими неживыми кукольными глазами.

Затем послышался шум воды в туалете, и я вошел в коридор как раз в тот момент, когда Мэй вышла, протирая глазки.

Сердце чуть не выпрыгнуло у меня из груди прямо в пересохший рот, и мне захотелось плюхнуться на колени под тяжестью облегчения, разлившегося по всему телу.

— Хочу есть, Патрик, — сказала Мэй и пошла на кухню в своей пижамке, разрисованной Микки Маусами, и в мягких тапочках.

— Что желаешь, «Эппл джекс» или «Шугар попс»? — предложил я.

— «Шугар попс».

— Вот тебе «Шугар попс».

Пока Мэй переодевалась и чистила зубы в ванной, я позвонил Энджи.

— Привет, — сказала она.

— Как жизнь?

— Я... Нормально. Все пытаюсь убедить себя: мы сделали все, что смогли, чтобы уберечь Джейсона.

Наступила пауза, потому что я пытался делать то же самое.

— Узнала что-нибудь об Эрике? — спросил я.

— Немного. Пять лет тому назад, когда Эрик еще был почасовиком в Бостонском университете, городской советник по имени Пол Хобсон из Джамайка-Плейн затеял процесс против университета и Эрика лично.

— По поводу чего?

— Не знаю. Все, что связано с этим делом, словно за семью печатями. Похоже на полюбовное соглашение между сторонами, сопровождаемое приказом всем держать рот на замке. Впрочем, Эрик покинул университет.

— Еще что-нибудь?

— Пока нет, но я все еще роюсь.

Я рассказал ей о своей встрече с Кевином.

— Выбил выстрелом окно машины? Иисусе!

— Я был страшно взбешен!

— Да, но выбить выстрелом окно машины?

— Энджи, — сказал я, — он угрожал Мэй и Грейс. Он делает все, чтобы вывести меня из себя, и, возможно, при следующей встрече я вообще забуду о машине и убью его самого.

— Тебя ждет наказание, — сказала она.

— Увы, сознаю это, — вздохнул я, ощутив при этом тяжесть в центре черепа и неприятный запах страха, исходящий от моей рубахи. — Болтон приказал мне явиться в главное здание.

— Мне тоже?

— О тебе не было речи.

— Хорошо.

— Мне ведь надо быть с Мэй.

— Я заберу ее.

— Правда?

— С удовольствием. Привези ее. Мы пойдем с ней на детскую площадку напротив нашего дома.

Я позвонил Грейс и объяснил ситуацию. По ее мнению, оставить Мэй с Энджи было бы прекрасным выходом при условии, что сама Энджи не возражает.

— Она ждет не дождется, поверь мне.

— Прекрасно. Ты в порядке?

— Все хорошо. Почему спрашиваешь?

— Не знаю, — сказала она. — В твоем голосе какая-то дрожь.

Еще бы, после встречи с таким, как Кевин.

— Да нет, со мной все хорошо. Скоро увидимся. Когда я вешал трубку, вошла Мэй.

— Послушай, зайка, — сказал я, — хочешь пойти на детскую площадку?

Она улыбнулась, это была улыбка ее матери, бесхитростная, открытая, лишенная малейшего колебания.

— Детская площадка? Там есть качели?

— Конечно, есть. Что же за площадка без качелей?

— А перекладины?

— Это тоже есть.

— А «русские горки»?

— Вот этого пока нет, — сказал я, — но я внесу это предложение начальству.

Она влезла на стул напротив меня и поставила свои незашнурованные кроссовки на мой стул.

— Давай, — сказала она.

— Мэй, — сказал я, завязывая ей шнурки, — мне надо встретиться с другом, и я, к сожалению, не могу взять тебя с собой.

Мгновенный взгляд, полный смятения, и ощущение потерянности в ее глазах в секунду разбили мое сердце.

— Но, — поспешил я сказать, — ты ведь знаешь мою подругу Энджи? Она хочет поиграть с тобой.

— Почему?

— Потому что ты ей нравишься. И она любит детские площадки.

— У нее красивые волосы.

— Да, правда.

— Черные и густые. Мне нравятся.

— Я передам ей это, Мэй.

— Патрик, почему мы остановились? — спросила Мэй.

Мы стояли на углу Дорчестер-авеню и Хауз-стрит. Если посмотреть прямо через авеню, там и находится та самая «Детская площадка Райан».

А если посмотреть вдоль Хауз-стрит, то виден дом Энджи.

В этот самый момент я увидел стоящую возле подъезда Энджи. Целующую в щеку своего бывшего мужа Фила.

Я почувствовал, как что-то внезапно сжалось в моей груди и так же неожиданно отступило, запустив внутрь струю холодного воздуха, которая будто одним махом выгребла из меня все внутренности.

— Энджи! — радостно воскликнула Мэй.

Энджи и Фил обернулись, а я почувствовал себя подглядывающим. Причем злым, с яростью в сердце.

Они перешли улицу и подошли к нам вместе. Она, как всегда, выглядела шикарно: на ней были голубые джинсы, бордовая футболка, черная кожаная куртка небрежно свисала с ее плеча. Ее волосы были влажными, одна прядь, выбившись, свисала из-за уха на щеку. Подходя к нам, она поправила ее и помахала Мэй.

К сожалению, Фил тоже был хорош собой. Энджи рассказывала, что он бросил пить, и, надо сказать, эффект был налицо. С тех пор как я видел его последний раз, он потерял по меньшей мере фунтов двадцать. Его подбородок имел плавную и строгую линию, глаза утратили припухлость, которая почти поглотила их за последние пять лет. Он изящно двигался в белой рубашке и отглаженных угольно-черных брюках, гармонирующих с оттенком его волос, убранных со лба и зачесанных назад. Он выглядел лет на пятнадцать моложе, и в его зрачках то и дело вспыхивали искры, каких я не видывал со времен детства.

— Привет, Патрик.

— Здравствуй, Фил.

Он задержался у парапета и вдруг прижал руку к сердцу.

— Это она? — спросил он. — Неужели это действительно она? Великая, незабываемая, всемирно известная Мэй?

Он сел перед ней на корточки, а она широко улыбнулась.

— Я Мэй.

— Очень приятно, Мэй, — сказал он и подчеркнуто официально пожал ей руку. — Бьюсь об заклад, в свободное время ты превращаешь лягушек в принцесс. Нет, определенно, увидеть тебя — к удаче!

Мэй с любопытством и смущением посмотрела на меня, но по румянцу на ее щеках и расширенным зрачкам я понял: чары Фила возымели свое действие.

— Меня зовут Мэй, — повторила она.

— А я Филипп, — ответил он. — Этот парень хорошо о тебе заботится?

— Он мой друг. Его зовут Патрик.

— На свете нет лучшего друга, чем он, — сказал Фил.

Жаль, вы не знали Фила в более молодом возрасте, тогда бы вы сполна смогли оценить его способность общения с людьми, независимо от их возраста. Даже когда он слишком много пил и оскорблял жену, этот дар был все равно при нем. Фил обрел его вскоре после того, как вылез из колыбели. Нельзя сказать, что его поведение выглядело дешевым, театральным, нарочитым или он им пользовался исключительно в целях манипуляции. Нет, просто это была довольно редкая особенность: собеседнику давали понять, что он или она — единственное существо на планете, достойное внимания, что уши на голове даны исключительно для того, чтобы слушать, что он говорит, глаза — чтобы созерцать его внешность, и вообще весь смысл существования заключался в ожидании этой встречи, какой бы характер она ни носила.

По правде сказать, я забыл обо всем этом, но только до той минуты, когда увидел Фила с Мэй. Не знаю почему, но вспоминать его как пьяницу, которому как-то удалось жениться на Энджи, было гораздо легче. Тем не менее Энджи оставалась женой Фила целых двенадцать лет. Даже тогда, когда он бил ее. И тому была причина. Заключалась она в том, что, пусть он превратился в чудовище, все равно в глубине души он оставался тем же Филом, встреча с которым всегда доставляла радость.

Таков был Фил, поднявшийся с корточек рядом с Мэй в тот самый момент, когда Энджи спросила:

— Как дела, красавица?

— Прекрасно. — Мэй поднялась на цыпочки, чтобы дотронуться до волос Энджи.

— Ей нравятся твои волосы, — сказал я.

— Неужели? Вот эта копна? — Энджи опустилась на одно колено, когда Мэй запустила руку в ее волосы.

— Такие густые, — сказала девочка.

— Моя парикмахер тоже так считает.

— Как жизнь, Патрик? — Фил протянул мне руку.

Я задумался. В это ясное осеннее утро, когда воздух так свеж, что действует как тоник, а солнце совершает легкий танец на оранжевых листьях, глупо было бы нарушать покой окружающего мира.

Я колебался, и это было заметно, но потом шагнул к Филу и пожал ему руку.

— Неплохо, Фил. А как ты?

— Хорошо, — ответил он. — Все так же. День за днем, как все, но, сам знаешь, все в жизни статично.

— Верно. — По-моему, в данный момент эта самая статичность воцарилась на моем лице.

— Ну ладно... — Он оглянулся через плечо на свою бывшую жену и девочку, занятых волосами друг друга. — Настоящая находка.

— Которая из них? — спросил я.

В его улыбке чувствовалось разочарование.

— Полагаю, обе. Но сейчас я говорил о четырехлетней.

Я кивнул:

— Да, она и вправду чудо.

Энджи, держа Мэй за руку, подошла к Филу.

— К которому часу тебе на работу?

— К двенадцати, — сказал он и взглянул на меня. — Понимаешь, работаю сейчас у худож-

ника в Бэк-Бэй. Двухэтажный особняк, вспарываю
всю облицовку, паркет девятнадцатого века, чтобы
заменить его на черный-черный мрамор. Как тебе
это? — Он вздохнул и провел рукой по волосам.

— Послушай, — сказала Энджи, — не мог бы ты
усадить Мэй на качели вместе со мной?

— О, даже не знаю, — ответил Фил, глядя на
Мэй, — у меня ручка бо-бо.

— Не будьте большим ребенком, — сказала
Мэй.

— Что, не назовешь меня ребеночком, а? —
спросил Фил и, подхватив девочку одной рукой,
усадил себе на бедро, и все трое зашагали через
улицу к детской площадке, весело помахав мне
перед тем, как поднялись по ступенькам и направились к качелям.

21

— Вы встречаетесь с Алеком Хардименом, — сказал, не глядя на меня, Болтон, когда я вошел в кон-
ференц-зал.

— Вы мне?

— У вас с ним сегодня свидание в час дня.

Я взглянул на Дэвина и Оскара:

— У меня?

— Весь ваш разговор будет записываться.

Я уселся в кресло напротив Дэвина, нас разделял огромный — величиной с мою квартиру — виш-
невого дерева стол, Оскар уселся слева от Дэвина,
остальные места вокруг стола заняло с полдюжины федералов, облаченных в строгие костюмы

и галстуки. Большинство из них были заняты разговорами по мобильным телефонам. У Дэвина и Оскара телефонов не было. У Болтона, восседающего на другом конце стола, было целых два, полагаю, не простых, а специальных, с прямой связью.

Болтон встал и, пройдя вдоль стола, подошел ко мне.

— О чем вы беседовали с Кевином Херлихи?

— О политике, — сказал я, — о текущей котировке йены и тому подобном.

Болтон положил руку на спинку моего кресла и нагнулся ко мне настолько близко, что я ощутил запах таблеток от кашля, исходящий из его рта.

— Расскажите мне, о чем вы говорили, мистер Кензи.

— О чем, по-вашему, мы говорили, специальный агент Болтон? Он посоветовал мне отказаться от расследования дела Уоррена.

— А вы разрядили обойму по его машине.

— В тот момент это показалось мне подходящим ответом.

— Почему ваше имя всплывает в связи с этим делом?

— Понятия не имею.

— Почему Алек Хардимен хочет поговорить с вами?

— Опять же без понятия.

Огибая стол, Болтон задвинул свой стул и остановился позади Дэвина и Оскара, засунув при этом руки в карманы. У него был вид, будто он не спал целую неделю.

— Мне нужен ответ, мистер Кензи.

— У меня его нет. Я передал Дэвину копии протоколов по делу Уоррена. Я разослал фотографии парня с козлиной бородкой. Я рассказал вам все, что помнил, о своей встрече с Карой Райдер. Но в остальном в такой же темноте, как и вы, ребята.

Болтон вытащил руку из кармана и почесал затылок.

— Что у вас общего с Джеком Раузом, Кевином Херлихи, Джейсоном Уорреном, Карой Райдер, Питером Стимовичем, Фредди Константине, окружным прокурором Тимпсоном и Алеком Хардименом?

— Это что, загадка?

— Отвечайте на вопрос.

— Я. Черт возьми. Не. Знаю. — Я поднял руки. — Вам ясно?

— Вы должны помочь нам найти выход, мистер Кензи.

— Я и пытаюсь, Болтон, но ваш метод интервьюирования очень напоминает уловки мошенника, желающего выманить деньги в долг. Вы смешали меня с дерьмом, поэтому сомневаюсь, смогу ли быть вам чем-то полезен, так как вряд ли буду в состоянии переступить через свой гнев.

Болтон направился к противоположной торцевой стене помещения. Стена была примерно тридцать футов в длину и двенадцать в высоту. Он потянул за чехол, скрывавший ее, и под ним обнаружилось покрытие пробкового дерева, занимающее почти девяносто процентов стены. К нему кнопками и тонкими проволочками были прикреплены фотографии и схемы мест преступления, листы со спектральными анализами и свидетельства очевидцев. Я встал со своего места и медленно пошел вдоль стола, стараясь держать всех сидящих в поле зрения.

Позади меня раздался голос Дэвина:

— Мы допрашивали каждого, кто хоть как-то причастен хоть к одному из этих дел, Патрик. Опрашивали также любого, кто знал Стимовича и последнюю жертву, Памелу Стоукс. Ничего. Вообще ничего.

Все жертвы были запечатлены на фотографиях, двое из них живыми, остальные мертвыми. На вид Памеле Стоукс было около тридцати. На одной из фотографий она щурилась от солнца, прикрывая глаза рукой. Счастливая улыбка озаряла ее простоватое лицо.

— Что мы о ней знаем?

— Работала менеджером по продажам, — сказал Оскар. — В последний раз ее видели выходящей из бара «Меркьюри» на Бойлстоун-стрит позапрошлой ночью.

— Одну?

Дэвин покачал головой:

— С парнем в бейсбольной кепке, темных очках и с козлиной бородкой.

— Значит, он был в баре в темных очках и никто не обратил на это внимания?

— Ты бывал когда-нибудь в «Меркьюри»? — спросил Оскар. — Туда частит псевдошикарный сброд, в основном белые. Все они носят в помещении темные очки.

— В таком случае вот наш киллер. — Я показал на фото, где Джейсон был в обществе парня с бородкой.

— По крайней мере один из них, — ответил Оскар.

— Уверены, что их было двое?

— Данное предположение разрабатывается. Джейсона Уоррена, без сомнения, убивали двое.

— Откуда вы это знаете?

— Он царапал их, — сказал Дэвин. — Под его ногтями кровь двух разных групп.

— И что, все семьи жертв получали фотографии прежде, чем их дети были убиты?

— Да, — сказал Оскар. — Это то, что объединяет их всех. Но есть и различие. Три из четырех жертв были убиты не там, где впоследствии найдены их тела. Кару Райдер сбросили в Дорчестере, Стимовича — в Сквонтуме, а то, что осталось от Памелы Стоукс, было найдено в Линкольне.

Под фотографиями сегодняшних жертв были расположены снимки под общим заголовком «Жертвы-1974». Среди них я увидел немного задиристое мальчишеское лицо Кола Моррисона, и, хотя я не вспоминал о нем много лет, до той ночи в баре у Джерри, я вдруг вновь ощутил запах шампуня «Пина колада», всегда исходящий от его волос, и вспомнил, как мы любили дразнить его за это.

— А был ли проведен сводный анализ жертв на общие факты?

— Да, — сказал Болтон.

— И что же?

— Двое, — сказал Болтон, — мать Кары Райдер и отец Джейсона Уоррена, выросли в Дорчестере.

— А другие?

— Кара Райдер и Пэм Стоукс употребляли одни и те же духи.

— Какие именно?

— Лабораторный анализ показал «Холстон для женщин».

— Да, лабораторный анализ, — сказал я, глядя на фотографии Джека Рауза, Стэна Тимпсона, Фредди Константине, Дайандры Уоррен, Дидры

Райдер. И все парами. Один из настоящего, другой — двадцатилетней давности. — И никакого намека на возможный мотив? — Я посмотрел на Оскара, он отвел взгляд, затем взглянул на Дэвина, а тот, в свою очередь, на Болтона. — Агент Болтон? — спросил я. — Так у вас что-нибудь есть?

— Мать Джейсона Уоррена, — сказал он в конце концов.

— А что с ней?

— Ее иногда привлекали как эксперта по психологии в уголовных процессах.

— Ну и?

— Она проводила, — сказал он, — психологическое обследование Хардимена во время процесса, что расстроило его защиту как невменяемого. Дайандра Уоррен, мистер Кензи, упрятала Алека Хардимена за решетку.

Мобильный командный пункт Болтона располагался в черном микроавтобусе с затемненными окнами. Когда мы вышли на Нью-Садбэри-стрит, он, скучая, ждал нас.

Внутри его двое агентов, Эрдхем и Филдс, сидели возле черно-белой компьютерной станции, занимавшей весь правый борт. На столе лежал змеиный клубок кабеля, стояли два компьютера, два факса, два лазерных принтера. Надо всем этим разместились в ряд шесть мониторов, а напротив них, по левому борту, аналогичный ряд точно таких же светящихся экранов. На самом краю рабочего стола возлежали приемные и записывающие устройства, двухкассетный видеоплеер, аудио- и видеокассеты, дискеты и компакт-диски.

К левому борту были привинчены небольшой столик и три «директорских» кресла. Когда машина влилась в уличное движение, я по инерции плюхнулся в одно из них, облокотившись на миниатюрный холодильник.

— Вы что, так ездите на пикники? — спросил я. Но Болтон проигнорировал меня.

— Агент Эрдхем, вы записали? — Эрдхем подал ему клочок бумаги, и Болтон сунул его во внутренний карман. Потом уселся рядом со мной.

— Вам предстоит встреча с Уорденом Лифом и главным психологом тюрьмы доктором Долквистом. Они расскажут вам о Хардимене, так как я мало что могу сообщить о нем, разве что предупредить, что он крепкий орешек и не стоит воспринимать его легкомысленно, каким бы приятным на вид он ни казался. Он подозревается в трех убийствах уже после суда, но никто из всей массы заключенных в этом охраняемом по максимуму загоне не выступит со свидетельскими показаниями. А там, между прочим, сидят убийцы-рецидивисты, поджигатели, серийные маньяки, и все они боятся Алека Хардимена. Понятно?

Я кивнул.

— Камера, в которой произойдет встреча, полностью видео- и радиофицирована. И мы будем получать полную информацию, находясь в этой контрольной кабине. Будем следить за каждым вашим шагом в данной ситуации. У Хардимена обе ноги и одна рука будут в наручниках. И тем не менее держите ухо востро.

— Хардимен дал согласие на аудио- и видеозапись?

— Насчет видео ему ничего не известно. А вот аудио действительно нарушает его права.

— Так дал на него согласие?

Болтон покачал своей большой головой:

— Нет, не дал.

— Но вы собираетесь использовать его все равно.

— Да. Я не собираюсь представлять записи в суде. Они нужны мне, чтобы обращаться к ним иногда в процессе нашего расследования. Вас это смущает?

— Пожалуй, нет.

Когда мы огибали «Хаймаркет», поворачивая на 93-е шоссе, и машину снова тряхнуло, я откинулся на спинку и стал смотреть в окно, размышляя о том, как же меня угораздило так вляпаться.

Доктор Долквист был невысокого роста, но мощного телосложения и старался не смотреть собеседнику в глаза, по крайней мере мой взгляд он перехватил только на мгновение перед тем, как сосредоточиться на чем-то другом.

Уорден Лиф, наоборот, был высок, а его черная голова была выбрита так тщательно, что, казалось, излучала слабое свечение.

Мы с Долквистом остались на несколько минут в кабинете Лифа, пока он сам встречался с Болтоном, чтобы уточнить кое-какие детали, касающиеся наблюдения. Долквист рассматривал фотографию Лифа, на которой он был изображен с двумя друзьями, стоящими возле чистенькой хижины с марлином в руках под знойным солнцем Флориды, я же молча ждал, стараясь побороть неловкость.

— Вы женаты, мистер Кензи? — Он все еще смотрел на фото.

— Разведен. Довольно давно.

— Дети?

— Нет. А у вас?

Он кивнул:

— Двое. Это помогает.

— Помогает в чем?

Он повел рукой вдоль стен:

— Находиться в этом месте. Приятно возвращаться домой к детям, к их чистому запаху. — Он взглянул на меня, затем куда-то вдаль.

— Не сомневаюсь, — сказал я.

— Ваша работа, — сказал он, — вынуждает вас касаться массы негативного, что есть в человечестве.

— Зависит от дела, — сказал я.

— Сколько вы уже занимаетесь сыском?

— Почти десять лет.

— Должно быть, начали очень молодым.

— Да.

— Считаете делом своей жизни? — Снова быстрый взгляд, скользнувший по моему лицу.

— Пока не уверен. А вы?

— Хочется верить, — сказал он, чрезвычайно медленно произнося слова. — Я на самом деле верю в это, — с тоской в голосе сказал он.

— Расскажите мне о Хардимене, — попросил я.

— Алек, — сказал он, — существо необъяснимое. У него было очень приличное воспитание, никаких историй по части обид и оскорблений в детстве, никаких травм в раннем возрасте и никаких признаков раннего заболевания психики. Насколько известно, он никогда не мучил животных, не проявлял патологических склонностей, и вообще его поведение не выходило за рамки нормы. В школе он был очень способным учеником и пользовался достаточно большой популярностью. И вот в один прекрасный день...

— Что случилось?

— Никто не знает. Беда началась, когда ему было примерно шестнадцать. Соседские девушки требовали от него какого-то самовыражения. И тогда появились возле его дома задушенные и повешенные на телефонных проводах кошки. Вспышки насилия в классе. Затем вновь ничего. В семнадцать он вернулся в нормальное состояние. И если бы не этот случай с Рагглстоуном, кто знает, как долго они продолжали бы убивать.

— И все-таки должно было быть что-то такое...

Он покачал головой:

— Я работал с ним почти двадцать лет, мистер Кензи, и я ничего такого не обнаружил. Даже сейчас всем посетителям из внешнего мира Алек Хардимен кажется вежливым, рассудительным, совершенно безобидным человеком.

— Но таковым не является.

Долквист рассмеялся, и его внезапный резкий смех был несовместим с такой маленькой комнатушкой.

— Он самый опасный человек, которого я когда-либо знал. — Он поднял с письменного стола Лифа вазочку для карандашей, посмотрел на нее отсутствующим взглядом и поставил на место. — Алек уже три года ВИЧ-инфицирован. — Он взглянул на меня, и на какое-то мгновение его глаза застыли. — Недавно его состояние ухудшилось, теперь у него уже настоящий СПИД. Он умирает, мистер Кензи.

— Думаете, он поэтому вызвал меня сюда? Предсмертная исповедь, изменение моральных ценностей в последнюю минуту жизни?

Он покачал головой:

— Совсем нет. У Алека нет их и в помине. С тех пор как ему поставили диагноз, его держали особняком от всей массы заключенных. Но мне думается, Алек знал, что обречен, задолго до того, как это поняли мы. За два месяца до того, как был поставлен диагноз, он ухитрился изнасиловать десять человек. По меньшей мере десять. И я глубоко убежден, что сделал он это не для того, чтобы удовлетворить свои сексуальные потребности, а для того, чтобы утолить жажду убийства.

В двери показалась голова Уордена Лифа.

— Пора.

Он подал мне пару тугих полотняных перчаток, такие же надели Долквист и он сам.

— Держите руки подальше от его рта, — мягко сказал Долквист, глядя себе под ноги.

Мы вышли из кабинета и молча пошли долгим путем по странно замершему лабиринту камер навстречу Алеку Хардимену.

22

Алеку Хардимену было сорок один год, но выглядел он лет на пятнадцать моложе. Его блеклые светлые волосы влажными сосульками спадали на лоб, придавая ему вид ученика старших классов. На нем были маленькие четырехугольные «бабушкины» очки, а когда он заговорил, голос его был легкий, как дыхание.

— Привет, Патрик, — сказал он, когда я вошел в комнату. — Рад, что вы смогли приехать.

Он сидел за маленьким металлическим столиком, привинченным к полу. Его исхудавшие руки в наручниках были сцеплены еще через две дырки в столе, ноги тоже были скованы. Когда он поднял на меня взгляд, свет от флюоресцентных ламп забелил стекла его очков.

Я уселся напротив.

— До меня дошел слух, что вы можете помочь мне, заключенный Хардимен.

— Неужели? — Он неуклюже развалился на своем стуле, всячески давая понять, что в подобной ситуации чувствует себя совершенно свободно. Покрывающие его лицо и шею ссадины были еще свежими и даже кровоточили, некоторые же были покрыты блестящей корочкой. Живыми на его лице оставались только зрачки, излучающие яркий свет из глубоких впадин, в которые были утоплены его глаза.

— Да, я слышал, вы хотели поговорить со мной.

— Совершенно верно, — сказал он, пока Долквист усаживался рядом со мной, а Лиф занял позицию у стены, приняв бесстрастный вид и сжав в руке дубинку, которой полицейские вооружены в ночное время. — Я уже давно хотел поговорить с вами, Патрик.

— Со мной? Но почему?

— Вы занимаете меня. — Он пожал плечами.

— Но ведь вы большую часть моей жизни пробыли в тюрьме, заключенный Хардимен...

— Пожалуйста, зовите меня просто Алек.

— Хорошо, Алек. Мне непонятен ваш интерес.

Он запрокинул голову с тем, чтобы очки, которые то и дело соскальзывали на кончик носа, вернулись на свое место.

— Воды?

— Простите? — спросил я.

Он кивнул в сторону пластмассового кувшина и четырех таких же стаканов, стоящих слева от него.

— Не хотите ли воды? — спросил он.

— Нет, спасибо.

— А чего-нибудь сладкого? — Он ласково улыбнулся.

— Что?

— Вам нравится ваша работа?

Я посмотрел на Долквиста. За пределами этих стен карьера превратилась в навязчивую идею.

— Надо же платить по счетам, — сказал я.

— Но это далеко не все, — сказал Хардимен. — Разве не так?

Я пожал плечами.

— Как думаете, вы будете заниматься ею и в пятьдесят пять? — спросил он.

— Не уверен даже, что в тридцать пять, заключенный Хардимен.

— Алек.

— Алек, — сказал я.

Он кивнул с видом священника, исповедующего своего прихожанина.

— Чем еще вы могли бы заниматься?

Я вздохнул:

— Алек, мы пришли не для того, чтобы обсуждать мое будущее.

— Но это не означает, что мы не можем этого сделать, Патрик. А? — Он поднял брови, и его изможденное лицо смягчилось выражением невинности. — Вы мне интересны. Доставьте мне удовольствие, ну пожалуйста.

Я посмотрел на Лифа, он только пожал своими широкими плечами.

— Возможно, преподавать, — сказал я.

— Правда? — Он даже подался вперед.

— Почему бы нет?

— А что, если поработать на большое агентство? — спросил он. — Слышал, они хорошо платят.

— Некоторые — да.

— Скажем, распространять благотворительные пакеты, полисы по страхованию жизни или что-нибудь в этом роде.

— Да.

— Вы уже размышляли над этим, Патрик?

Мне ненавистно было слышать, как он произносил мое имя, но я не мог определить, почему именно.

— Я думал над этим.

— Но все-таки предпочитаете независимость.

— Вроде того. — Я налил себе стакан воды, и горящие глаза Хардимена впились в мои губы, поглощающие воду. — Алек, — сказал я, — что вы можете сказать нам по поводу...

— Вы знакомы с притчей о трех талантах?

Я кивнул.

— Те, кто скрывает или боится реализовать свои способности, они — «ни горячие, ни холодные» и будут отвержены Господом.

— Я слышал притчу, Алек.

— Ну и? — Он откинулся назад и поднял ладони вверх, насколько позволяли наручники. — Человек, игнорирующий свое призвание, «ни горячий, ни холодный».

— А что, если человек не уверен в нем, в этом самом призвании?

Хардимен пожал плечами.

— Алек, если бы мы могли обсудить...

— Я думаю, Патрик, вас наделили даром ярости, гнева. Я уверен. Я увидел его в вас.

— Когда?

— Вы были когда-нибудь влюблены? — Он наклонился вперед.

— Какое это имеет отношение?..

— Так были?

— Да, — сказал я.

— А сейчас? — Он впился взглядом в мое лицо.

— Почему вас это волнует, Алек?

Он отпрянул назад и стал смотреть в потолок.

— Я никогда не был влюблен. Я не знаю, что такое любовь, я никогда не держал женскую руку в своей, никогда не ходил с девушкой на пляж, никогда не беседовал о повседневных делах: кто будет варить, кому убирать в этот вечер, надо ли позвать мастера для ремонта стиральной машины. У меня нет опыта по части всего этого, и иногда, когда я один, особенно поздно ночью, это вызывает у меня слезы. — На мгновение он прикусил нижнюю губу. — Но все мы мечтаем, полагаю, о другой жизни. Нам всем хочется прожить тысячу различных жизней во время нашего земного существования. Но это невозможно, правда?

— Нет, — сказал я. — Нам не дано.

— Я спросил о ваших карьерных возможностях, Патрик, потому что верю, что вы знаковая фигура. Понимаете?

— Нет.

Он грустно улыбнулся:

— Большинство мужчин и женщин влачат свою земную жизнь однотипно, без всякого разнообразия. Жизни, преисполненные тихого отчаяния, и всем все равно. Эти люди рождаются, какое-то время существуют, испытывая при этом определенные страсти, увлечения и даже любовь, сопровождая все это мечтами и болью, затем они умирают. И мало кто это замечает. Представьте, Патрик, миллиарды таких людей, больше — десятки миллиардов на протяжении истории прожили, не оставив никакого следа на земле. Они вполне могли не рождаться вообще.

— Те, о ком вы так говорите, могут с вами не согласиться.

— Уверен в этом. — Он широко улыбнулся и наклонился ко мне, будто собирался поведать мне какой-то секрет. — Но кто будет их слушать?

— Алек, все, что мне нужно узнать от вас, это почему...

— Но вы — потенциально знаковая фигура, Патрик. Вас могут помнить очень долго даже после вашей смерти. Подумайте, какое это было бы достижение, особенно в нашей угасающей культуре. Подумайте.

— А что, если у меня нет желания быть «знаковой фигурой»?

Его глаза исчезли за флюоресцентной дымкой.

— Возможно, выбор будет не за вами. Может случиться, что он падет на вас независимо от того, нравится вам это или нет. — Он пожал плечами.

— С чьей помощью?

— Отца, — сказал он, — Сына и Святого Духа.

— Разумеется, — сказал я.

— А вы, Алек, знаковая фигура? — спросил Долквист.

Мы оба, повернув головы, посмотрели на него.

— Да, вы? — повторил Долквист.

Голова Алека Хардимена медленно повернулась в мою сторону, при этом его очки сползли на середину носа. Глаза за стеклами напоминали молочно-зеленоватую поверхность Карибского моря.

— Простите вмешательство доктора Долквиста, Патрик. Последнее время он немного не в себе по поводу жены.

— Моей жены? — уточнил Долквист.

— Супруга доктора Долквиста, Джудит, — сказал Хардимен, — ушла от него к другому мужчине. Слышали об этом, Патрик?

Долквист снял нитку у себя с колена, потом уставился на ботинки.

— Затем она вернулась, и он принял ее обратно. Уверен, были слезы, мольба о прощении и немного слегка злорадных замечаний со стороны доктора. Можно только предположить. Но это было три года тому назад, правда, доктор?

Доктор глядел на Хардимена чистыми глазами, но дыхание его стало несколько поверхностно, а правая рука по-прежнему машинально теребила штанину.

— Мои сведения из солидного источника, — сказал Хардимен. — Так вот, каждую вторую и четвертую среду ежемесячно королева доктора Долквиста по имени Джудит разрешает двум бывшим заключенным этого самого заведения проникать во все потайные части ее тела, и происходит это в гостинице «Ред Руф» по адресу Рут-Уан, Согусе. Интересно, что доктор Долквист думает по этому поводу?

— Хватит, заключенный, — сказал Лиф.

Долквист уставился в какую-то точку над головой Хардимена, и, когда он заговорил, голос его звучал мягко, но на затылке появилась полоса ярко-красного цвета.

— Алек, ваши бредовые иллюзии оставим для другого раза. Сейчас...

— Это не иллюзии.

— ...мистер Кензи здесь по вашему настоянию, и...

— Вторая и четвертая среда, — не унимался Хардимен, — с двух до четырех в гостинице «Ред Руф». Номер двести семнадцать.

Голос Долквиста на секунду дрогнул, случилась то ли пауза, то ли не совсем естественный вдох, что было замечено как мной, так и Хардименом, который в ответ на это слегка мне улыбнулся.

Долквист сказал:

— Цель этой встречи...

Хардимен взмахнул своими худыми пальцами, сделав небрежный жест в сторону доктора, после чего демонстративно повернулся ко мне. Я видел свое отражение в ледяном флюоресцентном свете, исходящем от верхних половинок стекол очков, а также зеленые зрачки Алека под моим расплывчатым изображением. Он снова нагнулся ко мне, и я едва сдержал желание отпрянуть назад, так как внезапно ощутил жар, застоялый запах зловонного человеческого тела и разлагающегося сознания.

— Алек, — сказал я, — что вы можете сказать мне о смерти Кары Райдер, Питера Стимовича, Джейсона Уоррена и Памелы Стоукс?

Он вздохнул:

— Как-то в детстве на меня напал целый рой пчел. Я гулял по берегу озера, и откуда ни возьмись, как мираж, меня окружила, облепила огромная черно-желтая туча. Сквозь нее я с трудом видел свет, на помощь мне ринулись родители и кое-кто из соседей, но мне хотелось сказать им, что все в порядке. Мне было хорошо. Но тут пчелы стали жалить. Тысячи иголок впивались в мою плоть и высасывали мою кровь, а боль была такой всеобъемлющей, что доставляла наслаждение. — Он посмотрел на меня, и капля пота скатилась с носа на подбородок. — Мне было всего одиннадцать, и я пережил свой первый оргазм прямо там, в своем купальном костюме, когда тысячи пчел пили мою кровь.

Лиф нахмурился и облокотился о стену.

— В последний раз это были осы, — сказал Долквист.

— Это были пчелы.

— Вы говорили, осы, Алек.

— Я говорил, пчелы, — кротко сказал Алек и повернулся ко мне: — Вас когда-нибудь жалили?

Я пожал плечами:

— Возможно, раз или два в детстве. Точно не помню.

На несколько минут воцарилась тишина. Алек Хардимен сидел напротив и разглядывал меня с таким видом, будто пытался представить себе, как бы я выглядел, разрубленный на части и разложенный на белоснежном фарфоре в обрамлении вилок, ножей и прочих столовых приборов.

Я оглянулся в полной уверенности, что Алек не станет отвечать на вопросы, которые меня сейчас интересуют.

Когда он заговорил, казалось, его губы совсем не двигались, и восстановить этот момент я смог только потом, по памяти.

— Не могли бы вы поправить мне очки, Патрик?

Я взглянул на Лифа, но он только пожал плечами. Я наклонился и быстрым движением отправил очки к глазам Алека. Но этого мига хватило, чтобы он прижал свои ноздри к узкой полоске моей обнаженной кожи между перчаткой и манжетом. Нюхал он громко и смачно.

Я убрал руку.

— У вас был секс сегодня утром, Патрик?

Я ничего не ответил.

— Ваша рука пахнет сексом, — сказал он.

Лиф отошел от стены на достаточное расстояние, чтобы я смог на его лице прочитать предупреждение.

— Хочу, чтобы вы кое-что поняли, — сказал Хардимен. — Вы должны знать: перед вами проблема выбора. Можете сделать правильный, а можете ложный, но выбор вам будет предоставлен. И еще: не все, кого вы любите, выживут.

Мне показалось, что мои гортань и язык посыпаны песком, и я никак не мог выжать из себя хоть немного слюны, чтобы смочить их.

— Сын Дайандры Уоррен погиб потому, что она вас посадила. Насчет этого я знаю. А что другие жертвы?

Он стал что-то напевать себе под нос, поначалу довольно тихо, так что я не мог разобрать мелодию, пока он не опустил голову, подбавив громкости.

— «Зовите клоунов скорей...»

— Так как с другими жертвами? — повторил я. — Почему они погибли, Алек?

— «Разве это не рай земной...» — пел он.

— Вы вызвали меня сюда по какой-то причине, — сказал я.

— «Ты, конечно, согласен со мной...»

— Почему они умерли, Алек? — спросил я.

— «Если кто-то все плачет и ноет... — Голос Алека был высоким и тонким. — Если кто-то страдает от боли...»

— Заключенный Хардимен...

— «Зовите клоунов скорей...»

Я посмотрел на Долквиста, затем на Лифа.

Хардимен помахал мне пальцем.

— «Не волнуйтесь, — пел он, — они уже здесь».

И он рассмеялся. Смех его был резким, голосовые связки сильно напряжены, рот широко открыт, плевки разлетались по всем углам, а глаза округлялись все больше, когда останавливались на мне. Весь воздух в камере, казалось, уходит в рот Хардимена и будет наполнять его легкие до тех пор, пока не надует тело, как шар, нам же не останется ничего другого, как задохнуться в безвоздушном пространстве.

Затем его рот наконец захлопнулся, глаза потускнели, и он снова выглядел вежливым и рассудительным, как провинциальная библиотекарша.

— Зачем вы меня вызвали сюда, Алек?

— Вы все-таки прилизали свой чубчик, Патрик.

— Что?

Хардимен, повернувшись, обратился к Лифу:

— У Патрика в детстве был дурацкий чубчик, ну, такой вихор, вот здесь, ближе к затылку. Он у него торчал, как сломанный палец.

Я едва сдержал желание протянуть руку к голове и пригладить вихор, которого у меня не было уже много лет. Внезапно я почувствовал холод в желудке и непонятную слабость.

— Зачем вы вызвали меня сюда? У вас была возможность поговорить с доброй тысячей полицейских, с таким же количеством федералов, но...

— Если я заявлю, что моя кровь отравлена, и не кем-нибудь, а правительством, или что альфа-лучи из других галактик наделяют меня особыми способностями, или что я был насильно превращен в гомосексуалиста собственной матерью, — что вы скажете на это?

— Я не знаю, что вам сказать.

— Разумеется, нет. Потому что вам ничего не известно, и потом, все это неправда, но даже если бы было правдой, все это не имеет отношения к делу. Что, если я скажу вам, что я бог?

— Который?

— Единственный.

— Я бы удивился, почему бог запер себя самого в стенах тюрьмы и почему не сотворит чудо и не выдворит себя отсюда.

Он улыбнулся:

— Очень хорошо. Немного поверхностно, но таков ваш характер.

— А каков ваш?

— Мой характер?

Я кивнул.

Он посмотрел на Лифа:

— Что, у нас на этой неделе снова жареные цыплята?

— В пятницу, — ответил Лиф.

Хардимен кивнул:

— Хорошо. Люблю жареных цыплят. Патрик, приятно было встретиться. Забегайте еще.

Лиф посмотрел на меня и пожал плечами:

— Конец свидания.

Я сказал:

— Погодите.

Хардимен рассмеялся:

— Свидание окончено, Патрик.

Первым встал Долквист, через минуту я.

— Доктор Долквист, — сказал Хардимен, — передайте от меня привет королеве Джудит.

Долквист направился к выходу.

Я пошел вслед за ним, рассматривая тюремные решетки и чувствуя, как они хватают и держат меня, лишая возможности вновь увидеть внешний мир, запирая меня здесь вместе с Хардименом.

Лиф подошел к выходу и достал ключ. Все мы втроем стояли спиной к Хардимену.

И тут он прошептал:

— Ваш отец был одним из тех пчел.

Я повернулся, но он уже смотрел на меня невозмутимо и безучастно.

— Что это было?

Он кивнул и закрыл глаза, барабаня кончиками пальцев скованных рук по столу. Когда он заговорил, его голос, казалось, исходил откуда-то из углов, из потолка комнаты, от решеток — одним словом, откуда угодно, только не из его рта.

— Я сказал: «Изувечьте их, Патрик. Убейте всех до одного».

Он поджал губы, мы постояли в ожидании, но тщетно. Минута прошла в полной тишине, а он находился в том же состоянии, только легкая дрожь гуляла по его обтягивающей бледной коже.

Когда дверь открылась и мы вышли в коридор блока С, пройдя мимо двух стражей у входа, Алек

Хардимен запел: «Изувечьте их, Патрик. Убейте их всех!» Голос его был тонким, но мощным и сильным, и создавалось ощущение, что мы слушаем арию.

— Изувечьте их, Патрик.

Слова неслись по тюремному коридору, как пение птицы.

— Убейте всех до одного.

23

Лиф повел нас по лабиринту образцово чистых коридоров, тюремные звуки почти не проникали сквозь толстые стены. Коридоры пахли антисептиком и техническим раствором, у пола же, как, впрочем, во всех госучреждениях, был своеобразный желтый блеск.

— А знаете, у него есть свой фан-клуб.

— У кого?

— У Хардимена, — ответил Лиф. — Студенты-криминологи, студенты-юристы, одинокие женщины средних лет, парочка социальных работников, несколько человек из церковных. Ну и его корреспонденты, кто уверен в его невиновности.

— Шутить изволите.

Лиф улыбнулся и покачал головой:

— О нет. Знаете, какое у Алека любимое занятие? Он приглашает их в гости, чтобы предстать во всем своем великолепии. А некоторые из этих людей бедны. Они тратят свои сбережения на то, чтобы добраться сюда. А теперь догадайтесь, как старина Алек себя ведет.

— Смеется над ними?

— Отказывается видеть их, — сказал Долквист. — Причем всегда.

— Вот, — сказал Лиф. Перед нами была дверь, он набрал шифр, и она с легким щелчком отворилась. — Он сидит в своей камере и наблюдает из окна, как они возвращаются назад по длинной дорожке к своим машинам, смущенные, униженные и одинокие, в результате чего его охватывает приступ сексуальной жажды, и он утоляет ее с помощью мастурбации.

— Вот вам и Алек, — сказал Долквист, когда мы вышли наконец к свету у главного выхода.

— Что за шутка по поводу вашего отца? — спросил Лиф, когда мы вышли за пределы тюрьмы и шли к машине Болтона, стоящей посередине посыпанной гравием дорожки.

Я пожал плечами:

— Не знаю. Насколько мне известно, он не знал моего отца.

— Похоже, он хочет, чтобы вы думали, будто знал, — заметил Долквист.

— И что за ерунда с вашим чубчиком? — спросил Лиф. — Либо он действительно знал вас, мистер Кензи, либо строит догадки.

Когда мы переходили дорожку к машине, гравий противно скрипел под ногами, и я сказал:

— Никогда не встречал этого парня.

— Ладно, — сказал Лиф. — Алек мастер по части манипуляции человеческим сознанием. Мне было известно, что вы приедете, и я тут кое-что припас. — И он протянул мне листок бумаги. — Мы перехватили письмо, когда Алек пытался переправить его с одним из своих курьеров девятнадцатилетнему парню, которого изнасиловал после того, как узнал, что болен СПИДом.

Я открыл листок:

> Смерть в моей крови,
> И я отдал ее тебе.
> По ту сторону могилы
> Буду ждать тебя.

Я отдал листок обратно, будто он обжигал мне руку.

— Хотел, чтобы парень жил в страхе даже после его смерти. В этом весь Алек, — сказал Лиф. — И возможно, вы действительно никогда не встречались, но он просил о встрече с вами особенно настойчиво. Помните об этом.

Я кивнул.

Голос Долквиста звучал неуверенно:

— Я вам еще нужен?

Лиф покачал головой.

— Напишите рапорт, положите мне утром на стол, и, думаю, все, Рон.

Долквист остановился возле самой машины и пожал мне руку:

— Приятно было познакомиться, мистер Кензи. Надеюсь, все как-нибудь прояснится.

— Я тоже.

Он кивнул мне, но избегал взгляда, затем вежливо кивнул Лифу и повернулся, чтобы уйти.

Лиф похлопал его по спине, жест, правда, выглядел несколько неуклюже, как если б он никогда раньше этого не делал.

— Будьте осторожны, Рон.

Мы смотрели ему вслед и видели невысокого мускулистого мужчину, шагающего по дорожке, который внезапно остановился, будто судорога свела его левую ногу, затем пересек лужайку и пошел к парковой зоне.

— Он немного странный, — сказал Лиф, — но в целом хороший человек.

Большая тень от тюремной стены пролегла через лужайку и затемнила траву, и, казалось, Долквист остерегался ее. Он шел по краю тени, по полоске, освещенной солнцем травы, и делал это с осторожностью, будто боясь оступиться и погрузиться в темную зелень.

— Как думаете, куда он пошел?

— Проверять свою жену. — Лиф сплюнул на гравий.

— Думаете, то, что говорил Хардимен, правда?

Он пожал плечами:

— Не знаю. Хотя детали, признаться, довольно точны. Будь это ваша жена, которая в свое время изменила, вы бы тоже стали проверять, не так ли?

Теперь, когда Долквист достиг края тени тюремной стены и травы, он казался маленькой фигуркой и, перейдя в парковый массив, скрылся из виду.

— Бедный рогоносец, — сказал я.

Лиф вновь сплюнул на гравий.

— Молитесь, чтобы в один прекрасный день Хардимен не вынудил кого-то сказать то же самое о вас.

Внезапный порыв ветра вырвался из темноты теней под стеной, и я невольно напряг плечи, чтобы противостоять ему, когда открывал дверцы машины Болтона.

Он встретил меня словами:

— Прекрасная техника по части интервью. Обучались?

— Сделал все, что мог, — ответил я.

— Ни черта вы не сделали, — сказал он. — Совершенно ничего не узнали о нынешних убийствах.

— Ну что ж. — Я огляделся вокруг.

Эрдхем и Филдс сидели за узким черным столом. Из висящей над ними роты мониторов пять прокручивали запись нашего с Хардименом интервью, а шестой показывал Алека в реальном времени, сидящего в той же позе, в какой мы его оставили: с закрытыми глазами, откинутой назад головой, поджатыми губами.

Рядом со мной Лиф просматривал записи по другому ряду мониторов, на противоположной стене, там на экранах мелькали фотографии, одни сердитые лица сменялись другими, более свежими, и все это с частотой шесть кадров каждые две минуты. Я присмотрелся и увидел, что пальцы Эрдхема ловко прыгают по клавишам компьютера, и понял, что он просматривает тюремную картотеку.

— Где вы получили санкцию на это? — спросил Лиф.

Болтон выглядел устаешим.

— У федерального судьи в пять утра. — Он подал Лифу документ. — Взгляните сами.

Я смотрел на мониторы над его головой, на которых как раз появились свежие фотопортреты заключенных. Лиф склонился рядом со мной над бумагой и медленно, водя пальцем, читал ее, я же смотрел на шесть физиономий заключенных, пока их не сменили новые. Двое из них были черными, двое белыми, у одного было так много татуировок, что он весь был зеленым, а один был похож на испанца, но его волосы, несмотря на молодость, были абсолютно белыми.

— Задержитесь на этом, — попросил я.

Эрдхем посмотрел на меня через плечо:

— Что?

— Задержите эти лица, — повторил я. — Можно это сделать?

Он снял пальцы с клавиш.

— Сделано. — Он посмотрел на Болтона. — Ни один из них не подходит, сэр.

— К чему?

Болтон сказал:

— Мы прогоняем личное дело каждого заключенного через всю тюремную базу данных, сколь бы незначительны ни были дела, чтобы выявить любую связь с Алеком Хардименом. Подходим к концу буквы «А».

— Два первых совершенно чисты, — сказал Эрдхем. — Ни одного случая контакта с Хардименом.

Теперь Лиф тоже смотрел на мониторы.

— Дайте еще раз шестой, — сказал он.

Я подошел к нему.

— Кто этот парень?

— Вы видели его раньше?

— Не знаю, — сказал я. — Его лицо кажется мне знакомым.

— Вы бы запомнили его волосы.

— Да, — сказал я, — запомнил бы.

— Эвандро Аруйо, — сказал Эрдхем. — Никаких контактов в камерах, ни во время работы, ни в свободное время, ничего общего...

— Компьютер не все знает, — сказал Лиф.

— ...по приговорам. Пытаюсь выбить из него сейчас данные об инцидентах.

Я же все смотрел на лицо. Оно было женственным и привлекательным, похожим на лицо красивой женщины. Белоснежные волосы резко контрастировали с огромными миндалевидными глазами и янтарной кожей. Сочные надутые губы также походили на женские, а ресницы были длинными и темными.

— Важный инцидент номер один: заключенный Аруйо заявляет, что был изнасилован в гидротерапевтической комнате шестого августа восемьдесят седьмого года. Заключенный отказывается опознавать предполагаемого насильника, требует одиночного заключения. Требование отклонено.

Я посмотрел на Лифа.

— Меня тогда еще здесь не было, — сказал он.

— За что он попал сюда?

— Крупный автоугон. Первое нарушение.

— И сразу сюда? — спросил я.

Болтон теперь стоял возле нас, и я вновь чувствовал запах таблеток в его дыхании.

— Крупный автоугон не тянет на максимум.

— Скажите это судье, — проговорил Лиф. — И полицейскому, чью машину Эвандро «реквизировал». Кстати, легавый был собутыльником судьи.

— Инцидент номер два: подозрение в нанесении увечья. Март восемьдесят восьмого. Никакой дальнейшей информации.

— Означает, что он сам изнасиловал кого-то, — сказал Лиф.

— Номер три: арест и процесс за непредумышленное убийство. Осужден в июне восемьдесят девятого.

— Добро пожаловать в мир Эвандро, — сказал Лиф.

— Отпечатайте это, — сказал Болтон.

Лазерный принтер зажужжал, и первое, что он выдал, была фотография, которую мы все рассматривали. Болтон взял ее и посмотрел на Лифа:

— Был ли какой-нибудь контакт между этим заключенным и Хардименом?

Лиф кивнул:

— Однако никаких документов по этому поводу нет.

— Почему?

— Потому что есть вещи, о которых знаешь и можешь это доказать, а есть такие, о которых только знаешь. Эвандро был «подружкой» Хардимена. Попал сюда подростком на девять месяцев за угон машины, а вышел через девять с половиной лет полным дегенератом.

— Что случилось с его волосами? — спросил я.

— Шок, — сказал Лиф. — После того что случилось в гидрокабинете, его нашли на полу истекающим кровью, с седой шевелюрой. После того как он вышел из лазарета, он вернулся в прежний коллектив заключенных, потому что предыдущий начальник тюрьмы не любил красавчиков, и к тому времени, как здесь появился я, он был уже тысячу раз куплен и продан и закончил все Хардименом.

— Когда он освободился? — спросил Болтон.

— Шесть месяцев тому назад.

— Прокрутите все фотографии и распечатайте их, — сказал Болтон.

Пальцы Эрдхема вновь забегали по клавиатуре, и вдруг мониторы показали пять различных фотографий Эвандро Аруйо.

Первая была из Броктонского полицейского управления. Его лицо было опухшим, правая скула как будто разбита, но глаза были нежные и испуганные.

— Разбил машину, — сказал Лиф. — Ударился головой о руль.

Следующий снимок был сделан в день его прибытия в Уолпол. Глаза все те же — огромные и испуганные, порезы и отечность ушли. У него шикарная черная шевелюра, но все те же женоподобные черты лица, похоже, даже более мягкие, немного детские.

Третью фотографию я видел впервые. Волосы уже седые, большие глаза как-то изменились, будто из них изъяли кисею чувств, как с яичной скорлупы снимают тончайшую пленку, отделяющую ее от белка.

— После того как убил Нормана Сассекса, — сказал Лиф.

На четвертой Эвандро был сильно похудевшим, а его женоподобные черты лица выглядели гротескно: физиономия дикой ведьмы на туловище молодого мужчины. Огромные глаза были яркими и кричащими, несмотря ни на что, а пухлые губы насмешливо усмехались.

— В день вынесения приговора.

Последняя фотография была сделана в день его освобождения. Он подкрасил свои волосы полосками цвета древесного угля, вернул свой вес и явно кокетничал перед фотографом.

— Каким образом этого парня освободили? — спросил Болтон. — Он выглядит совершенно чокнутым.

Я посмотрел на второе фото, молодого Эвандро, черноволосого, с чистым, без синяков, лицом, с широко открытыми, испуганными глазами.

— Он был осужден за непреднамеренное убийство, — сказал Лиф. — Необычное убийство. Даже не как соучастник. Я знаю, он ударил Сассекса ножом открыто, без провокаций, но доказать этого не могу. Раны как на Сассексе, так и на Аруйо доказывают, что между ними была драка, включающая удары ногами. — Он показал на лоб Аруйо на последнем снимке, через который пролегла тонкая белая линия. — Видите? След от ранта подошвы. Сассекс не мог рассказать, что случилось, поэтому Аруйо настаивает на самозащите, говорит, что ботинок принадлежал Сассексу, но получил восемь лет, так как судья не поверил ему, а он ничего не смог доказать. У нас серьезные проблемы по части перенаселенности тюрьмы, о чем не принято говорить, но заключенный Аруйо во всех ситуациях был образцовым заключенным и достойно заработал досрочное освобождение.

Я посмотрел на различные превращения Эвандро Аруйо. Помятый. Молодой и испуганный. Разочарованный и уничтоженный. Исхудавший и мрачный. Раздражительный и опасный. Но, вне всякого сомнения, я где-то видел его раньше.

Я перебрал в памяти все возможные варианты. На улице. В баре. В автобусе. В метро. В качестве водителя такси. В спортивном зале. В толпе. На вечеринке. В кинотеатре. На концерте. В...

— У кого есть ручка?

— Что?

— Ручка, — сказал я. — Черная. Или маркер.

Филдс подал мне, я схватил, вытащил из принтера фото Эвандро и начал размашисто рисовать на нем.

Подошел Лиф и заглянул мне через плечо:

— Почему вы рисуете ему козлиную бородку, Кензи?

Я же смотрел на лицо, которое видел в кинотеатре, лицо, фигурирующее на доброй дюжине снимков, сделанных Энджи.

— Теперь он больше не сможет прятаться, — сказал я.

24

Дэвин отсканировал снимок Эвандро Аруйо, сделанного Энджи, и Эрдхем ввел его в свой компьютер.

Мы ползли на север по шоссе номер 95, и, когда машина застряла в полуденной дорожной пробке, Болтон сказал Дэвину:

— Мне немедленно нужны все сведения о нем, — затем повернулся и прорычал Эрдхему: — Выясните, кто его инспектор.

Эрдхем посмотрел на Филдса, тот нажал кнопку и сказал:

— Шейла Лон. Офис в Солтонстолл-билдинг.

Болтон все еще говорил Дэвину:

— ...пятьсот одиннадцать, сто шестьдесят три фунта, тридцать лет, особая примета — тонкий шрам длиной один дюйм в верхней части лба, чуть ниже линии волос, след драки... — Он покрыл рукой мембрану трубки. — Кензи, позвоните ей.

Филдс дал мне номер телефона, когда фото Эвандро материализовалось на экране, и я набрал его. Эрдхем сразу стал лихорадочно нажимать кнопки, чтобы улучшить качество и цвет.

— Офис Шейлы Лон.

— Миссис Лон, пожалуйста.

— Я у телефона.

— Миссис Лон, меня зовут Патрик Кензи. Я частный детектив, мне нужна информация об одном из ваших подопечных.

— Вот так просто?

— Простите?

Наша машина втиснулась в узкий поток машин, который двигался на дюйм или два быстрее, чем остальные, поэтому нас сопровождал рев гудков.

— Вы думаете, что я выложу вам все о своем подопечном только потому, что вы представились частным детективом, да еще и по телефону?

— Да, но...

Болтон наблюдал за мной, слушая, что говорит Дэвин, поэтому подошел, выхватил трубку и заговорил в нее уголком рта, по-прежнему продолжая слушать собеседника другим ухом:

— Офицер Лон, это специальный агент Бертон Болтон из ФБР. Я направлен в бостонский офис, мой номер 604192. Позвоните и удостоверьтесь, не прерывая связь с детективом Кензи. Это дело федерального значения, и мы надеемся на ваше сотрудничество.

Он вернул мне телефон и сказал Дэвину:

— Продолжайте, я слушаю.

— Привет еще раз, — сказал я.

— Привет, — ответила она. — Чувствую себя провинившейся. Не перед кем иным, как перед человеком по имени Бертон. Ждите.

Пока я ждал на проводе, машинально смотрел в окно. Наша машина вновь изменила направление, и мне пришлось увидеть, что такое внезапная остановка. Какая-то «вольво» натолкнулась сзади на «датсан», и одного из водителей уже переносили в карету «скорой помощи». Его лицо было залито кровью и посыпано мелкими осколками стекла, а руки он почему-то неуклюже держал перед собой, как будто не был уверен, что он в полной безопасности.

Однако инцидент ни на секунду не блокировал движение, каждый проезжающий лишь замедлял скорость, чтобы получше рассмотреть. Из одной машины, прямо перед нами, даже вели съемки видеокамерой — очевидно, это делал пассажир, сидевший у окна. Видимо, домашнее кино для жены и детей. Вот, сынок, смотри, серьезное ранение лица.

— Мистер Кензи?

— Я слушаю.

— Получила вторичное внушение. На этот раз от босса агента Болтона за то, что отнимаю у ФБР драгоценное время на такие банальные проблемы, как защита прав моих подопечных. Итак, информация о ком из моих ребят вам нужна?

— Эвандро Аруйо.

— Зачем?

— Она нам очень нужна. Это все, что я могу сказать.

— Ясно. Валяйте.

— Когда вы видели его в последний раз?

— Две недели тому назад, в понедельник. Эвандро пунктуален. По сравнению с большинством он просто мечта.

— В каком смысле?

— Никогда не пропускает встречи, никогда не опаздывает, нашел работу в течение двух недель с момента освобождения...

— Где именно?

— Фирма «Хартоу Кэннел» в Свомпскотте.

— Какой адрес и номер телефона?

Она назвала, я записал, вырвал листок и подал его Болтону, когда он повесил трубку. Лон продолжала:

— Его хозяин, Хэнк Риверс, обожает его, говорит, всегда нанимал бы только бывших заключенных, если бы все были такие, как Эвандро.

— А где он живет, офицер Лон?

— Можно просто «мисс». Адрес, дайте-ка взгляну, вот: Кастер-стрит, 205.

— Где это?

— В Брайтоне.

Колледж Брайс был рядом. Я записал адрес и подал его Болтону.

— Он в беде? — спросила Лон.

— Да, — ответил я. — Если увидите его, мисс Лон, не приближайтесь к нему. Звоните агенту Болтону по телефону, который он дал вам.

— Но если он придет сюда? Следующее посещение у него менее чем через две недели.

— Он не придет. Но если это случится, заприте дверь на замок и зовите на помощь.

— Думаете, это он распял ту девушку несколько недель тому назад?

Машина сейчас шла быстро, но мне показалось, что движение вокруг остановилось.

— Почему вы так решили? — спросил я.

— Однажды он кое-что сказал.

— Что именно?

— Я уже говорила, и вы должны понять, он один из самых покладистых моих подопечных, и всегда очень мил и вежлив, и даже, черт возьми, присылал мне цветы в больницу, когда я сломала ногу. Поверьте, я не новичок по части бывших заключенных, мистер Кензи, но Эвандро действительно выглядел честным малым, который оступился, но не хочет повторения прошлого.

— Что он говорил по поводу распятия?

Болтон и Филдс смотрели на меня, и я видел, что даже Эрдхем, обычно равнодушный ко всему, следил за моей реакцией по своему монитору.

— Однажды мы заканчивали нашу беседу, и я заметила, что он сосредоточил свой взгляд на моей груди. Сначала я подумала, сами понимаете, что его интересует мой бюст, но затем поняла, что он рассматривает крест с распятием, который я ношу на цепочке. Обычно он у меня спрятан под рубашкой, но в этот день, видимо, он выпал, и я этого не заметила, пока не поймала взгляд Эвандро, направленный на него. И это не был добрый взгляд, он был скорее хищный, если вам понятно, что я имею в виду. Когда я спросила его, что привлекло его внимание, он сказал: «Что вы думаете по поводу распятий, Шейла Лон?» Не офицер Лон или мисс Лон, а просто Шейла Лон.

— И что же вы ответили?

— Я сказала: «Смотря в каком смысле» или что-то в этом роде.

— А Эвандро?

— «В сексуальном, конечно». — Думаю, «конечно» он добавил для меня, а на самом деле он имел в виду прямое значение этого слова.

— Вы подали рапорт об этом разговоре?

— Кому? Шутите, что ли? Ко мне приходят до десятка мужчин в день, мистер Кензи, и говорят мне гораздо более гадкие вещи, но они не нарушают закон, хотя я могла бы расценить это как сексуальные домогательства, если б не знала, что мои коллеги-мужчины выслушивают то же самое.

— Мисс Лон, — сказал я, — в нашем разговоре вы сразу же перекинули мостик от моих первоначальных вопросов к своему, по поводу Эвандро и распятой девушки, хотя я и словом не обмолвился о его желании убить кого-то...

— Но вы сотрудничаете с ФБР и посоветовали мне держаться от него подальше.

— Однако если Эвандро был таким образцовым подопечным, почему в вашем сознании возникла эта логическая связь? Раз уж он так хорош, как вы могли подумать...

— Что он мог распять ту девушку?

— Да.

— Потому что... На этой работе, мистер Кензи, приходится ежедневно выбрасывать из своей головы все постороннее. Иначе здесь просто не удержаться. И я почти полностью забыла разговор о распятии, пока не увидела статью о девушке, которую убили. И тогда я моментально все вспомнила, особенно ощущение, когда он говорил мне: «В сексуальном, конечно» и посмотрел на меня, всего какая-то секунда, но взгляд был пропитан грязью, будто он раздевал меня, уязвляя мое самолюбие. Но в еще большей степени я ощутила чувство страха, тоже лишь на секунду, потому что почувствовала, что он обдумывает...

Наступила долгая пауза, она искала нужные слова.

— Как распять вас? — спросил я.

Она резко выдохнула:

— Вот именно. — Она тяжело вздохнула.

— Кроме цвета волос и бородки, — сказал Эрдхем, разглядывая фотографию Эвандро в цвете и с максимальной резкостью на экране монитора, — он определенно изменил линию своих волос.

— Каким образом?

Он взял последний снимок Эвандро, сделанный в тюрьме.

— Видите шрам от пореза в верхней части лба?

— Черт, — сказал Болтон.

— Теперь его не видно, — сказал Эрдхем и постучал по экрану.

Я посмотрел на снимок, сделанный Энджи, когда Эвандро выходил из бара «Сансет грилл». Действительно, линия волос у него была по крайней мере на полдюйма ниже, чем при выходе из тюрьмы.

— Не думаю, что это часть маскировки, — сказал Эрдхем. — Слишком ничтожная деталь. Большинство людей никогда бы не заметило разницу.

— Он тщеславен, — сказал я.

— Точно.

— Что еще? — спросил Болтон.

— Смотрите сами.

Я посмотрел на обе фотографии. Сначала было довольно трудно преодолеть контраст между седым человеком и шатеном, но постепенно...

— Глаза, — сказал Болтон.

Эрдхем кивнул:

— Карие от природы, но зеленые на фото, сделанном напарницей мистера Кензи.

Филдс включил свой телефон.

— Агент Болтон.

— Да? — Он отвернулся от нас.

— Скулы, — сказал я, заметив собственное отражение на экране поверх портрета Эвандро.

— А вы молодец, — сказал Эрдхем.

— Ни дома, ни на работе его нет, — сказал Филдс. — В квартире он не появлялся уже две недели, а босс утверждает, что два дня тому назад он сказался больным, и с тех пор его не видели.

— Хочу, чтобы в оба места послали агентов.

— Они уже выехали, сэр.

— Так что там со скулами? — спросил Болтон.

— Имплантация, — сказал Эрдхем. — Это мое предположение. Видите? — Он трижды нажал на какую-то кнопку, и фото Эвандро стало увеличиваться до тех пор, пока мы не смогли рассмотреть в отдельности его спокойные зеленые глаза, верхнюю половину носа и, наконец, скулы. Эрдхем ткнул ручкой в левую скулу. — Ткань в этом месте гораздо мягче, чем на том фото. Черт, да там вообще нет мяса. Но вот здесь... И взгляните, в этом месте кожа почти потрескалась, даже немного покраснела. Это потому, что она не привыкла быть натянутой, словно кожа на волдыре, который собирается лопнуть.

— Вы — гений, — сказал Болтон.

— Безусловно, — сказал Эрдхем, и его глаза вспыхнули за стеклами очков, как у ребенка, увидевшего свечи в день рождения. — Но он очень осторожен. Он не идет на явные изменения, чтобы не вспугнуть инспектора, под чьим наблюдением находится, или квартирного хозяина. Правда, это не относится к волосам, — поспешно сказал он, — но тут уж каждый поймет. Зато он увлекается малозаметными, но искусными изменениями. Можно сколько угодно пропускать его нынешние снимки через компьютер, но если вы не будете в точности знать, что ищете, то не найдете различия с его тюремными фотографиями.

На повороте на 93-е шоссе в Брейнтри машину немного встряхнуло, отчего мы с Болтоном на миг уперлись ладонями в крышу.

— Если он продумал все наперед, — сказал я, — значит, он уже тогда знал, что мы будем искать его или кого-то, похожего на него. — Я указал на экран компьютера.

— Несомненно, — согласился Эрдхем.

— Тогда, — сказал Болтон, — он допускает, что может быть пойман.

— Похоже, это он, — сказал Эрдхем. — Зачем, спрашивается, ему понадобилось копировать убийства Хардимена?

— Он знает, что будет пойман, — сказал я, — и ему все равно.

— Возможно, все гораздо хуже, — сказал Эрдхем. — Возможно, он даже хочет, чтобы его поймали, и это означает, что все эти смерти — своего рода послание, и он будет убивать до тех пор, пока мы не выясним, что к чему.

— Пока вы беседовали по телефону с инспектором Аруйо, сержант Амронклин рассказал мне кое-что интересное.

С 93-го машина свернула у «Хеймаркета», и вновь, чтобы удержать равновесие, нам с Болтоном пришлось упереться в крышу.

— А конкретно?

— Он встретился с соседкой Кары Райдер по комнате в Нью-Йорке. Мисс Райдер три месяца назад познакомилась с молодым актером на курсах по сценическому мастерству. Он сказал, что живет на Лонг-Айленде, а в Манхэттен приезжает раз в неделю на семинар. — Он посмотрел на меня. — Догадались?

— У парня была козлиная бородка.

Он кивнул. И представился он Иваном Харди-меном. Как вам это? Соседка мисс Райдер также сказала, цитирую: «Он был самым чувственным мужчиной, который когда-либо жил на этой земле».

— Чувственный, — сказал я.

Он поморщился:

— Сами понимаете, она же занимается драмой.

— Что еще она сказала?

— Передала слова Кары о том, что этот парень был самым лучшим любовником из всех, кого она знала. «Просто рай на земле» — так она описывала их отношения.

— И конец она получила «райский».

— Мне нужен краткий психологический портрет, и немедленно, — сказал Болтон, когда мы поднимались с ним в лифте. — Мне надо знать об Аруйо все, с момента его рождения до сего дня.

— Будет сделано, — сказал Филдс.

Он вытер лицо рукавом.

— Мне нужен тот же список, который мы делали по Хардимену, сличение данных всех, кто вступал в контакт с Аруйо, когда он был в тюрьме, и отправьте агента по каждому адресу к завтрашнему утру.

— Будет сделано. — Филдс нацарапал что-то впопыхах в свой блокнот.

— И если живы еще его родители, посадите в их дом полицейских, — сказал Болтон, снимая плащ и тяжело дыша. — Черт, да в любом случае. И еще разослать агентов в дома всех любовниц и любовников, которые у него были, и вообще всех друзей, какие были, а также всяких там девочек и мальчиков, которые отвергли его притязания.

— Для этого нужно много сотрудников, — сказал Эрдхем.

Болтон пожал плечами:

— По сравнению со средневековой рукописью современный печатный станок стоит намного дороже, но зато и результат куда весомее. Я хочу новые описания всех сцен преступления, свежие отчеты каждого бостонского салаги, которые прикасались к ним до нашего прибытия. Мне нужны главные действующие лица из списка Кензи. — Он стал считать по пальцам: — Херлихи, Рауз, Константине, Пайн, Тимпсон, Дайандра Уоррен, Глинн, Голт — новые допросы и подробная, нет, *исчерпывающая* проверка их прошлого на предмет возможных связей с Аруйо. — Он полез в свой внутренний карман за ингалятором как раз в тот момент, когда лифт остановился. — Все понятно? Да? Тогда приступайте.

Двери раскрылись, и он вышел, шумно вдыхая пары ингалятора.

Сзади меня Филдс спрашивал Эрдхема:

— «Исчерпывающий» пишется через «и» или «е»?

— Да по фигу, — ответил Эрдхем.

Болтон расслабил свой галстук настолько, что один конец упал ему на грудь, затем тяжело опустился в кресло позади своего стола.

— Закройте за собой дверь, — сказал он.

Я закрыл. Его лицо было пунцовым, дыхание затруднено.

— С вами все в порядке?

— Лучше быть не может. Расскажите мне о своем отце.

Я сел.

— Рассказывать, собственно, нечего. Думаю, Хардимен просто блефовал, пытаясь огорошить меня подобной туфтой.

— Мне так не показалось, — сказал Болтон, выжав из своего ингалятора небольшую порцию. — Когда он говорил, вы втроем стояли к нему спиной, а я следил за ним на экране. Так вот, когда он говорил о вашем отце, было впечатление, что он сбросил с себя какое-то бремя, которое таил, чтобы нанести точный удар. — Болтон провел рукой по волосам. — У вас что, действительно был в детстве чубчик или вихор?

— Как у большинства ребят.

— Но когда они вырастают, их не требуют к себе серийные убийцы.

Подняв руку, я кивнул.

— У меня был вихор, агент Болтон. Обычно он был чуть заметен, и то когда я порядком потел.

— Почему?

— Думаю, потому, что я был тщеславен. Я мазал волосы всякой дрянью, чтобы они выглядели прилизанными.

Болтон кивнул.

— Он знал вас.

— Не знаю, что вам ответить, агент Болтон. Я никогда раньше его не встречал.

Он снова кивнул.

— Расскажите мне о своем отце. Вы понимаете, что я уже направил людей разузнать о нем.

— Вполне допускаю.

— Кем он был?

— Подонком, который любил причинять боль, Болтон. Я не хочу о нем говорить.

— Прошу прощения, — сказал он, — но ваши личные ощущения в данный момент ничего не зна-

чат для меня. Я пытаюсь покончить с Аруйо и прекратить кровопролитие...

— И использовать это дело для стремительного
повышения.

Он поднял бровь и энергично кивнул:

— Совершенно верно. Не сомневайтесь.
Я не знаю никого из этих жертв, мистер Кензи,
и, если говорить абстрактно, я не хочу, чтобы люди
умирали. Вообще. Но, говоря конкретно, у меня нет
никаких чувств к погибшим. И кстати, мне платят не за это. Мне платят за то, чтобы я прижимал к ногтю людей вроде Аруйо, этим я и занимаюсь. И если по ходу дела я еще и делаю карьеру,
разве это не идеальный вариант? — Его маленькие
глазки широко раскрылись. — А теперь расскажите о своем отце.

— Большую часть своей жизни он прослужил
в Бостонском пожарном управлении в чине лейте-
нанта. Позднее он ударился в региональную поли-
тику, стал городским советником. Вскоре заболел
раком легких и умер.

— Вы, видно, не очень ладили.

— Именно так. Он был какой-то чумной. Все,
кто знал его близко, боялись его, большинство
ненавидело. У него не было друзей.

— Однако вы, кажется, его противоположность.

— Что вы имеете в виду?

— Ну, вас все любят. Вы очень нравитесь сержан-
там Амронклику и Ли, Лиф предпочитает симпати-
зировать вам на расстоянии, и вообще, судя по тому,
что я слышал о вас с тех пор, как взялся за это дело,
вы умеете налаживать крепкие связи с людьми
самых противоположных взглядов и общественного
положения, как, например, обозреватель либераль-

ной газеты и психопат, торговец оружием. У вашего отца не было друзей, зато у вас их с избытком. Ваш отец был жесток, однако за вами неконтролируемых склонностей не замечено.

Да, сказал бы ты это Мариону Сосия, подумал я.

— И вот что мне пришло на ум, мистер Кензи: ведь если Алек Хардимен заставил Джейсона Уоррена платить за грехи его матери, то, вполне возможно, он выбрал вас, чтобы вы заплатили за грехи своего отца.

— Все хорошо, агент Болтон. Но Дайандра непосредственно повлияла на его приговор. Однако между моим отцом и Хардименом никакой связи нет.

— Точнее, она пока не обнаружена. — Он откинулся на спинку кресла. — Взгляните на это моими глазами. Все началось с того, что Кара Райдер, актриса, вошла в контакт с Дайандрой Уоррен, используя псевдоним Мойра Кензи. Это не было простой ошибкой. Это было послание. Можно вполне допустить, что вынудил ее к этому шагу Аруйо. Она намекает на Кевина Херлихи при соучастии Джека Рауза. Вы вступаете в контакт с Джерри Глинном, который в свое время работал с отцом Алека Хардимена. Он, в свою очередь, указывает на самого Хардимена, который совершил убийство Чарльза Рагглстоуна в вашей округе. Мы также допускаем, что он убил Кола Моррисона. Опять же в вашей округе. Далее, если оглянуться назад, в то время, когда вы и Кевин Херлихи были детьми, Джек Рауз содержал бакалейную лавку, Стэн Тимпсон и Дайандра Уоррен жили в нескольких кварталах от него, мать Кевина Херлихи, Эмма, была домохозяйкой, Джерри Глинн был полицейским, а ваш отец, мистер Кензи, пожарным.

Болтон подал мне карту, размером 8 на 11, на которой были изображены округа Эдвард-Эверетт-сквеа, Сейвин-Хилл и Коламбия-Пойнт. Кто-то очертил карандашом круг, включавший в себя приход Святого Барта, куда опять же входили Эдвард-Эверетт-сквер, Блейк-Ярд, вокзал Джей-Эф-Кей/Мэсс, участок Дорчестер-авеню, начиная от границы Южного Бостона и заканчивая собором Святого Уильяма в Сейвин-Хилл. Внутри круга были отмечены пять маленьких черных квадратиков и два больших синих круга.

— Что означают квадратики? — Я взглянул на него.

— Приблизительное местожительство в 1974 году Джека Рауза, Стэна и Дайандры Тимпсон, Эммы Херлихи, Джерри Глинна и Эдгара Кензи. Два синих круга — это места убийств Кола Моррисона и Чарльза Рагглстоуна. Квадратики и точки находятся на расстоянии четверти мили друг от друга.

Я посмотрел на карту. Моя округа. Крошечная, всеми забытая труднодоступная местность, заполненная трехэтажными домами с выцветшими рамами, уютными тавернами и угловыми магазинчиками. Не считая неизбежных скандалов в барах, тут не случалось ничего примечательного. И тем не менее она удостоилась пристального внимания со стороны ФБР.

— То, на что вы смотрите, — сказал Болтон, — не что иное, как зона убийств.

Я позвонил Энджи из пустого конференц-зала. Она ответила после четвертого звонка, задыхаясь:

— Привет, я только что вошла.

— Что делаешь?

— Разговариваю с тобой, дуралей, и открываю почту. Счет, счет, реклама ресторана, счет, счет, счет...

— Как там Мэй?

— Хорошо. Я только что вручила ее Грейс. А как у тебя прошел день?

— Парня с бородкой зовут Эвандро Аруйо. Он был «дружком» Алека Хардимена в тюрьме.

— Ерунда.

— Ничуть. Похоже, он тот, кого мы ищем.

— Но ведь он не знает тебя.

— Верно.

— Тогда зачем ему оставлять твою визитку в руке Кары Райдер?

— Совпадение?

— Ладно. А убийство Джейсона тоже?

— Действительно, большое совпадение.

Энджи вздохнула, и я услышал, как она вскрывает конверт.

— Бессмыслица какая-то.

— Согласен, — сказал я.

— Расскажи мне о Хардимене.

Я так и сделал, затем поведал о проведенном дне, она же продолжала вскрывать конверты и повторяла «да, да» своим обычным рассеянным тоном, который мог бы вывести из себя кого угодно, но не меня, потому что я знал ее слишком хорошо, в том числе ее способность одновременно говорить по телефону, слушать радио, смотреть телевизор, готовить пасту, вести разговор с кем-то в комнате и в то же время слышать каждое слово, произнесенное мной.

Но где-то в середине моего рассказа ее «да» прекратились, и в ответ я слышал только тишину, но в ней не было оттенка восхищения, она была тягостной.

— Энджи.

Молчание.

— Энджи! — повторил я.

— Патрик... Патрик...

— Что? Что случилось?

— Я получила по почте фотографию.

Я вскочил со стула так быстро, что огни города за окном замелькали у меня перед глазами, закручиваясь в вихрь.

— Чью?

— Мою. С Филом.

25

— И я должен бояться этого парня? — Фил взял одну из фотографий Эвандро, сделанную Энджи.

— Да, — сказал Болтон.

Фил подбросил снимок в руке.

— Но я не боюсь.

— Поверь мне, Фил, — сказал я, — ты должен.

Он посмотрел на всех нас — Болтона, Дэвина, Оскара, Энджи и меня, набившихся в маленькую кухню Энджи, и покачал головой. Он вытащил из-под пиджака пистолет, нацелил его в пол и проверил заряд.

— О Иисусе, Фил! — воскликнула Энджи. — Убери его.

— У вас есть разрешение на него? — спросил Дэвин.

Фил опустил глаза, корни его волос потемнели от пота.

— Мистер Димасси, — сказал Болтон, — он вам не понадобится. Мы защитим вас.

— Разумеется, — очень мягко сказал Фил.

Мы ждали, пока он посмотрел на фото, которое положил на столешницу, затем перевел взгляд на пистолет в своей руке, и из него начал медленно сочиться страх. Он вдруг взглянул на Энджи, затем снова на пол, и я понял, что он пытается мысленно прокрутить все факты. Он пришел с работы домой, у входа его встретили федеральные агенты, которые привели его сюда и сообщили, что некто, с кем он никогда не встречался, вознамерился лишить его жизни, причем, возможно, на этой неделе.

Наконец он поднял голову, его обычно смуглая кожа была цвета снятого молока. Он поймал мой взгляд, на его лице вспыхнула мальчишеская улыбка, и он кивнул мне, будто мы с ним тут заодно.

— Ладно, — сказал он. — Допустим, напугали.

Нарыв напряженности, который постепенно набухал в кухне, мягко лопнул и вытек под боковую дверь.

Фил положил пистолет на плиту, взгромоздился на столешницу и, недоуменно подняв одну бровь, обратился к Болтону:

— Итак, расскажите мне об этом парне.

В эту минуту в дверях кухни появилась голова одного из агентов.

— Агент Болтон! Никаких признаков, что кто-то пытался взломать замок или приближался к дому. Жучков в квартире тоже нет, все чисто. Внутренний двор зарос травой, и, по всей видимости, по нему никто не ходил в течение по крайней мере месяца.

Болтон кивнул, и агент исчез.

— Агент Болтон, — сказал Фил.

Болтон повернулся к нему:

— Будьте любезны, расскажите мне о парне, который хочет убить меня и мою жену.

— Бывшую, Фил, — мягко заметила Энджи, — бывшую.

— Простите. — Он посмотрел на Болтона. — Меня и мою бывшую жену.

Болтон облокотился на холодильник, Дэвин и Оскар уселись в кресла, я же взобрался на столешницу по другую сторону плиты.

— Имя этого человека Эвандро Аруйо, — сказал Болтон. — Он подозревается в четырех убийствах на протяжении последнего месяца. В каждом случае он посылал фотографии будущих жертв им самим или их близким.

— Вот такие. — Фил указал на его фото с Энджи, которая теперь лежала на кухонном столе, покрытая порошком для выявления отпечатков пальцев.

— Да.

Фотография была сделана недавно. Упавшие листья, устилавшие передний план, были самых разнообразных оттенков. Фил, опустив голову, слушал Энджи, которая говорила что-то, повернувшись к нему. Они шли по участку газона с дорожкой, который пересекает Коммонуэлс-авеню.

— Но в самом снимке нет ничего угрожающего. Болтон кивнул.

— За исключением того, что он был сделан и послан мисс Дженнаро. Вы когда-нибудь слышали об Эвандро Аруйо?

— Нет.

— Об Алеке Хардимене?

— Никогда.

— А о Питере Стимовиче или Памеле Стоукс? Фил задумался:

— Эти имена мне вроде знакомы.

Болтон открыл папку с бумагами, которая была в его руке, и протянул Филу фотографии Стимовича и Стоукс.

Лицо Фила помрачнело.

— Не этого ли парня закололи насмерть на прошлой неделе?

— Гораздо хуже, — сказал Болтон.

— Газеты писали, закололи, — не унимался Фил. — Подозревали бывшего любовника его нынешней подружки.

Болтон покачал головой:

— Эту историю подбросили прессе мы. У девушки Стимовича не было любовника.

Фил взял фото Памелы Стоукс:

— Ее тоже убили?

— Да.

Фил протер глаза.

— Черт, — произнес он с какой-то дрожью — то ли смехом, то ли всхлипом.

— Может быть, вы все-таки встречали кого-то из них?

Фил покачал головой.

— А как насчет Джейсона Уоррена?

Фил посмотрел сверху вниз на Энджи.

— Тот парнишка, которого вы брались защитить? И все-таки он погиб?

Она кивнула. С тех пор как мы приехали, она почти не говорила. Не выпуская изо рта сигарету, она смотрела из окна на внутренний двор.

— А как насчет Кары Райдер? — спросил Болтон.

— Она что, тоже убита этим подонком?

Болтон кивнул.

— Иисусе. — Фил осторожно сполз со столешницы, будто не был уверен, что внизу его ждет пол. Он тяжело пересек кухню, подошел к Энджи, взял у нее из пачки сигарету, зажег ее и посмотрел на свою бывшую жену.

Она тоже посмотрела на него, причем так, как смотрят на человека, который только что узнал, что болен раком. В ее взгляде сквозила нерешительность, что лучше: дать ему возможность выплеснуть эмоции, разразиться бранью или не отходить ни на шаг, чтобы удержать, если дело дойдет до самоубийства.

Он прильнул рукой к ее щеке, она прижалась к ней, и нечто глубоко интимное, притягивающее их друг к другу, промелькнуло между ними.

— Мистер Димасси, вы знали Кару Райдер?

Фил медленно, но с нежностью отнял руку от щеки Энджи и вернулся назад к столешнице.

— Я, как и все, знал ее еще в детстве.

— Видели ее недавно?

Фил покачал головой:

— Нет, три-четыре года назад. — Он посмотрел на свою сигарету и стряхнул пепел в раковину. — Почему именно мы, мистер Болтон?

— Пока не знаем, — сказал Болтон, и в его голосе зазвучало отчаяние, смешанное с раздражением. — Мы сейчас охотимся за Аруйо, и его лицо к завтрашнему утру появится во всех газетах Новой Англии. Он не сможет долго прятаться. Мы до сих пор не знаем, почему он выбирает людей, за исключением, пожалуй, случая с Уорреном, где прослеживается мотив, но в данный момент мы знаем, кто станет его мишенью, поэтому мы будем охранять вас и мисс Дженнаро.

В кухне появился Эрдхем:

— Вокруг этих двух домов и квартиры мистера Димасси все спокойно.

Болтон кивнул и потер лицо своей мясистой рукой.

— Что ж, мистер Димасси, — сказал он, — вот так обстоят дела. Двадцать лет тому назад мужчина по имени Алек Хардимен убил своего друга, Чарльза Рагглстоуна, произошло это на складе в шести кварталах отсюда. Мы уверены, что оба совершили в это время целую серию убийств, наиболее зверским из которых было распятие Кола Моррисона.

— Я помню Кола, — сказал Фил.

— Вы хорошо его знали?

— Нет. Он был на пару лет старше. Однако я не слышал о распятии. Он был задушен.

Болтон покачал головой.

— И вновь история, запущенная в средства массовой информации, чтобы выиграть время и устранить психов, которые то и дело признаются в убийствах знаменитостей, к примеру братьев Кеннеди, которые они совершили перед завтраком. Моррисон был распят. Шесть дней спустя Хардимен вошел в раж и проделал ту же убийственную работу над своим партнером, постаравшись при этом за десятерых. Речь идет о Рагглстоуне. Никто не знает, почему это случилось, известно лишь, что оба они в тот момент были сильно накачаны наркотиками и алкоголем. Хардимен попал в тюрьму Уолпол на пожизненное заключение, а спустя двенадцать лет взял себе в дружки Аруйо и превратил его в психопата. Когда он только попал в тюрьму, это был сравнительно невинный парнишка, но вышел он оттуда абсолютным садистом.

— Если увидите его, Фил, — сказал Дэвин, — ноги в руки.

Фил сглотнул и слегка кивнул.

— Аруйо вышел шесть месяцев назад, — сказал Болтон. — Мы полагаем, что у Хардимена есть контакт за пределами тюрьмы, второй убийца, который либо поощряет, либо гасит тягу Аруйо к убийству. Мы постепенно склоняемся к этой версии. По какой-то непонятной причине Хардимен, Аруйо и этот третий соучастник указывают нам на конкретный район — вашу округу. И наводят нас на конкретных людей — мистера Кензи, Дайандру Уоррен, Стэна Тимпсона, Кевина Херлихи и Джека Рауза, но мы не знаем почему.

— А эти другие — Стимович и Стоукс, — какое они имеют отношение к нашей округе?

— Уверены, это простое совпадение, случайность. Устрашающие убийства без видимой мотивации, одним словом, убийство ради убийства.

— Тогда почему они охотятся за нами?

Болтон пожал плечами:

— Возможно, это просто уловка. Мы не знаем. Может, зная, что мисс Дженнаро участвует в расследовании, они пытаются отвлечь ее внимание и увести в другую сторону. Как Аруйо, так и его неизвестный партнер с самого начала постарались, чтобы мистер Кензи и мисс Дженнаро взялись за это дело. Роль Кары Райдер была разработана специально для этой цели. А возможно, — добавил Болтон, глядя на меня, — он пытается заставить мистера Кензи сделать выбор, о котором говорил Хардимен.

Все посмотрели на меня.

— Хардимен сказал, я вынужден буду сделать некий выбор. Он сказал: «Не все, кого вы любите, выживут». Возможно, мой выбор будет состоять в том, кого спасти — Фила или Энджи.

Фил покачал головой.

— Но каждый, кто знает нас, знает и другое, Патрик: мы не общались уже более десяти лет.

Я кивнул.

— А раньше? — спросил Болтон.

— Мы были как братья, — сказал Фил. Я хотел услышать в его голосе горечь или сожаление, но вместо них прозвучала спокойная, грустная констатация.

— И как долго? — спросил Болтон.

— С колыбели и, кажется, лет до двадцати. Верно?

Я пожал плечами:

— Где-то так.

Взглянул на Энджи, но она устремила свой взгляд в пол.

Болтон сказал:

— Хардимен утверждал, мистер Кензи, что вы с ним раньше встречались.

— Никогда не видел этого человека.

— Или не припоминаете.

— Ну уж это лицо я бы запомнил, — сказал я.

— Если бы видели его взрослым — конечно. А в детстве?

Болтон подал Филу две фотографии Хардимена, одну 1974 года, другую из последних.

Фил смотрел на них, и я видел, что ему хотелось узнать Хардимена, чтобы понять причину, почему этот человек хочет его смерти. Он то и дело закрывал глаза, делал громкий выдох и качал головой.

— Никогда не видел этого парня.

— Уверены?

Фил вернул фотографии:

— Абсолютно.

— Что ж, очень плохо, — сказал Болтон, — потому что теперь он вошел в вашу жизнь.

В восемь часов один из агентов отвез Фила домой, а Энджи, Дэвин, Оскар и я направились ко мне, чтобы выслушать мой рассказ о событиях, имевших место накануне вечером.

Болтон хотел, чтобы Энджи выглядела одинокой и ранимой, но мы убедили его в том, что, если Эвандро или его партнер изучали нас, то мы должны выглядеть так же, как всегда. Да и наше времяпрепровождение с Дэвином и Оскаром не могло вызвать подозрений, так как мы встречались с ними по крайней мере раз в месяц, правда, не всегда в трезвом виде.

Что же касается моего решения жить в одной квартире с Энджи, то я собрался осуществить его независимо от мнения Болтона.

Однако на самом деле идея ему понравилась.

— Когда мы все встретились, я сразу подумал, что вы спите вместе, поэтому, уверен, Эвандро предполагает то же самое.

— Ну и свинья же вы! — сказала Энджи, на что Болтон только пожал плечами.

Когда мы прибыли ко мне домой, то расположились в кухне, пока я снимал белье с сушилки и заталкивал его в спортивную сумку. Выглянув в окно, я увидел Лайла Диммика, завершающего дневную работу — он вытирал краску с рук и погружал кисти в банку с растворителем.

— Так как ваши взаимоотношения с федералами? — спросил я Дэвина.

— С каждым днем все хуже, — ответил он. — Как думаете, почему нас отстранили от сегодняшнего визита к Алеку Хардимену?

— Значит, вас понизили в должности до уровня наших нянек? — съязвила Энджи.

— Наоборот, — сказал Оскар, — на самом деле мы сами попросили дать нам столь специфическое задание. Не можем дождаться, чтобы увидеть вас двоих в тесном общении в этой маленькой квартире.

Он посмотрел на Дэвина, и оба расхохотались.

Дэвин нашел игрушечную лягушку, которую Мэй оставила на кухне, и взял ее в руки.

— Твоя?

— Нет, Мэй.

— Разумеется. — Он поставил ее перед собой и стал строить ей рожицы. — Боюсь, вам захочется задержать этого парня подольше, — сказал он, — просто чтобы потягаться силами.

— У нас уже есть опыт совместной жизни. — Сказав это, Энджи поморщилась.

— Верно, — ответил Дэвин, — но всего две недели. Ведь тогда, Эндж, ты поругалась с мужем. И если мне не изменяет память, вы не слишком миловались в то время. Патрик практически переехал в Фэнвей-Парк, ты же проводила ночи в клубах на Кенмор-сквер. А теперь вы вынуждены жить вместе до конца расследования. А оно может продлиться месяцы, а то и годы. — Он обратился к лягушке: — Что ты думаешь на этот счет?

Пока Дэвин с Оскаром хихикали, а Энджи дымила, я выглянул в окно. Лайл как раз спускался со строительных лесов, неуклюже придерживая одной рукой радио и ведерко для охлаждения напитков, из заднего кармана у него торчала бутылка пива.

Тут что-то насторожило меня. Я никогда не видел, чтобы он работал после пяти часов, а сейчас была половина девятого. Кроме того, утром он сказал мне, что у него болит зуб...

— В этом доме есть чипсы? — спросил Оскар.

Постояв немного в раздумье, Энджи направилась к навесным полкам над плитой.

— У Патрика вряд ли может быть большой запас еды. — Она открыла левую секцию, пошарила по банкам.

В это утро мы с Мэй завтракали, но это было после моего разговора с Лайлом. Потом было общение с Кевином, я вернулся в кухню, позвонил Буббе...

— Что я говорила? — вопрошала Энджи у Оскара, открывая среднюю секцию. — Здесь тоже никаких чипсов.

— Вдвоем вам будет очень хорошо, — сказал Дэвин. Потом я попросил Лайла сделать музыку потише, потому что Мэй еще спала. И он сказал...

— Последняя попытка. — Энджи добралась до двери третьей секции.

— ...что не возражает, так как у него назначен прием у дантиста, и он работает только полдня.

Я встал и выглянул в окно, обвел взглядом двор, участок под лесами. В этот момент Энджи что-то вскрикнула и оставила секцию в покое.

Двор был пуст. «Лайл» исчез.

Я посмотрел на буфет, и первое, что заметил, были лежащие там глаза, устремленные на меня. Они были голубые, человеческие и... сами по себе.

Оскар схватил свой мобильник.

— Дайте мне Болтона. Сейчас.

Энджи ударилась бедром о стол:

— Черт...

— Дэвин, — сказал я, — этот маляр...

— Лайл Диммик, — сказал он. — Мы его проверили.

— Это был не Лайл, — сказал я.

Когда Болтон взял трубку, в разговор вступил Оскар.

— Болтон, — сказал он. — Высылайте своих людей. Аруйо здесь, в этом районе, переодетый в маляра. Он только что ушел.

— Куда направился?

— Не знаю. Высылайте своих людей.

— Выезжаем.

Перепрыгивая через три ступеньки, мы с Энджи спустились на крыльцо, выходящее на задний двор. Пистолеты были на взводе. Аруйо мог уйти в трех направлениях. Если он ушел на запад огородами, он все еще в пути, потому что на протяжении четырех кварталов на этой стороне нет поперечной улицы. Если он пошел на север в сторону школы, он попадет в руки ФБР. Таким образом, остается южное направление — следующий квартал, позади моего, или восточное, в сторону Дорчестер-авеню.

Я выбрал юг, Энджи отправилась на север.

И никто из нас не нашел его.

Ни Дэвин, ни Оскар.

Не повезло и людям из ФБР.

В девять вечера над нашей округой появился вертолет, были задействованы также собаки, агенты прочесывали дома. Мои соседи имели на меня зуб по поводу прошлогодних событий, когда я чуть не устроил бандитскую разборку у порога дома; могу только представить, какие древние кельтские проклятия посылали они на мою голову в этот вечер.

Эвандро Аруйо перехитрил систему наблюдения, прикинувшись Лайлом Диммиком. Любой сосед, выглянув из окна и увидев лестницу, приставленную к окнам моей квартиры на третьем этаже, решил бы, что Эд Доннеган стал теперь владельцем и нашего дома и нанял Лайла покрасить его.

Значит, чертов маньяк все-таки побывал в моей квартире.

Глаза предположительно принадлежали Питеру Стимовичу, который был найден без оных, о чем обмолвился Болтон.

— Спасибо, что сообщили, — поблагодарил я.

— Кензи, — сказал Болтон со своим постоянным вздохом, — мне платят не за то, чтобы я держал вас в курсе всего. Мне платят, чтобы я привлекал вас в это дело по мере надобности.

Под глазами, которые федеральные медэксперты осторожно сняли с буфета и уложили в специальные пластиковые пакеты, лежал белый конверт с запиской и большая стопка полицейских листовок. В записке была фраза «приятновидетьтебяснова», напечатанная на той же машинке, что и раньше.

Болтон взял конверт раньше, чем я успел вскрыть его, затем сравнил записку с двумя предыдущими, полученными за последний месяц.

— Почему вы не обращались к нам с ними?

— Я не знал, что они от него.

Болтон отдал их на экспертизу.

— Отпечатки Кензи и Дженнаро у агента Эрдхема. Снимите также следы шин.

— Зачем ты собираешь листовки? — спросил Дэвин.

Действительно, у меня скопилось свыше тысячи этих листков, разделенных на две равные порции, каждая связана резинкой. Одни пожелтели от времени, другие сморщились, некоторые были всего десятидневной давности. У каждой в левом углу была фотография пропавшего ребенка, под ней краткая биография. И все объединял один вопрос: «Вы меня не видели?»

Нет, к сожалению, не видел. На протяжении многих лет, думаю, я получал сотни подобных посланий по почте и всегда внимательно вглядывался в эти лица прежде, чем выбросить в мусорное ведро, но за все годы я ни разу не встретил знакомое лицо. Получая их примерно раз в неделю, забывать не составляло труда, но сейчас, перебирая их руками в туго натянутых резиновых перчатках, я ощущал, как мои ладони покрываются потом, это было невыносимо.

Их были тысячи. Пропавшие. Целая страна. Сюрреалистическая свалка несостоявшихся жизней. Полагаю, многие из них погибли. Другие были найдены, и всегда почти в безнадежном состоянии. Остальные были брошены на произвол судьбы и плыли по течению жизни, подобно бродячему цирку, пробираясь сквозь центры городов, засыпая на камнях, решетках и дырявых матрацах, со впалыми щеками, желтоватой кожей, пустыми глазами, завшивленные.

— Это то же самое, что бамперные наклейки.

— Как это понимать? — спросил Оскар.

— Он хочет, чтобы Кензи разделил с ним его супермодную страсть. По его мнению, мир распался на части и не может быть воссоединен, тысячи глоток орут на все голоса сплошную бессмыслицу, и ни один не в состоянии переубедить другого. Мы постоянно действуем наперекор друг другу, а целостного, объединяющего мировоззрения у нас не существует. Зная, что дети исчезают практически каждый день, мы спокойно говорим: «Это ужасно. Передай мне соль». — Болтон взглянул на меня. — Правильно говорю?

— Возможно.

Энджи покачала головой:

— Нет. Все это бред.

— Прошу прощения?

— Ерунда, — сказала она. — Может, отчасти и так, но не в этом смысл его послания. Агент Болтон, вы допускали, что, возможно, у нас двое убийц, а не один малютка Эвандро Аруйо, так?

Он кивнул.

— Этот второй выжидал или, черт возьми, созревал целых два десятка лет. Это пока предварительная версия, верно?

— Да.

Энджи кивнула. Она зажгла сигарету и выставила ее напоказ.

— Несколько раз пыталась бросить курить. Знаете, сколько усилий для этого нужно?

— А знаете, какое удовольствие я бы сейчас получал, если бы вам это удалось? — сказал Болтон, уворачиваясь от облака дыма, заполняющего кухню.

— Подумаешь. — Энджи пожала плечами. — Моя точка зрения такова: мы все тяготеем к выбору. Это единственный путь к собственной душе. Иными словами, наша суть. Без чего, например, вы не могли бы жить?

— Я? — спросил Болтон.

— Вы.

Болтон улыбнулся и, слегка растерявшись, посмотрел в сторону.

— Без книг.

— Книг? — засмеялся Оскар.

Он повернулся к нему:

— Что в этом смешного?

— Ничего, ничего. Продолжайте, агент Болтон. Вы тут главный.

— Какие это книги? — спросила Энджи.

— Великие, — немного заикаясь, сказал Болтон. — Толстой, Достоевский, Джойс, Шекспир, Флобер.

— А если они будут запрещены законом? — спросила Энджи.

— Значит, я его нарушу, — ответил Болтон.

— Да вы революционер! — сказал Дэвин. — Я потрясен.

— Неужели? — Болтон пристально посмотрел на него.

— А что у вас, Оскар?

— Еда, — сказал Оскар и похлопал себя по животу. — Не здоровая пища, а настоящая, вкусная, пусть даже опасная для сердца еда. Бифштексы, ребрышки, яйца, жареные цыплята под соусом.

— Ну даешь! — сказал Дэвин.

— Черт! — воскликнул Оскар. — Только заговорил и сразу проголодался.

— Дэвин?

— Сигареты, — сказал он. — Может, еще выпивка.

— Патрик?

— Секс.

— Ты что, девка, Кензи? — сказал Оскар.

— Хорошо, — заключила Энджи. — Это то, что делает нашу жизнь более сносной. Сигареты, книги, пища, вновь сигареты, выпивка и секс. Таково наше естество. — Она похлопала по стопке листовок.

— А каков он? Без чего он не может обойтись?

— Убийство, — сказал я.

— Я тоже так думаю, — сказала она.

— Итак, — начал Оскар, — если он вынужден был сделать перерыв на целых двадцать лет...

— Какое это имеет значение! — заявил Дэвин. — Какое, к черту, значение!

— Но он по крайней мере не привлекал внимания к своим убийствам, — заметил Болтон.

Энджи подняла стопку листовок.

— До сегодняшнего дня.

— Выходит, он убивал детей, — сказал я.

— На протяжении двадцати лет, — подтвердила Энджи.

В десять вечера прибыл Эрдхем и сообщил, что мужчина в ковбойской шляпе, угнавший джип «чероки» красного цвета, промчался на красный свет на перекрестке на Уолластон-Бич. Полиция Квинси устроила за ним погоню, но потеряла его на крутом повороте на Веймут, где он сумел выполнить сложный маневр.

— Преследовали чертов джип на повороте? — проговорил Дэвин с ноткой недоверия. — Всякие «итальяшки» соскальзывают с дороги, а такую махину, как «чероки», не заносит?

— Все благодаря размеру. Последний раз его видели на мосту возле старого лодочного склада, он двигался в южном направлении.

— В котором часу? — спросил Болтон.

Эрдхем проверил свои записи.

— Девять тридцать пять. В девять сорок четыре его потеряли.

— Еще что-то? — спросил Болтон.

— Да, — медленно проговорил Эрдхем, глядя на меня.

— Что?

— Маллон!

В кухне появился Филдс, держа в руках стопку миниатюрных магнитофонов и большой свиток кабеля.

— Что это? — спросил Болтон.

— Он напичкал жучками всю вашу квартиру, — сказал Филдс, стараясь не смотреть на меня. — Магнитофоны были прикреплены электропроводом изнутри к крыльцу хозяина дома. Внутри никаких проводов. Они были пущены через распределительный узел на чердаке вкупе с электропроводкой, телевизионными и телефонными линиями. Они спускались по стене дома вместе со всеми прочими, и, если не искать целенаправленно, их практически невозможно обнаружить.

— Вы что, шутите? — спросил я.

Филдс извиняюще покачал головой:

— Боюсь, что нет. Судя по количеству пыли и плесени на этих кабелях, думаю, он прослушивал все, что происходило в вашей квартире, по меньшей мере неделю. — Он пожал плечами. — Может, и больше.

26

— Почему он не снял ковбойскую шляпу? — спросил я, когда мы вновь вернулись к Энджи.

Я с благодарностью покинул свою квартиру. Довольно скоро она заполнилась техниками и полицейскими, которые бегали туда-сюда, отдирали паркетные доски, покрывая все тучами пыли для отпечатков пальцев. Один из жучков был найден в плинтусе гостиной, другой прикреплен к внутренней стороне комода в спальне, третий вшит в гардину на кухне.

Возможно, я поэтому так зациклился на ковбойской шляпе, чтобы отвлечься: было мучительно стыдно оттого, что мое право собственности полностью попрано.

— Что? — спросил Дэвин.

— Почему он все еще носит ковбойскую шляпу, если он промчался на красный свет в Уолластоне?

— Забыл ее снять, — сказал Оскар.

— Если бы он был родом из Техаса или Вайоминга, — сказал я, — я бы согласился. Но он из Броктона. Он должен чувствовать, что на нем «шапка горит». Он знает, что за ним гонятся федералы. Он хорошо понимает: раз мы нашли глаза, то поняли, что именно он вырядился под Лайла.

— И тем не менее он еще в шляпе, — заметила Энджи.

— Он смеется над нами, — после минутного раздумья вставил Дэвин. — Дает понять, что у нас кишка тонка, чтобы поймать его.

— Сукин сын, — возмутился Оскар. — Вот сукин сын.

Болтон разместил своих агентов в квартирах по обе стороны от дома Фила: в доме Ливоскиса напротив и у Маккейса позади. Обеим семьям хорошо заплатили за разрешение использовать их жилье, а самих их вывезли в Мэрриот, нижнюю часть города, и тем не менее Энджи нашла нужным позвонить им обоим, чтобы извиниться за доставленные неудобства.

Она немного расслабилась и, пока я сидел в ее столовой за пыльным столом, с выключенным светом и опущенными жалюзи, отправилась в душ. Оскар с Дэвином сидели в машине где-то в начале улицы, но свои портативные передатчики оставили здесь. Они стояли на столе передо мной, строгие, прямоугольные, и в наступивших сумерках их силуэты-близнецы были похожи на устройства для связи с другой галактикой.

Когда Энджи вышла из душа, на ней были серая футболка с надписью «Средняя школа сеньора Райна» и красные фланелевые шорты, облегающие бедра. Волосы ее были влажными, и вся она выглядела такой миниатюрной. Она поставила на стол пепельницу, положила сигареты и подала мне кока-колу.

Она закурила. При свете вспыхнувшего огонька я заметил, какое испуганное и осунувшееся у нее лицо.

— Все будет хорошо, — сказал я.

Она пожала плечами:

— Ага.

— Они поймают его раньше, чем он к нам приблизится.

Снова пожала плечами:

— Ага.

— Эндж, он не доберется до тебя.

— Его ударный потенциал слишком высок.

— Зато мы знаем, как защищать людей, Эндж. В конце концов, думаю, мы сможем защитить друг друга.

Она выдохнула струйку дыма поверх моей головы.

— Скажи это Джейсону Уоррену.

Я положил свою руку на ее.

— Мы не знали, с чем имеем дело, когда расторгали договор с Дайандрой Уоррен. Теперь знаем.

— Патрик, он без труда проник в твою квартиру.

Я не был готов даже думать об этом, особенно сейчас. С тех пор как Филдс продемонстрировал те магнитофоны, я чувствовал себя всемерно и глубоко оскверненным.

— Но мою квартиру не охраняли пятьдесят агентов, — сказал я.

Ее рука в моей повернулась, наши ладони слились, затем ее пальцы обвили мое запястье.

— Он вне пределов обычных рассуждений, — сказала она. — Эвандро. Он... нечто такое, с чем мы еще не сталкивались. Он не человек, он какая-то сила, и я думаю, если он захочет, то непременно меня достанет. — Она глубоко затянулась сигаретой, пепел дал вспышку, и я увидел красные мешки у нее под глазами.

— Он не...

— Ш-ш-ш, — прошептала она и убрала свою руку с моей. Затем погасила сигарету и прокашлялась. — Не хочу выглядеть плаксой или жалкой маленькой женщиной, но в данный момент мне нужно кого-то обнять...

Я встал со стула и опустился между ее ног на колени, а она обвила меня руками, прижалась щекой к моей щеке и впилась пальцами мне в спину.

Ее голос звучал в моем ухе теплым шепотом:

— Если он убьет меня, Патрик...

— Я не позволю...

— Но если это случится, ты должен мне пообещать.

Я ждал, ощущая, как страх колотится в ее груди и, корчась, пробивается сквозь поры ее кожи.

— Обещай мне, — сказала она, — что ты останешься в живых, пока не убьешь его. Медленно. Как можно медленнее, если сможешь.

— Что, если он доберется до меня первым? — спросил я.

— Он не может убить нас обоих одновременно. Это никому не под силу. А если он достанет тебя раньше, чем меня, — она немного отклонилась, чтобы посмотреть мне в глаза, — я выкрашу этот дом его кровью. Каждый сантиметр.

Вскоре Энджи отправилась спать, а я, включив лампу на кухне, принялся просматривать дела Алека Хардимена, Чарльза Рагглстоуна, Кола Моррисона и других убийств 1974 года, которые мне дал Болтон.

Судя по описанию, Хардимен и Рагглстоун представали на удивление нормальными. Единственной отличительной чертой Хардимена, как и Эвандро, была его исключительно красивая внешность, почти женственная. Но в мире множество красивых мужчин, и лишь мизерный процент не имеет жалости к себе подобным.

271

Рагглстоун, с треугольным выступом волос на лбу и вытянутым лицом, больше всего походил на шахтера из Западной Вирджинии. Он выглядел не слишком приветливо, но и не как человек, который распинает детей и потрошит пьяниц.

Одним словом, лица как одного, так и другого мне ничего не сказали.

Моя мать утверждала, что людей невозможно понять до конца, на них можно только реагировать.

Она прожила в браке с моим отцом двадцать пять лет, поэтому, очевидно, за все эти годы ей пришлось ох как много «реагировать».

В данный момент я вынужден был с ней согласиться. С Хардименом я провел какое-то время, прочитал о том, как из ангелоподобного мальчика он превратился в демона, причем чуть ли не за одну ночь, но, увы, ничто не подсказало мне, почему это случилось.

О Рагглстоуне было известно еще меньше. Служил во Вьетнаме, с почетом демобилизован, родом с маленькой фермы в Восточном Техасе, но последние шесть лет до убийства не имел никаких контактов с семьей. По словам его матери, был хорошим мальчиком.

Перевернув страницу в личном деле Рагглстоуна, я увидел план-схему пустого склада, где Хардимен по непонятной причине напал на него. Теперь уже склада нет, на его месте соорудили супермаркет и химчистку.

На плане было указано, где нашли тело задушенного, привязанное к стулу, изувеченное и сожженное. Там же было указано, где детектив Джерри Глинн, приехав по анонимному звонку, нашел обнаженного Хардимена в позе эмбриона на полу старой диспетчерской. Его тело было залито кровью Рагглстоуна, неподалеку валялся нож для колки льда.

Представляю, что он почувствовал, войдя внутрь и увидя тело Рагглстоуна, а затем найдя сына своего напарника без сознания рядом с орудием убийства.

Интересно, кто же сделал этот анонимный звонок?

На следующей странице я увидел пожелтевшее фото, на котором был изображен белый фургон, зарегистрированный на имя Рагглстоуна. У него был старый, неухоженный вид, к тому же отсутствовало лобовое стекло. Согласно рапорту, внутренняя часть фургона была промыта водой из шланга и насухо вытерта примерно за сутки до смерти Рагглстоуна, однако переднее стекло было выбито совсем недавно. Осколки стекла покрывали сиденья водителя и пассажиров, сверкали кучками по всему полу. А в центре фургона стояли два бетонных блока.

Кто-то, возможно дети, пытался вытащить их через отверстие от лобового стекла, когда фургон был припаркован возле склада. Воровство совершалось в одно время с убийством, которое вершил Хардимен всего в нескольких шагах.

Может быть, воришки услышали шум внутри, сочли его подозрительным и совершили тот анонимный звонок.

Я еще с минуту смотрел на фургон и ощутил нечто сродни страху.

Мне никогда не нравились фургоны. И да простят меня Додж и Форд, которым мое мнение покажется крамольным, но этот вид транспорта у меня ассоциируется с чем-то нездоровым — с водителями, которые заманивают и развращают детей, с сексуальными маньяками, коротающими в них время на стоянках возле супермаркетов, с детскими слухами об убийцах-клоунах, наконец, просто со злом.

Перевернув страницу, я наткнулся на токсикологический анализ Раглстоуна. В его организме было найдено большое количество фенциклидина и метиламфетамина, достаточное, чтобы продержаться без сна целую неделю. Все это он уравновесил высоким уровнем алкоголя в крови, но даже такое количество выпивки, уверен, не смогло бы нейтрализовать мощь искусственного адреналина. Его кровь была буквально наэлектризована.

Как же смог Хардимен, который был на двадцать фунтов легче, привязать его к стулу?

Перевернув еще одну страницу, нашел отчет о повреждениях на теле Раглстоуна. И хотя я слышал отчеты и Джерри Глинна, и Болтона, гигантский список ранений, нанесенных несчастному, невозможно было осознать.

Шестьдесят семь ударов молотком, найденным под стулом Алека Хардимена в диспетчерской. Удары наносились как с высоты семь футов, так и с расстояния шесть дюймов. Спереди, сзади, слева и справа.

Теперь я открыл папку Хардимена, положив оба дела рядом. В ходе судебного процесса защитник Хардимена доказывал, что его подзащитный в детстве страдал поражением нерва левой руки, что он плохо владел ею и поэтому никак не мог размахивать молотком, да еще с такой силой.

Обвинение же указало на наличие в его организме фенциклидина, и судья с присяжными согласились, что препарат мог придать даже ослабленному человеку силы в десятикратном размере.

Никто не поверил заявлению адвоката о том, что содержание фенциклидина в крови Хардимена было незначительным по сравнению с его содержанием у Рагглстоуна и что Хардимен приправил его не «спидом», а смесью морфина и метиламфетамина плюс изрядное количество алкоголя, так что хорошо, если он мог держаться на ногах, а не то что устроить эту экзекуцию, требовавшую от палача недюжинных физических усилий.

Он сжег Рагглстоуна по частям в течение четырех часов. Начал со стоп, но, когда огонь добрался до нижней части икр, он пригасил его и принялся за работу с помощью молотка, ножа для колки льда или острой бритвы, которые должны были пронзить тело Рагглстоуна сто десять раз, и слева, и справа. Затем он сжег нижние части икр и колени, пригасил пламя вновь, и все пошло по новой.

Обследование ран Рагглстоуна выявило наличие в них лимонной кислоты, перекиси водорода и столовой соли. Порезы лица и головы показали явное наличие в них двух косметических компонентов — крема «Пондс» и белого грима «Пенкейк».

Выходит, он красился?

Я снова заглянул в дело Хардимена. На момент ареста у него на корнях волос также были найдены следы белого грима, будто он стер их, но вымыть голову не успел.

Я пролистал дело Кола Моррисона. Он выехал из дома в три часа пополудни в тот хмурый день и направился на футбольный матч в Коламбиа-Парк. Его дом находился примерно в миле от города, и когда потом полиция выявляла его возможный путь, то не нашла ни одного свидетеля, который бы видел Кола после того, как он помахал рукой соседу на Саммер-стрит.

Спустя семь часов он был распят.

Судебные эксперты утверждали, что Кол несколько часов пролежал на спине на каком-то коврике. Он был из разряда дешевых, разрезанный на неравные части, поэтому клочки ворса набились в волосы Кола. На ковре были также найдены остатки разлитого масла и тормозной жидкости.

Под ногтями его левой руки была найдена кровь группы А и вещества, из которых был изготовлен грим «Пенкейк».

Детективы моментально ухватились за женский след в этой истории и уже собрались искать женщину-убийцу. Но анализ волос и отпечатки ног быстро развенчали эту теорию.

Итак, грим. Почему Рагглстоун и Хардимен им пользовались?

27

Около одиннадцати я позвонил Дэвину и рассказал о гриме.

— В свое время меня это также озадачило, — сказал он.

— И что же?

— Разгадка пришла совершенно случайно. Оказалось, Хардимен и Рагглстоун были любовниками, Патрик.

— Они были гомосексуалистами, Дэвин, но это не означает, что они были трансвеститами. В их делах ни разу не упоминается, чтобы они когда-либо использовали грим.

— Не знаю, что и сказать тебе, Патрик. Как ни складывай, суть одна. Хардимен и Рагглстоун убили Моррисона, затем Хардимен прикончил Рагглстоуна, и, даже если б у них на головах были ананасы и они носили красные чулки, это не меняет фактов.

— И все-таки в этих фактах что-то смущает, Дэвин. Я это знаю.

Он вздохнул:

— Где Энджи?

— Спит.

— Одна? — Он хихикнул.

— Что? — спросил я.

— Ничего.

На заднем плане я услышал гортанный хохот Оскара.

— Лучше выскажитесь, — предложил я.

После щелчка в аппарате послышался довольный вздох Дэвина.

— Мы с Оскаром заключили небольшое пари.

— По поводу чего?

— Тебя и твоей партнерши, точнее, сколько времени вы сможете пробыть вместе, пока не случится одно из двух.

— И что именно?

— Мое мнение: вы поубиваете друг друга, но Оскар считает, что к выходным вы будете трахаться как кролики.

— Превосходно, — сказал я. — Не пора ли вам, друзья, сходить на лекцию о политкорректности.

— У нас в управлении это называется «Диалоги о человеческом сочувствии», — сказал Дэвин, — но я и сержант Ли считаем себя вполне подкованными.

— Разумеется.

— Ты что, не веришь нам? — вмешался Оскар.

— О нет. Вы прямо ходячая реклама человеческого сочувствия.

— Правда? — спросил Дэвин. — Слушай, а на баб это действует?

Закончив разговор с Дэвином, я позвонил Грейс.

Почти всю минувшую ночь я старался убедить себя, что Грейс — женщина выдержанная и трезвомыслящая, но мне все равно трудно было представить себе, как я объясню ей свое временное проживание вместе с Энджи. Я не принадлежу к числу мужчин-собственников, но тем не менее не представляю, как бы отреагировал, если бы Грейс позвонила мне и сообщила, что провела несколько дней в какой-то хижине с другом мужского пола.

Когда я позвонил, то не сразу перешел к делу.

— Привет, — сказал я.

Молчание.

— Грейс?

— Не уверена, что у меня есть желание разговаривать с тобой, Патрик.

— Почему?

— Ты сам знаешь, черт возьми.

— Нет, — сказал я, — не знаю.

— Если собираешься играть со мной в кошки-мышки, я вешаю трубку.

— Грейс, но я действительно не знаю, о чем ты говоришь...

Она повесила трубку.

С минуту я смотрел на телефон, мысленно несколько раз швыряя его о стенку. Затем сделал несколько глубоких вдохов и вновь набрал номер.

— Что? — спросила она.

— Не вешай трубку.

— Это зависит от того, сколько лапши ты будешь вешать мне на уши.

— Грейс, я не могу отвечать за что-то, если не знаю, что я сделал не так.

— Моя жизнь в опасности? — спросила она.

— О чем ты говоришь?

— Отвечай на вопрос. Моя жизнь в опасности?

— Насколько мне известно, нет.

— Зачем ты тогда следишь за мной?

В глубине моего желудка расступились каньоны, а по позвоночнику поплыл тающий лед.

— Я не слежу за тобой, Грейс.

Эвандро? Кевин Херлихи? Таинственный убийца? Кто?

— Врешь, — сказала она. — Этот психопат в шинели не мог додуматься сам, и...

— Бубба?! — воскликнул я.

— Ты прекрасно знаешь, что Бубба, черт побери.

— Грейс, успокойся. Расскажи по порядку, что случилось.

В трубке послышался ее тяжелый вздох.

— Мы были в ресторане «Сент-Ботолф». Я, Аннабет и моя дочь — *моя дочь*, Патрик, и там был парень, он сидел у стойки бара, наблюдая за мной. Причем он даже не очень скрывал это, правда, вид у него был совсем не угрожающий. А потом...

— Как выглядел этот парень?

— Как? Похож на Ларри Берда[1] до перехода в администраторы — высокий, очень бледный, ужасные волосы, отвисшая челюсть и большой кадык.

Кевин. Проклятый Кевин. Сидящий неподалеку от Грейс, Мэй и Аннабет. Перебирающий в уме разные способы, как лучше сломать им позвоночники.

— Я убью его, — прошептал я.

— Что?

— Продолжай, Грейс. Пожалуйста.

— В конце концов он решился, встал и подошел к нашему столу, видимо желая продолжить придуманный им дурацкий спектакль, и тогда твой доверенный друг-мутант, появившись неизвестно откуда, схватил его и вытащил за волосы из ресторана. На виду у тридцати человек он ударил его несколько раз лицом о водоразборный кран.

— Господи, — сказал я.

— «Господи»? — спросила она. — Это все, что ты можешь сказать? Патрик, этот кран находился прямо за окном, возле которого был наш столик. Мэй все видела. Он бил этого человека лицом о железяку, а она смотрела. Весь день потом плакала. А этот бедный, бедный человек, он...

— Он мертв?

— Не знаю. Его друзья затолкнули его в машину, а этот... чертов садист и его прихвостни стояли и наблюдали, пока они не затащили его и не уехали.

— Этот «бедный, бедный человек», Грейс, штатный киллер ирландской мафии. Его зовут Кевин

---

1 Ларри Берд — знаменитый баскетболист, президент клуба НБА «Индиана Пейсерз».

Херлихи, и сегодня утром он сказал мне, что нападет на тебя, чтобы просто испортить мне жизнь.

— Ты шутишь.

— Если бы...

На линии повисла долгая, тяжелая тишина.

— Выходит, — наконец-то сказала Грейс, — теперь он и в моей жизни? И в жизни моей дочери, а, Патрик? Моей дочурки?

— Грейс, я...

— Что? — спросила она. — Что, что, что? Этот урод в шинели будет моим ангелом-хранителем? Благодаря ему я буду в безопасности?

— Что-то в этом роде.

— Это ты принес в мою жизнь насилие! Ты... О боже мой!

— Грейс, послушай...

— Я перезвоню тебе позже, — сказала она, голос ее зазвучал слабо и отдаленно.

— Я у Энджи.

— Что?

— Сегодняшнюю ночь я здесь.

— У Энджи, — повторила она.

— Возможно, она станет очередной мишенью того маньяка, что убил Джейсона Уоррена и Кару Райдер.

— У Энджи, — повторила она вновь. — Возможно, я позвоню позже.

Она повесила трубку.

Ни «до свидания». Ни «береги себя». Только «возможно».

Ее звонок прозвучал через двадцать две минуты. Я сидел за столом, разглядывал фотографии Хардимена, Рагглстоуна и Кола Моррисона, пока они не начали расплываться и не слились в одно целое. В голове моей звучали все те же вопросы, и ответы, я знал, лежали передо мной, но были покрыты пеленой, скрывающей их от моего взора.

— Привет, — сказала она.

— Привет.

— Как там Энджи? — спросила она.

— Напугана.

— Еще бы. — Она вздохнула в трубку. — А как ты, Патрик?

— Полагаю, в норме.

— Знаешь, я не буду извиняться за сказанное раньше.

— Я и не надеялся.

— Пойми, я хочу, чтобы ты был в моей жизни, Патрик...

— Хорошо.

— ...но не уверена, что хочу, чтобы в ней была вся твоя жизнь.

— Не понимаю.

В линии что-то загудело, а я обнаружил, что пялюсь на пачку сигарет Энджи, подавляя желание закурить.

— Твоя жизнь, — сказала Грейс. — Насилие. Ты ищешь его, не так ли?

— Нет.

— Да, — мягко сказала она. — На днях я была в библиотеке. Просмотрела газетные статьи о тебе за прошлый год. Когда убили ту женщину.

— И?

— И прочитала о тебе, — сказала она. — И увидела фотографии, где ты стоишь на коленях, склонившись над женщиной и мужчиной, которого застрелил. Ты был весь в крови.

— Это была ее кровь.

— Что?

— Кровь, — сказал я. — Дженны. Женщины, которую убили. Возможно, Кертиса Мура, которого я ранил. Но не моя.

— Знаю, — сказала она. — Знаю. Но когда я смотрела на твои снимки и читала статью, то невольно задавалась вопросом: «Кто он, этот человек?» Я не знаю человека с этих фотографий. Не знаю того, что он стрелял в людей. Эта личность мне незнакома. Он для меня чужой.

— Не знаю, что и сказать тебе, Грейс.

— Ты когда-либо убивал? — Ее голос звучал резко.

Я не сразу нашел ответ. Наконец сказал:

— Нет.

Первая ложь, которую я преподнес ей, и это оказалось не так уж и трудно.

— Но ты способен на это, не так ли?

— Как и все.

— Может быть, Патрик. Может быть. Но большинство из нас не выбирают ситуации, которые приводят к убийству. А ты выбираешь.

— Я не выбирал этого убийцу и не звал его в свою жизнь. И уж тем более Кевина Херлихи.

— Нет, — сказала она, — ты как раз это сделал. Вся твоя жизнь — это осознанная попытка противостоять насилию, Патрик. Но ты не можешь победить его.

— Кого?

— Своего отца.

Я потянулся за пачкой сигарет, провез ее по столу, пока она не оказалась передо мной.

— Я и не пытаюсь, — сказал я.

— Я не дурочка.

Я вытащил из пачки сигарету и стал стучать ею по центру веера из фотографий Хардимена, сожженного тела Рагглстоуна и распятого Кола Моррисона.

— Куда ты клонишь, Грейс?

— Ты водишься с такими людьми, как... Бубба. А также Дэвин и Оскар. Ты живешь в мире насилия и окружаешь себя подобными людьми.

— Тебя это никогда не коснется.

— Это уже случилось. Черт. Хотя я знаю, ты скорее умрешь, чем позволишь кому-нибудь причинить мне зло. Физически. Я все это знаю.

— Но...

— Но какой ценой? Что с тобой происходит? Ты не можешь зарабатывать на жизнь чисткой канализационных труб, а возвращаясь, благоухать мылом, Патрик. Это въестся в твои поры. Выхолостит тебя подчистую.

— А может, уже?

Миг тишины в трубке был долгим и мрачным.

— Еще нет, — сказала она. — Но это чудо. На сколько тебя хватит, Патрик?

— Не знаю, — сказал я сдавленным голосом.

— Я тоже, — проговорила она. — Но я не люблю осложнений.

— Грейс...

— Я позвоню тебе, скоро, — сказала она, и на слове «скоро» ее голос дрогнул.

— Хорошо.

— Доброй ночи.

Она повесила трубку, а я продолжал слушать гудки. Затем я сдавил пальцами сигарету и отшвырнул от себя пачку.

— Где ты пропадаешь? — спросил я Буббу, когда наконец достал его по мобильному.

— Во дворе магазинчика Джека Рауза в Саути.

— Чего ради?

— Потому что Джек сейчас там, как, впрочем, Кевин и большая часть всей команды.

— Хорошо же ты разделал Кевина, — сказал я.

— Для него Рождество уже наступило, да. — Он довольно хихикнул. — Старина Кев сосет свой супчик через соломинку, горемыка.

— Сломал ему челюсть?

— И нос тоже. Одним ударом двух зайцев.

— Но, Бубба, на глазах у Грейс? — спросил я.

— Почему нет? Должен тебе сказать, Патрик, женщина, с которой ты встречаешься, из разряда неблагодарных.

— Надеялся на чаевые? — съязвил я.

— Нет, всего лишь на улыбку, — сказал он. — На «спасибо» или хотя бы на благодарный кивок. Я бы все принял.

— Ты дубасил человека на глазах у ее дочери, Бубба.

— Ну и что? Он сам напросился.

— Грейс этого не знала, а Мэй слишком мала, чтобы понимать.

— Вот что я тебе скажу, Патрик. Просто для Кевина выпал плохой день, а для меня — хороший. Очень хороший.

Я вздохнул. Пытаться толковать Буббе о социальном договоре и принципах морали — это все равно что вести разговор о холестерине с бигмаком.

— Нельсон все еще сторожит Грейс? — спросил я.

— Как ястреб.

— Пока все не закончится, Бубба, он не должен спускать с нее глаз.

— Он и сам не захочет. Думаю, он влюбился в эту женщину.

Я аж вздрогнул.

— Так чем, собственно, Кевин и Джек сейчас заняты?

— Укладывают вещи. Похоже, собираются в путешествие.

— Куда?

— Не знаю. Но выясню.

Я почувствовал едва ощутимую усталость в его голосе.

— Бубба.

— Да?

— Спасибо за охрану Грейс и Мэй.

Его голос потеплел.

— Всегда пожалуйста. Ты ведь сделал бы то же самое для меня.

Возможно, чуть деликатнее, но...

— Конечно, — сказал я. — Может, ты на какое-то время ляжешь на дно?

— Почему?

— Кевин может нанести ответный удар.

Он рассмеялся.

— Ну и что? — И фыркнул: — Кевин.

— А как Джек? Может, ради поддержания авторитета он должен наказать тебя за то, что ты избил одного из его людей.

Бубба вздохнул:

— Джек — это мыльный пузырь, Патрик. Тебе этого не понять. Он, конечно, окреп, и он опасен, но только для хилых. Не для таких, как я. Он знает:

чтобы вывести меня из игры, придется использовать невообразимую кучу народа, а если промахнется, надо готовиться к мировой войне. Он похож... когда я служил в Бейруте, нам раздавали ружья без пуль. Это и есть Джек. Ружье без пуль. А я — тот чокнутый шиит, который едет на грузовике с бомбами вокруг его посольства. Я — это смерть. А Джек слишком нежный, чтобы играть со смертью. Он ведь получил свой первый опыт власти довольно давно, еще в Ассоциации.

— О чем ты? — спросил я.

— Охранная ассоциация Эдварда Эверетта, ОАЭЭ. Местная организация по охране правопорядка. Помнишь? Еще в семидесятых.

— Смутно.

— Да, черт возьми. Все они были добропорядочными гражданами, все жаждали защитить свою округу от негров, скандалистов и тех, «кто не так смотрит». Черт, мне самому дважды от них досталось. Твой старик так меня отделал...

— Мой старик?

— Да. Сейчас вроде смешно, столько всего было. Черт, отряд просуществовал каких-то шесть месяцев, но они заставили оболтусов вроде меня платить, когда попадались. Ничего не скажешь.

— Когда это было? — спросил я, так как из глубин моей памяти стали всплывать обрывки сцен: собрания в комнате отца, громкие, самоуверенные голоса, сопровождавшиеся звоном льда в стаканах, пустые угрозы в адрес похитителей автомобилей, нерадивых операторов, а также любителей граффити нашей округи.

— Не знаю. — Бубба зевнул. — Я тогда воровал колпаки с колес, значит, был еще сопляк. Наверно, нам было лет по одиннадцать-двенадцать. Думаю, год семьдесят четвертый или пятый.

— А мой отец и Джек Рауз...

— Были вожаками. Кроме них были еще, дай вспомнить, Пол Бернс, Терри Климстич и забавный паренек, залетный, который вечно носил галстук, да, были еще две женщины. Никогда не забуду — они сцапали меня, когда я снимал колпаки с машины Пола Бернса, и стали бить ногами в ботинках, не очень сильно, но я поднял глаза и увидел, что это бабы... Охренеть!

— Кто были эти женщины? — спросил я. — Бубба?

— Эмма Херлихи и Дидра Райдер, представляешь? Бабы надрали мне задницу. Каково?

— Мне пора, Бубба. Скоро позвоню. Ладно?

Я повесил трубку и набрал номер Болтона.

28

— Что они сделали? — спросила Энджи.

Мы, то есть Болтон, Дэвин, Оскар, Эрдхем, Филдс и я, стояли у журнального столика в гостиной Энджи и разглядывали копии фотографии, которую раздобыл Филдс, разбудив редактора местного еженедельника «Дорчестер коммюнити сан», выходящего в округе с 1962 года.

Снимок находился рядом с хвалебной статьей, посвященной местной охранной ассоциации, и был датирован 12 июня 1974 года. Под заголовком «Соседи, которые не дремлют» начиналась статья, точнее, патетические излияния по поводу отважных подвигов ОАЭЭ, а также других подобных ей, как то: «Наблюдатели Адамс-Корнер» из Непонсета, «Лига Сейвин-Хилл», «Жители Филдс-Корнер против преступности» и «Защитники Эшмонт-Сивик».

В третьей колонке была цитата моего отца: «Я пожарный и одно знаю наверняка: огонь необходимо остановить на нижнем этаже, пока он не вышел из-под контроля».

— Твой старик умел кусаться даже словами, — сказал Оскар. — Даже тогда.

— Это было одно из его любимых высказываний. Он годами упражнялся в нем.

Филдс переснял фотографию членов ОАЭЭ на баскетбольном поле «Детской площадки Райан», на которой они пытались выглядеть одновременно вояками и добряками.

В центре группы мой отец и Джек Рауз, стоя на коленях, держали с двух сторон эмблему ассоциации с трилистником в верхних углах. Оба будто позировали для футбольной открытки, подражая стойке нападающих форвардов: один кулак утоплен в землю, другая рука держит эмблему.

Непосредственно за ними стоял еще совсем юный Стэн Тимпсон, единственный при галстуке. В этом же ряду слева направо разместились: Дидра Райдер, Эмма Херлихи, Пол Бернс и Терри Климстич.

— Что это? — спросил я и указал на маленькое черное пятно в правом углу снимка.

— Имя фотографа, — ответил Филдс.

— Можно его как-то восстановить, рассмотреть?

— Я вас опередил, мистер Кензи.

Мы повернулись и посмотрели на него.

— Этот снимок сделала Дайандра Уоррен.

Она была похожа на смерть.

Кожа ее была цвета гипса, а одежда, свисающая с исхудалой фигуры, вся в складках.

— Расскажите, пожалуйста, об охранной ассоциации Эдварда Эверетта, — попросил я.

— О чем? — Она смотрела на меня затуманенными глазами. Глядя на нее, я чувствовал, что смотрю на человека, которого знал еще в юности, но не видел несколько десятилетий, а теперь обнаружил, что время не только состарило его, но безжалостно опустошило.

Я положил фотографию перед ней на стойку бара:

— Ваш муж, мой отец, Джек Рауз, Эмма Херлихи, Дидра Райдер.

— Это было пятнадцать или двадцать лет тому назад, — сказала она.

— Двадцать, — уточнил Болтон.

— Почему вы не вспомнили мое имя? — спросил я. — Вы же знали моего отца.

Она вскинула голову и посмотрела на меня так, будто я только что признал в ней давно потерянную сестру.

— Я никогда не знала вашего отца, мистер Кензи.

Я указал на фото:

— Вот он, доктор Уоррен. Совсем рядом с вашим мужем.

— Это ваш отец? — Она уставилась на фотографию.

— Да. А рядом с ним Джек Рауз. А вот здесь, над его левым плечом, мать Кевина Херлихи.

— Я не... — Она всматривалась в лица. — Мне неизвестны имена этих людей, мистер Кензи. Я сделала эту фотографию, потому что Стэн попросил меня. Он был вовлечён в эту глупую игру. Он, но не я. Я даже не разрешала им собираться в нашем доме.

— Почему?

Она вздохнула и махнула хрупкой рукой.

— Обычный выпендрёж под маской общественной пользы. Это было так смешно и нелепо. Стэн пытался убедить меня, как хорошо и полезно это будет для его послужного списка, но он был такой же, как все, сколачивал уличные банды под вывеской добровольной помощи.

— По нашим сведениям, — сказал Болтон, — вы подали на развод с мистером Тимпсоном в ноябре 1974 года. Почему?

Она пожала плечами и зевнула в кулак.

— Доктор Уоррен?

— Господи боже, — резко проговорила она. — Господи боже! — Она посмотрела на нас, и на мгновение жизнь вернулась к ней, затем так же внезапно покинула. Она опустила голову, обхватила её руками, и безжизненная прядь волос упала на её пальцы.

— В то лето, — начала она, — Стэнли показал себя в настоящем свете. Он чувствовал себя римлянином, уверенным в своей непогрешимости и моральном превосходстве. Он приходил домой с кровью какого-то угонщика на ботинке и старался убедить меня, что, избивая этого бедолагу, совершает акт правосудия. Он стал отвратительным... в сексуальном плане, как будто я из жены превратилась в купленную девку. А главное, он очень изменился: из достойного человека, размышляющего над вопросами поры возмужания, он превратился в тупого солдата. — Дайандра ткнула пальцем в снимок: — И все эта компания. Смехотворная компания идиотов.

— Не можете ли вы припомнить какой-то особенный случай, доктор Уоррен?

— О чем вы?

— Рассказывал ли он когда-нибудь вам о разборках?

— Нет. Особенно после нашей ссоры по поводу крови на его ботинке.

— А вы уверены, что это была кровь именно угонщика?

Она кивнула.

— Доктор Уоррен, — сказал я, и она подняла взгляд на меня, — раз вы расстались с Тимпсоном, почему вы оказывали помощь окружному прокурору во время процесса над Хардименом?

— Стэн не имел отношения к этому делу. Он был занят преследованием в судебном порядке проституток. А я уже сотрудничала с окружным прокурором, когда один подсудимый заявил о своей невменяемости, и его сотрудникам нужно было убедиться в этом. Они попросили меня побеседовать с Алеком Хардименом. Я обнаружила, что он социопат, параноик и страдает манией величия, но формально психически здоров и прекрасно ощущает разницу между добром и злом.

— Была ли связь между ОАЭЭ и Алеком Хардименом? — спросил Оскар.

Она покачала головой:

— Насколько мне известно, нет.

— Почему распалась ОАЭЭ?

Дайандра пожала плечами:

— Думаю, они просто устали. На самом деле не знаю. Вскоре после этого я уехала. Стэн последовал моему примеру несколько месяцев спустя.

— Не случалось ли в тот период еще чего-нибудь примечательного?

Она долго смотрела на фотографию.

— Помнится, — устало сказала она, — когда я делала этот снимок, я была беременна и в тот день меня подташнивало. Я говорила себе: всему виной жара, да и ребеночек внутри. Но причина была не в этом. Она была в них. — Дайандра отшвырнула фотографию. — Меня тошнило от них. Когда я их снимала, у меня было предчувствие, что в один прекрасный день они кого-нибудь изувечат. И им это понравится.

Когда мы ехали в машине, Филдс снял наушники и посмотрел на Болтона.

— Звонят из тюрьмы, доктор Долквист хочет поговорить с мистером Кензи. Могу их соединить.

Болтон кивнул и повернулся ко мне:

— Переведите на громкоговоритель.

Я ответил после первого телефонного звонка.

— Мистер Кензи? Рон Долквист.

— Доктор Долквист, — сказал я, — не возражаете, если я переведу вас на громкоговоритель?

— Разумеется, нет.

Я перевел, и его голос сразу же приобрел металлическое звучание, как будто отражался сразу от нескольких тарелок-антенн.

— Мистер Кензи, я провел много времени, просматривая записи, которые делал во время сеансов с Алеком Хардименом на протяжении нескольких лет, и, думаю, кое на что наткнулся. Уорден Лиф рассказал мне, что вы считаете, будто Эвандро Аруйо работает на свободе по приказанию Хардимена?

— Верно.

— Вы рассматривали возможность того, что у Эвандро есть партнер?

В машине нас было восемь человек, и все одновременно уставились на громкоговоритель.

— Объясните свою мысль, доктор.

— Видите ли, я тут кое о чем вспомнил. В первые годы своего пребывания в тюрьме Алек много говорил о человеке по имени Джон.

— Джон?

— Да. В это время Алек прилагал массу усилий, чтобы отменить приговор по причине своей невменяемости, и пустил в ход все уловки, чтобы убедить психиатров, что он страдает галлюцинациями, паранойей, шизофренией и другими отклонениями. Уверен, этот Джон был всего лишь его попыткой инсценировать таким образом синдром раздвоения личности. После 1979 года он никогда больше не упоминал о нем.

Болтон наклонился через мое плечо:

— Что заставило вас изменить свое мнение, доктор?

— Агент Болтон? О! Видите ли, в то время я допускал возможность, что Джон — это проявление собственной личности Алека, если угодно, фантастической, которая может проходить сквозь стены, растворяться в тумане и тому подобное. Но когда я просматривал свои записи прошлой ночью, то встретил обращение к Троице и вспомнил при этом, что Алек предлагал вам, мистер

Кензи, перейти в категорию «знаковых фигур» с помощью...

— Отца, Сына и Святого Духа, — сказал я.

— Да. Часто, когда Алек говорил о Джоне, он называл его Отец Джон. Алек, предполагается, мог быть Сыном. Что же касается Духа...

— Аруйо, — сказал я. — Он растворился в тумане.

— Точно. Представление Алека об истинном значении Святой Троицы оставляет желать лучшего, но у него богатая мифологическая и религиозная образная система — он выбирает то, что ему нужно, и сажает на почву собственных интересов, остальное просто выбрасывает.

— Расскажите нам подробнее о Джоне, доктор.

— Да, да. Джон, по мнению Алека, содержит в себе единство противоположностей. Только в присутствии своих жертв и самых близких друзей — Хардимена, Рагглстоуна и теперь Аруйо — он снимает свою маску, позволяя им увидеть «чистую ярость его настоящего лица», как выражается Хардимен. Когда вы смотрите на Джона, то видите то, что *желаете* видеть в любом человеке: благожелательность, мудрость и благородство. На самом деле ни одно из этих качеств ему не присуще. Джон, считает Алек, это *«ученый»*, непосредственно изучающий человеческие страдания, чтобы найти ключи к разгадке тайны Творения.

— Тайны Творения? — спросил я.

— Я прочту вам отрывок из записок, сделанных мною во время сеансов с Алеком в сентябре семьдесят восьмого, незадолго до того, как он прекратил упоминания о Джоне вслух. Вот слова Алека Хардимена: «Если Бог милосерден, почему же он дал нам такую способность ощущать боль? Наши нервы в состоянии насторожить нас в отношении опасности; это биологическая причина для боли. Однако мы можем чувствовать боль и сверх данного предела. Так, мы в состоянии ощущать острую боль от ее описания. Но у нас есть не только данная способность, подобная животной, мы идем дальше, обладая способностью переживать ее снова и снова в эмоциональном и физическом плане. У животных этого нет. Неужели Господь так ненавидит нас? Или настолько сильно любит? Но, если ни то ни другое, если это просто произвольная струя наших ДНК, тогда, возможно, весь смысл дарованной Им боли в том, чтобы приучить нас к ней? Сделать нас такими же равнодушными к страданиям других, как и Он сам? Тогда не следует ли нам постараться превзойти Его, сделать так, как поступает Джон, — он наслаждается, продлевает и совершенствует саму боль и методы ее причинения? Джон рассматривает это как сущность чистоты и непорочности».

Долквист прочистил горло.

— Конец цитаты.

Болтон сказал:

— Доктор.

— Да?

— Опишите Джона, насколько помните.

— Силен физически, и при встрече вы это заметите, однако внешне это не бросается в глаза. Не качок, понимаете, просто сильный мужчина. В глазах окружающих он выглядит полностью здравомыслящим и рациональным, даже мудрым. Предполагаю, он пользуется любовью в своей среде и даже слывет благодетелем по части малых дел.

— Он женат? — спросил Болтон.

— Сомневаюсь. Он понимает, что, как бы хорош ни был фасад, жена и дети догадаются, почувствуют его болезнь. Возможно, он однажды был в браке, но не больше.

— Что еще?

— Не думаю, что он прекратил убивать в последние два десятилетия. Для него это невозможно. Считаю, он просто старался действовать шито-крыто.

Мы все посмотрели на Энджи, и она дотронулась до воображаемой шляпы.

— Что еще, доктор?

— Первичное возбуждение для него — убийство. Но вторичное, косвенное — это восторг от жизни под маской. Джон глядит на вас из-за нее и смеется над вами. У него это вызывает сексуальное возбуждение, и поэтому после стольких лет он наконец решил ее снять.

— Я что-то не понимаю, — сказал я.

— Представьте, что это затянувшаяся эрекция. Джон ждет оргазма уже более двадцати лет. Чем больше он наслаждается эрекцией, тем более необходимым станет акт эякуляции.

— Он хочет, чтобы его поймали.

— Он хочет *предстать*, а это не одно и то же. Он хочет сбросить маску и, когда вы будете смотреть в его настоящие глаза, плюнуть вам в лицо. Но это не значит, что он добровольно согласится надеть наручники.

— Что-нибудь еще, доктор?

— Да. Думаю, он знает мистера Кензи. То есть не «знает о нем», а знает его довольно давно. Они встречались лицом к лицу.

— Почему вы так считаете? — спросил я.

— Человек такого рода устанавливает странные отношения, но независимо от степени их неординарности они для него чрезвычайно важны. Для него знакомство с одним из преследователей — высший знак. Неизвестно, по какой причине, но он выбрал вас, мистер Кензи. И дал вам знать об этом через Хардимена, который послал за вами. Вы с Джоном знаете друг друга, мистер Кензи. Ставлю на карту свою репутацию.

— Спасибо, доктор, — сказал Болтон. — Предполагаю, вы читали нам выдержки из ваших записей потому, что не собираетесь передавать их нам.

— Только при наличии судебного ордера, — сказал Долквист, — но даже тогда я не сдамся. Если докопаюсь еще до какого-нибудь важного факта, немедленно позвоню. Мистер Кензи?

— Да?

— Могу я переговорить с вами наедине?

Болтон пожал плечами, и я выключил громкоговоритель, приложив трубку к уху.

— Да, доктор?

— Алек ошибался.

— Насчет чего?

— Насчет моей жены. Он ошибался.

— Приятно слышать, — сказал я.

— Я только хотел, чтобы... все прояснилось. Он ошибался, — повторил Долквист. — До свидания, мистер Кензи.

— До свидания, доктор.

— Стэн Тимпсон в Канкуне, — сказал Эрдхем.

— Что? — спросил Болтон.

— Да, сэр. Взял жену и детей и три дня тому назад отправился в небольшое путешествие.

— Небольшое путешествие, — повторил Болтон. — Он окружной прокурор округа Саффолк, и в данный момент у нас кризис в связи с серийным убийцей. А он отправляется в Мексику? — Он покачал головой. — Езжайте за ним.

— Сэр? Я не по этой части.

Болтон ткнул в него пальцем.

— Тогда пошлите кого-то. Отправьте двоих агентов и привезите его назад.

— Под арестом, сэр?

— Для допроса. Где он остановился?

— Его секретарь сказал, что он проживает в «Марриотте».

— За этим последует «но». Я чувствую.

Эрдхем кивнул:

— Он там не останавливался.

— Четырех агентов, — сказал Болтон. — Приказываю, чтобы четыре агента на следующем же самолете вылетели в Канкун. Его секретаря тоже доставить сюда.

— Да, сэр. — Эрдхем поднял телефон, так как машина свернула на шоссе.

— Все разбежались, не так ли? — сказал я.

Болтон вздохнул:

— Похоже на то. Джека Рауза и Кевина Херлихи не могут найти. Дидру Райдер никто не видел со дня похорон дочери.

— А что с Бернсом и Климстичем? — спросила Энджи.

— Оба скончались. Пол Бернс был пекарем, который засунул голову в одну из собственных печей в семьдесят седьмом году. Климстич умер от инфаркта в восемьдесят третьем. Наследников не оставили. — Он опустил снимок себе на колено и продолжал рассматривать его. — А вы — копия своего отца, мистер Кензи.

— Знаю, — ответил я.

— Вы говорили, он был драчун. И все?

— Что вы имеете в виду?

— Мне надо знать, на что он был способен.

— Он был способен на все, агент Болтон.

Болтон кивнул, перелистывая страницы личного дела.

— Эмма Херлихи была помещена в психолечебницу Делла-Ворстин-Хоум в семьдесят пятом. До этого не было зафиксировано никаких признаков психических заболеваний в ее семье, да и она сама не жаловалась на здоровье вплоть до конца семьдесят четвертого года. Первый арест Дидры Райдер за пьянку и дебош произошел в феврале семьдесят пятого. После этого она попадала в полицию регулярно. Джек Рауз поднялся от слегка нечистого на руку владельца магазинчика до главы ирландской мафии. Всего за пять лет. Доклады, полученные мною из Отдела по борьбе с организованной преступностью, а также из Особого отдела Бостонского полицейского управления, говорят о том, что восхождение Джека Рауза к вершине власти было самым кровавым во всей истории ирландской мафии в этой местности. Он убивал любого, кто попадался на его пути. Как это случилось? Каким образом какой-то мелкий лавочник обрел такую силу, что превратился в теневого магната?

Он посмотрел на нас, мы же только покачали головами.

Болтон перевернул еще одну страницу.

— Окружной судья Стэнли Тимпсон — интересная личность. Окончил Гарвард с самыми слабыми результатами. В Саффолке тоже достиг немногого. Дважды терпел прежде неудачу, чем получил адвокатскую практику. В офис окружного судьи попал только благодаря связям отца Дайандры Уоррен, да и оценки его первых выступлений были довольно низкими. Затем, начиная с семьдесят пятого года, он превращается в настоящего тигра. Завоевывает себе репутацию в суде, причем, обратите внимание, за беспримерную неподкупность. Переходит в суд высшей инстанции, и все то же, только в больших масштабах. Люди начинают бояться его, а в окружном суде ему все больше поручают уголовные дела, и его популярность все возрастает. К восемьдесят четвертому году он считается самым суровым прокурором в Новой Англии. И снова вопрос: почему это произошло?

Наша машина свернула с шоссе и въехала в мою округу, направляясь к собору Святого Барта, где Болтон проводил утреннее совещание.

— Ваш отец, мистер Кензи, прошел в городской совет в семьдесят восьмом году. Единственное, что он приобрел в этом заведении, была репутация человека настолько безжалостного и жаждущего власти, что это ввергло бы в краску самого Линдона Джонсона. Судя по всему, общественный деятель из него был посредственный, но политик он был жестокий. Опять мы имеем мрачную личность пожарного, ради всего святого, который продвинулся гораздо выше любых ожиданий, которые на него возлагали.

— А что с Климстичем? — спросила Энджи. — Бернс покончил с собой, а были ли у того признаки изменения?

— Климстич стал кем-то вроде отшельника. Жена ушла от него осенью семьдесят пятого. Протоколы в ходе развода свидетельствуют, что после двадцати восьми лет брака у супругов появились несовместимые противоречия. Жена констатировала, что ее муж стал отдаляться от нее, ощущал болезненную меланхолию и пристрастие к порнографии. Далее она сообщала, что тяга к порнографии была в его натуре, но теперь, похоже, им овладело обыкновенное скотство.

— Куда вы собираетесь со всем этим, агент Болтон? — спросила Энджи.

— Должен сказать, с этими людьми произошло нечто очень странное. Они стали либо очень успешными — продвинулись выше всяких мыслимых ожиданий относительно их места в жизни, либо, — он провел указательным пальцем по именам Эммы Херлихи и Пола Бернса, — их жизнь пошла под откос, и они разложились изнутри. — Он посмотрел на Энджи, как будто она знала ответ. — Что-то состарило этих людей, мисс Дженнаро. Что-то изменило их.

Машина остановилась позади собора, и Энджи, глядя на фотографию, вновь спросила:

— Что же они сделали?

— Не знаю, — сказал Болтон, криво усмехаясь в мою сторону. — Но, как сказал бы Алек Хардимен, это был знаковый поступок.

29

Мы с Энджи шли в кондитерскую на Бостон-стрит, а Дэвин с Оскаром сопровождали нас на значительном расстоянии.

Мы оба смертельно устали, и воздух рябил прозрачными пузырьками, которые лопались у меня перед глазами.

В это серое утро мы, почти не разговаривая, сидели у окна, потягивали кофе и смотрели на улицу. В нашей головоломке, казалось, все части сходятся, но почему-то сама она пока отказывалась принимать какую-либо узнаваемую форму.

Можно предположить, что ОАЭЭ имела какую-то связь либо с Хардименом и Рагглстоуном, либо с третьим загадочным убийцей. Но какого рода связь? Возможно, они видели нечто, что, по мнению Хардимена или таинственного убийцы, будет компрометировать их? Если так, что они могли видеть? И почему просто-напросто не убрать членов ОАЭЭ еще тогда, в середине семидесятых? Зачем было ждать двадцать лет, чтобы теперь преследовать их потомков или близких этих самых потомков?

— Ты выглядишь разбитым, Патрик.

Я устало улыбнулся:

— Ты тоже.

Она отхлебнула свой кофе.

— После этого совещания давай пойдем домой, в постель.

— Звучит как-то двусмысленно.

Она хихикнула:

— Ничего подобного. Ты знаешь, что я имею в виду.

Я кивнул:

— Все стараешься соблазнить меня, после всех этих лет.

— Мечтай, глупыш.

— Тогда, в семьдесят четвертом, — сказал я, — что за причина могла заставить человека использовать грим?

— Ну ты просто зациклился на этом пунктике.

— Да.

— Не знаю, Патрик. Возможно, они были слишком самовлюбленными. Или маскировали родимое пятно.

— С помощью белого грима?

— Возможно, они были мимы. Или клоуны. Или готы.

— Или поклонники группы «Кисс», — сказал я.

— Или так. — Она промурлыкала какой-то такт из «Бет».

— Ерунда.

— Что именно?

— Связь где-то здесь, на поверхности, — сказал я. — Я это чувствую.

— Имеешь в виду грим?

— Да, — сказал я. — И связь между Хардименом и ассоциацией. Я уверен. Она у нас прямо под носом, но мы слишком устали, чтобы распознать ее.

Она пожала плечами:

— Пойдем посмотрим, что скажет Болтон на своей летучке. Возможно, все станет на свои места.

— Конечно.

— Не будь пессимистом, — сказала она.

Половина людей Болтона работали здесь же, в округе, добывая информацию, другие караулили квартиры Энджи, Фила и мою, поэтому Болтон получил разрешение отца Драммонда собираться в его соборе.

Как это обычно бывает по утрам, в церкви еще стоял дымный запах кадила и свечного воска от семичасовой мессы, от скамеек несло хвойным моющим средством и мылом, и все венчал печальный аромат увядающих хризантем. Мириады пылинок кружились в косых лучах света, льющихся через восточные окна на алтарь и исчезающих в средних рядах скамеек. В это холодное осеннее утро церковь с ее мягко-коричневыми и красными тонами, золотистым внутренним светом и разноцветными витражами, которые только начали прогреваться скупым солнцем, смотрелась так, как, очевидно, задумывали основатели католицизма: как место, очищенное и неподвластное земному несовершенству, где подобает слышать только шепот и умиротворяющий шорох ткани под склоненным коленом.

Болтон уселся в позолоченное, с красной обивкой кресло священника, стоящее у алтаря. Он подвинул его немного вперед, чтобы поставить ноги на алтарный рельс. Остальные агенты и несколько полицейских сидели на четырех передних рядах, держа в руках ручки, бумагу или диктофон.

— Рад, что вы смогли прийти, — сказал Болтон.

— Не стоит, — сказала Энджи, глядя на его ботинки.

— Что именно?

— Не сидите у алтаря в кресле священника с ногами на рельсе.

— Почему нет?

— Кто-то может счесть это оскорбительным.

— Только не я. — Он пожал плечами. — Я не католик.

— Я католичка, — сказала она.

Болтон внимательно посмотрел на нее, надеясь, что она шутит, но ее ответный взгляд был настолько спокойным и твердым, что он понял: она всерьез.

Он вздохнул, вылез из кресла и поставил его обратно. Пока все рассаживались, Болтон пересек алтарь и взобрался на кафедру проповедника.

— Здесь можно? — спросил он.

Энджи пожала плечами, а Дэвин и Оскар прошли в ряд перед нами.

— Сойдет.

— Рад, что больше не оскорбляю вашу чувствительную натуру, мисс Дженнаро.

Когда мы усаживались на скамью в пятом ряду, Энджи выразительно закатила глаза. Я же ощутил вспышку восхищения по поводу глубокой веры моей напарницы, потому что сам, признаться, давным-давно ее утратил. Она не демонстрировала ее на каждом шагу, она выказывала откровенное презрение по поводу патриаршей иерархии, установленной в церкви, и тем не менее ее вера была столь крепка и искренна, что ее невозможно было сокрушить.

Болтон быстро освоился на кафедре, ему там явно нравилось. Его плотные пальцы поглаживали латинские слова и витиеватую резьбу римского искусства по обеим сторонам ее, а когда он обращался к аудитории, ноздри его слегка раздувались.

— Достижения прошлой ночи таковы: первое: обыск в квартире Эвандро Аруйо выявил фотографии, спрятанные под паркетной доской под стальным радиатором. Начиная с семи утра, когда газеты опубликовали две фотографии Аруйо — одну с бородкой, другую без, — количество заявлений о мужчинах, соответствующих описанию, утроилось. Большинство из них безосновательны. Однако пять заявлений поступили из нижней части района Саут-Шор, а два более поздних — из Кейп-Код возле Бурна. Я направил туда агентов, которые прошлой ночью прочесывали верхнюю часть Саут-Шор вплоть до Кейпа и островов. Дорожные патрули выставлены на шоссе номер 6, 28, 3 и 1–495. В двух случаях предполагаемого Аруйо видели в черном «ниссане сентра», но опять же достоверность этих заявлений весьма проблематична ввиду высокого общественного интереса.

— Итак, джип? — спросил один из агентов.

— Это ничего не значит. Возможно, он еще на нем, а может, уже сменил. Вчера утром был угнан «чероки» красного цвета из паркинга в Бэйсайд-экспо-сентр, и мы разрабатываем предположение, что это сделал Эвандро. Номер 299–ЗСР. Полиции Уолластона удалось частично засечь номер джипа, который они преследовали, и он совпадает.

— Вы упоминали фотографии, — сказала Энджи.

Болтон кивнул.

— Несколько снимков Кары Райдер, Джейсона Уоррена, Стимовича и Стоукс. Они идентичны тем, которые посылались близким жертв. Теперь Аруйо, вне всякого сомнения, является главным подозреваемым во всех этих убийствах. Найдены также более давние фотографии людей, которые, видимо, должны были стать жертвами. Хорошо уже то, что мы, леди и джентльмены, можем предсказать его следующий удар. — Болтон закашлялся в кулак. — Судебная экспертиза, — сказал он, — установила, что в четырех случаях смерти в дело были вовлечены двое убийц. Синяки на запястьях Джейсона Уоррена подтверждают, что один человек держал его, в то время как другой острой бритвой резал на полосы его лицо и грудь. Голову Кары Райдер кто-то крепко держал двумя руками, пока другой человек заталкивал ей в горло нож для колки льда. Раны на телах Питера Стимовича и Памелы Стоукс также подтверждают присутствие двух убийц.

— Не выяснилось, где они были убиты? — спросил Оскар.

— Нет, пока нет. Джейсон Уоррен был убит на складе в южной части Бостона. Остальные в других местах. В силу каких-то причин убийцам необходимо было покончить с Уорреном как можно скорее. — Он пожал плечами. — Мы не знаем почему. В телах остальных трех жертв обнаружено минимальное количество гидрохлорофила, в свете чего можно предположить, что они были без сознания, пока убийцы их перевозили в место, где они были убиты.

— Стимович, — сказал Дэвин, — подвергался истязаниям на протяжении как минимум часа, Стоукс — вдвое больше. Они производили много шума.

Болтон кивнул:

— Мы ищем изолированные места, где могли произойти преступления.

— И сколько их может быть? — спросила Энджи.

— Несметное количество. Арендуемые помещения, брошенные дома, окруженные оградой болота, с полдюжины мелких островов неподалеку от берега, закрытые тюрьмы, больницы, склады и так далее. Если один из убийц залег на дно на целых двадцать лет, можно предположить, что он все спланировал до малейших деталей. Он вполне мог покрыть внутренность своего дома или хотя бы несколько комнат звуконепроницаемым материалом.

— Есть какие-нибудь доказательства, что убийца, залегший на дно, на самом деле убивал детей?

— Прямых доказательств нет, — сказал Болтон. — Но из тысячи ста шестидесяти двух полицейских листовок, полученных вами за десять лет, двести восемьдесят семь детей найдены мертвыми. Двести одиннадцать из этих дел считаются нераскрытыми.

— Сколько в Новой Англии? — спросил один из агентов.

— Пятьдесят шесть, — тихо ответил Болтон. — Сорок девять нераскрытых.

— В процентном соотношении, — сказал Оскар, — это крайне высокая цифра!

— Да, — устало сказал Болтон, — очень высокая.

— Сколько из них погибло, подобно тем четырем жертвам?

— В Массачусетсе никто, — сказал Болтон, — хотя было несколько задушенных жертв, некоторые с просверленными ладонями, поэтому мы изучаем все это. В двух случаях насилие было столь зверским, что может сравниться с недавними случаями.

— Где это случилось?

— Одно убийство в Лаббоке, Техас, в восемьдесят шестом. Другое неподалеку от Майами, в незарегистрированном округе Дейд, в девяносто первом году.

— Ампутация?

— Да.

— Исчезновение частей тела?

— Снова — да.

— Сколько лет было ребятам?

— Мальчику, что в Лаббоке, — четырнадцать. В районе Майами была девочка, возраст шестнадцать лет. — Болтон прокашлялся и полез в нагрудный карман за ингалятором, но его там не оказалось. — Далее, как вы все были проинформированы прошлой ночью, мистер Кензи просматривает возможную связь между убийствами семьдесят четвертого года и наших дней. Джентльмены, складывается впечатление, что наши убийцы решили отточить свои топоры на детях членов ОАЭЭ, но мы, к сожалению, не можем найти связь между данной группой и Алеком Хардименом и Эвандро Аруйо. Мы не знаем причины, но что такая связь была, не вызывает у нас сомнений.

— А как насчет Стимовича и Стоукс? — спросил все тот же агент. — Где тут связь?

— Мы считаем, что ее нет. Очевидно, они стали теми двумя «безвинными» жертвами, о которых убийца говорил в своем письме.

— Каком письме? — спросила Энджи.

Болтон оглядел нас сверху.

— В том, которое было найдено в вашей квартире, мистер Кензи. Под глазами Стимовича.

— И которое вы не разрешили мне прочесть.

Он кивнул, заглянул в свои записи, поправил очки.

— Во время обыска комнаты Джейсона Уоррена в общежитии был найден его дневник. Он лежал в закрытом на ключ ящике его письменного стола. Копии будут переданы агентам по их просьбе, но в данный момент я прочитаю отрывок из записи, датированной 17 октября, это день, когда мистер Кензи и мисс Дженнаро наблюдали за встречей Уоррена с Аруйо. — Болтон прокашлялся, очевидно не очень стремясь изображать чужой голос. — «Э. снова был в городе. Не более часа. Он не осознает свою силу и неотразимость из-за боязни собственного «я». Он хочет заняться со мной любовью, но пока не может принять свою бисексуальность. Я объяснил ему, что понимаю. Говорил целую вечность. Свобода причиняет боль. Он впервые дотронулся до меня и затем уехал. Обратно в Нью-Йорк. К своей жене. Но я увижу его снова, я знаю. Я влеку его».

Заканчивая чтение, Болтон густо покраснел.

— Вот оно, обаяние Эвандро, — проговорил я.

— По-видимому, — сказал Болтон, — Аруйо соблазняет жертвы, а его таинственный партнер расставляет для них ловушку. Все, кто встречал Аруйо, — от тюремных приятелей, лиц, упомянутых в этом дневнике, до соседки по комнате Кары Райдер и посетителей бара в ночь, когда он увел Памелу Стоукс, — свидетельствуют об одном: этот мужчина обладал потрясающей сексуальностью. Если он достаточно умен, — а мы это знаем, — чтобы воздвигнуть на пути будущих жертв преграду, которую необходимо преодолеть, они в конце концов соглашаются на его условия секретности и загородных встреч. Отсюда и мифическая жена, о которой он говорил Джейсону.

Одному богу известно, что он говорил другим, но, думаю, он притягивал их, делая вид, что инициатива в этом деле принадлежит им.

— Елена Троянская мужского пола, — сказал Дэвин.

— Троянский голубок, — сказал Оскар, несколько агентов захихикали.

— Дальнейшее изучение улик с мест преступления позволяет сделать следующие выводы: первое — оба убийцы весят между 160 и 180 фунтами. Второе — так как размер обуви Эвандро Аруйо девять с половиной, именно его следы остались на месте гибели Кары Райдер, — значит, у его партнера — восьмой. Третье — второй убийца шатен и очень силен. Стимович был исключительно сильным мужчиной, но кто-то смог скрутить его, прежде чем ввести наркотики; Аруйо не слишком силен, поэтому можно предположить, что этим качеством отличается его партнер. Четвертое — повторный опрос всех, кто имел хоть какой-то контакт с этими жертвами, выявил следующее: все, кроме профессора Эрика Голта и Джеральда Глинна, имеют прочное алиби на время всех четырех убийств. Недавно Голта и Глинна допрашивали в колледже Джей-эф-кей, и Голт не выдержал тест на детекторе лжи. Оба они сильны физически, и оба не слишком высокого роста и могут носить восьмой размер обуви, однако оба заявляют, что носят девятый. Есть вопросы?

— Их подозревают? — спросил я.

— Почему вы спрашиваете?

— Потому что Голт рекомендовал меня Дайандре Уоррен, а Джерри информировал меня по части распятий.

Болтон кивнул.

— Что только подтверждает наши подозрения о природе таинственной патологии убийцы.

— В чем она состоит? — спросила Энджи.

— Доктор Элиас Роттенхайм из отдела по изучению поведения выдвинул эту теорию касательно таинственных «спящих» убийц. Это относится и к утреннему разговору с доктором Долквистом. Цитирую доктора Роттенхайма: «Пациент соответствует всем признакам, свойственным страдающим двойным расстройством: нарциссическим синдромом вкупе с коллективным психическим расстройством, при котором субъект является возбудителем или источником».

— А теперь неплохо бы попроще, — сказал Дэвин.

— Суть теории доктора Роттенхайма состоит в том, что человек, страдающий нарциссическим расстройством личности, — в данном случае скрытый убийца, — живет с ощущением грандиозности своих деяний. Любовь и восхищение ему необходимы для существования. Он проявляет все признаки социопатии, он одержим идеей собственного превосходства и считает себя гениальным, даже богоподобным. Что же касается коллективного психического расстройства, то убийца, страдающий им, способен убедить других, что это расстройство, — совершенно логично и естественно. Отсюда и слово «коллективный». Он — источник и возбудитель иллюзий у других людей.

— Он убедил Эвандро Аруйо, или Алека Хардимена, или обоих, — сказала Энджи, — что убийство — это благо.

— Похоже на то.

— Но при чем тут Голт и Глинн? — спросил я.

— Голт направил вас к Дайандре Уоррен. Глинн — к Алеку Хардимену. С одной стороны, действия обоих говорят об их невиновности, раз они хотят помочь. Однако вспомните, что сказал Долквист, — этот парень хорошо знает вас, мистер

Кензи. Он бросает вам вызов, задирает, чтобы вы поймали его.

— Выходит, возможно, Голт или Глинн и есть таинственный партнер Аруйо?

— Думаю, все возможно, мистер Кензи.

Ноябрьское солнце вело безуспешную борьбу с вторжением на небесный свод армады туч сизого цвета. На солнце было еще достаточно тепло, чтобы ходить без куртки. В тени же впору было искать что-нибудь посерьезнее, вроде эскимосской парки.

Когда мы пересекали школьный двор, Болтон сказал:

— В том письме автор писал, что некоторые жертвы будут «достойны», а иные «встретят упреки».

— Что это означает? — спросил я.

— Это строка из Шекспира. В «Отелло» Яго заявляет: «Всегда невинных упрекают». Несколько ученых доказывают, что именно в этот момент Яго из преступника, имеющего мотив, превращается в существо, переполненное, как выразился в свое время Кольридж, «немотивированной злобой».

— Не совсем понимаю, — сказала Энджи.

— У Яго была причина, чтобы отомстить Отелло, причем коварно. Но у него не было причины губить Дездемону или лишать венецианскую армию талантливого офицера за неделю до нападения турок. И тем не менее, продолжают ученые, он был так воодушевлен своей способностью творить зло, что это стало — возможно, помимо его воли — достаточным мотивом, чтобы уничтожать любого. Он начинает игру с торжественного обещания наказать виновных — Отелло и Кассио, — но в четвертом акте он уже настроен на уничтожение кого угодно — «невинные всегда упрек встречают» — только потому, что он может это сделать. Просто потому, что получает от этого удовольствие.

— И этот убийца...

— Может быть именно таким существом. Он убил Кару Райдер и Джейсона Уоррена потому, что они дети его врагов.

— Но убийство Стимовича и Стоукс? — спросила Энджи.

— Никакого мотива, — сказал Болтон. — Он сделал это ради развлечения.

Легкий кисейный дождик покрывал волосы и куртки блестящими крапинками.

Болтон полез в свой дипломат и подал Энджи листок бумаги.

— Что это?

Болтон отвел глаза.

— Копия письма убийцы.

Энджи отодвинула от себя письмо, как если б оно было заразным.

— Вы хотели быть в курсе, — сказал Болтон. — Так?

— Да.

Он указал на письмо:

— Теперь радуйтесь. — Он пожал плечами и пошел обратно в сторону школьного двора.

Патрик,
вся суть — в боли, пойми же.

сначала не было никакого плана, я убил одну женщину почти случайно, правда, и ощутил все то, что полагается ощущать при убийстве — вину, отвращение, страх, стыд, ненависть к себе, я принял ванну, чтобы отмыться от ее крови, сидя в ней, я блевал, но не двигался, пока вода не смыла ее кровь и мой стыд, а также смрад Моего смертного греха.

потом я осушил ванну, принял душ и...
жизнь пошла дальше, ведь что делают люди, совершив нечто аморальное, немыслимое? они «идут дальше», у них нет другого выбора, если они переступили черту закона.

так я продолжал Свою жизнь, и спустя некоторое время чувство стыда и вины сошло на нет. Я думал, оно исчезло совсем, но нет.

и я помню, как думал, нет, это не так просто, но оказалось просто, и довольно скоро, больше из любопытства, чем из каких-то других побуждений.
Я убил еще, и на душе у меня стало хорошо, спокойно, примерно так, как у алкоголика после бокала прохладного пива в момент жестокого сушняка, как у любовников в первую ночь страсти после долгой разлуки.

забирать чужую жизнь на самом деле сродни сексу, иногда это превосходно, чистый оргазм, иногда так себе, ничего особенного, но что делать? То же ощущение, но это всегда интересно, всегда запоминается.

сам не знаю, почему я тебе пишу, патрик. тот Я, который пишет, не таков, каков Я на работе, или когда убиваю, у Меня множество лиц, некоторых из них ты никогда не увидишь, некоторые никогда и не захочешь. Мне довелось видеть несколько твоих лиц — красивое, яростное, задумчивое и другие, но мне интересно, каким оно будет, если мы встретимся и между нами будет мертвец. Очень интересно.

всегда невинных упрекают, слышал Я.
возможно, и так тому и быть, не уверен, что достойные жертвы на самом деле стоят всех тревог и волнений, которые они порождают.

однажды мне приснилось, что Я попал на планету, сплошь покрытую белым песком, небо тоже было белым, и все — только Я, рассекающий потоки белого песка, бескрайнего, как океан, и пылающее белое небо. Я был один и мал, после долгих дней блуждания я чувствовал, что разлагаюсь, и знал, что умру в этих кучах песка под горячим небом, и Я молился, чтобы явилась хоть малая тень, и она пришла, у нее был и голос, и имя. — Пошли, — сказала Тьма, — пошли со мной, но Я был слаб, Я разлагался, Я не в состоянии был стать на колени. — Дай Мне руку, Тьма, — сказал Я, — и забери Меня отсюда навсегда, и Тьма сделала это.

так ты усвоил мой урок, патрик?
всего наилучшего,

Отец

— О, — сказала Энджи, бросая письмо на стол в гостиной, — все хорошо. Малыш явно в своем уме. — Она нахмурилась, глядя на письмо. — О боже!
— Я знаю.
— Такие люди, — сказала она, — существуют.

Я кивнул. Как ни взгляни, это было ужасно. Конечно, в каждом обыкновенном человеке, который ежедневно встает утром, идет на работу, считает себя в высшей степени порядочным, тоже достаточно зла. Возможно, он обманывает свою жену, спит с коллегой по работе, или, может, в глубине души он считает какие-то другие расы ниже себя.

Как правило, рациональные механизмы, назовем их так, не дают человеку это осознать. Поэтому он умирает, уверенный в своей порядочности.

С большинством из нас так и получается.

Но человек, который написал это письмо, был всецело пропитан злом. Он наслаждался болью других. Он не пытался рационализировать свою ненависть, он упивался ею.

Читать его письмо, помимо всего прочего, было утомительно. Словно плавать в грязи.

— Это выше моего понимания, — сказала Энджи.

— Моего тоже.

Она вновь посмотрела на письмо и, положив ладони себе на плечи, закрыла глаза.

— Хотелось бы сказать, это писал не человек, — сказала она. — Но, увы, это не так.

Я взглянул на письмо.

— Да, именно человек.

Я постелил себе на диване и пытался устроиться поудобнее, когда услышал голос Энджи, доносившийся из спальни.

— Что? — спросил я.

— Зайди-ка на секунду.

Я вошел в спальню и прислонился к дверной раме. Она сидела на кровати, окруженная распростертым ватным стеганым одеялом, похожим на разлив розового моря.

— Тебе удобно на диване?

— Вполне, — сказал я.

— Ну ладно.

— Ладно, — сказал я и направился обратно к своему дивану.

— Потому что...

Я вернулся.

— Да?

— Ты же знаешь, тут места много.

— Ты о диване?

Она нахмурила брови:

— О кровати.

— Ой. — Я прищурился. — Что такое?

— Не заставляй меня говорить это.

— Говорить что?

Ее губы изогнулись в попытке изобразить улыбку, но получилось нечто жалкое.

— Мне страшно, Патрик. Ясно?

Я не представлял тогда, чего ей стоило сказать это.

— Мне тоже. — Сказав это, я направился в спальню.

Во время сна тело Энджи то и дело меняло положение, и я просыпался оттого, что ее нога обвивала мою, плотно погрузившись меж моих бедер. Голову она уткнула в мое плечо, ее левая рука покоилась на моей груди. Ее дыхание билось в мою шею, ровное во сне.

Я думал о Грейс, но по какой-то причине в моей голове никак не возникал ее полный образ. Я видел ее волосы, ее глаза, но, когда пробовал воссоздать ее лицо целиком, ничего не получалось.

Энджи застонала, и ее нога еще теснее прижалась к моей.

— Не надо, — пробормотала она сквозь сон. — Не надо.

Вот он, конец света, подумал я, погружаясь в сон.

Где-то среди дня позвонил Фил, я ответил ему сразу же после первого звонка.

— Проснулся? — спросил он.

— Проснулся.

— Я подумал, может, заглянуть к вам.

— Энджи еще спит.

— Ну и славно. Просто… сижу тут один, жду, когда появится этот урод, и шизею.

— Заходи, Фил.

Пока мы спали, сильно похолодало и небо превратилось в гранит. Несущийся из Канады ветер с ревом носился по округе, сотрясая окна и пихая в бок машины, припаркованные вдоль авеню.

Чуть позже пошел град. Когда я вошел в ванную, чтобы принять душ, град с треском барабанил по стеклам, подобно горстям песка, швыряемым океанскими волнами. А когда я обсыхал, он буквально оплевывал окна и стены, словно ветер разъярился, как дикий зверь.

Пока я надевал чистое, Фил заваривал кофе. Я вышел на кухню.

— Все еще спит? — спросил он.

Я кивнул.

— Выдохлась, как Спинкс в поединке с Тайсоном, да? Сейчас ее глаза излучают энергию, а в следующий миг она разбита, будто не спала целый месяц. — Он налил кофе в кружку. — Вот так с ней всегда, с этой девочкой.

Я налил себе кока-колы и присел к столу.

— С ней все будет в порядке, Фил. Никто ее пальцем не тронет. И тебя тоже.

— Ммм... — Он поставил кофе на стол. — Ты все еще спишь с ней?

Я откинулся к спинке стула, поднял голову и вздернул на него брови.

— Ты немного не в себе, Фил.

Он пожал плечами:

— Она любит тебя, Патрик.

— Не в том смысле. Тебе никогда было не понять этого.

Он улыбнулся:

— Я многое понимаю, Патрик. — Он обнял кружку обеими руками. — Знаю, она любила меня. Не спорю. Но она всегда была полувлюблена в тебя.

Я покачал головой:

— Знаешь, все эти годы, что ты избивал ее, Фил... Так вот, она никогда, ни разу тебе не изменила.

— Я знаю.

— Вот как? — Я чуть наклонился и понизил голос: — И ты не перестал постоянно обзывать ее шлюхой? И не прекращал пускать в ход кулаки по пустякам, если был не в духе? Так?

— Патрик, — как-то мягко сказал Фил. — Я прекрасно знаю, что собой представлял. И... представляю. — Он нахмурил брови и уткнулся взглядом в кружку с кофе. — Я избивал жену. Я пил. Все так. В этом ты прав. — Он горько усмехнулся, глядя в кружку. — Я бил эту женщину. — Он посмотрел через плечо в сторону спальни. — Я бил ее и заслужил ее ненависть, и она никогда уже не будет доверять мне. Никогда. Мы никогда не будем... друзьями. Во всяком случае, такими, как были раньше.

— Пожалуй, нет.

— Да... Итак, я стал тем, кем стал, ничего не попишешь. И потерял ее, и заслужил это, потому что ей лучше жить без меня, как ни крути.

— Не думаю, что она планирует выбросить тебя из своей жизни, Фил.

Он горько усмехнулся:

— В этом вся Энджи. Посмотрим правде в глаза. Несмотря на все ее «да пошел ты...», «мне никто не нужен» и т. п., на самом деле она не может сказать «прощай». Никому и ничему. В этом ее слабость. Как думаешь, почему она до сих пор живет в доме своей матери? С этой мебелью, которая сохранилась со времен ее детства?

Я огляделся вокруг, увидел старинные черные вазы ее матери в буфете, салфетки на кушетке в нише, представил себе, что мы с Филом сидим на стульях, приобретенных ее родителями в магазине «Маршал Филдз» на Апхемз-Корнер, сгоревшем где-то в конце шестидесятых. Иногда предмет находится перед тобой всю жизнь, дожидаясь, пока ты заметишь его, и зачастую этого так и не происходит, потому что он слишком близко.

— Ты попал в точку, — согласился я.

— Как думаешь, почему она никогда не покидала нашу округу, Дорчестер? Она, девушка с такой очаровательной внешностью, уезжала отсюда лишь однажды — в наш медовый месяц. Как думаешь, почему ей понадобилось целых двенадцать лет, чтобы уйти от меня? Любая другая сделала бы это через шесть лет. Но Энджи не может уйти. Это ее недостаток. Возможно, потому, что ее сестра в этом вопросе — полная противоположность.

Не знаю, каким был мой гневный взгляд, но он поднял руку в знак примирения и пощады.

— Запретная тема, — сказал он. — Прости, забыл.

— Какая цель у тебя здесь теперь, Фил?

Он пожал плечами:

— Раз Энджи не может сказать «прощай», значит, она приложит все усилия, чтобы удержать меня в своей жизни.

— И?

— Я не позволю ей. Я как петля вокруг ее шеи. В данный момент мне необходимо — как бы выразиться — некоторое сближение. Да, небольшое сближение. Притом что она точно знает: это я был плохим. Вся вина на мне, и только на мне. Не на ней.

— А когда все состоится?

— Я уйду. Такой человек, как я, может найти работу где угодно. Богатые люди всегда переделывают свои дома. Итак, скоро меня ждет дорога. Думаю, вы оба заслужили свою дозу счастья.

— Фил...

— Пожалуйста, Пат, не надо. Таков уж я. Мы с тобой были друзьями с детства и навсегда. Я тебя знаю. И знаю Анджелу. Возможно, у тебя сейчас любовь с Грейс, и думаю, это великолепно. Честно. Но ты себя знаешь. — Он толкнул меня локтем и посмотрел прямо в глаза. — Слышишь? Раз в жизни, парень, загляни в себя. Ты влюблен в Энджи с детского сада. Она тоже любит тебя.

— Но замуж вышла за тебя, Фил.

— Потому что была обижена на тебя...

— Не только поэтому.

— Знаю. Меня она любила тоже. В какой-то период даже больше, чем тебя. Не сомневаюсь. Но мы в состоянии любить одновременно нескольких. Мы люди, а значит, грешны.

Я улыбнулся, осознав, что впервые за последние десять лет улыбаюсь естественно в присутствии Фила.

— Таковы уж мы.

Мы смотрели друг на друга, и я чувствовал забытую пульсацию внутри нас — это была кровь священных уз и общего детства. Ни Фил, ни я никогда не чувствовали себя дома любимыми. Его отец был алкоголик и неисправимый бабник, который мало того что спал с каждой женщиной в округе, но еще и старался, чтобы об этом узнала его жена. Когда Филу исполнилось семь или восемь лет, его домашний очаг превратился в зону летающих тарелок и взаимных обвинений. Когда случалось, что Кармин и Лора Димасси оказывались в одной комнате, она превращалась в сектор Газа, но, следуя своему извращенному пониманию католической веры, они не желали развестись или хотя бы жить врозь. Они любили дневные перепалки и компенсировали их ночными сеансами совокупления, которые сопровождались тяжелыми ударами в стену, разделяющую их спальню с комнатой сына.

В те годы я большую часть времени проводил вне дома, под разными предлогами, и мы с Филом коротали время вместе, а первым местом, где мы почувствовали себя уютно, стала заброшенная голубятня, которую мы нашли на чердаке гаража на Сьюден-стрит. Мы вычистили оттуда весь птичий помет, укрепили стены досками от старых поддонов, притащили туда брошенную мебель, и вскоре к нам присоединились такие же оборванцы, как мы, — Бубба, Кевин Херлихи, правда, ненадолго, Нельсон Ферраре, Энджи. Сорванцы, переполненные классовой ненавистью, с дерзким сердцем и полным отсутствием уважения к авторитетам.

И вот он сидел напротив меня за столом своей бывшей жены, и я вновь видел в нем старого Фила, единственного брата, который у меня был. Он улыбался, очевидно вспоминая то же самое; и мне слышался наш детский смех, когда мы шлялись по улицам, бегали, как волки, по крышам и перепрыгивали через три ступени, стараясь обогнать родителей. Господи, до чего же много мы все-таки смеялись, если учесть, что мы постоянно были злы на весь белый свет.

Грохот града по крыше напоминал ритмичные удары доброй тысячи палок.

— Что с тобой стало, Фил?

Улыбка исчезла с его лица.

— Ты что...

Я поднял руку.

— Нет. Я тебе не судья. Мне просто хочется понять. Ты сказал Болтону, что мы с тобой были как братья. Господи, мы действительно были *братьями*. Затем ты пошел против меня. Откуда взялась эта ненависть, Фил?

Он пожал плечами:

— Никогда не прощу тебя, Пат.

— За что?

— Ну... Ты и Энджи...

— За то, что мы с ней спали?

— Именно ты лишил ее невинности. Вы были моими лучшими друзьями, к тому же добрыми католиками, это нас подавляло и сковывало в сексуальном плане. Но в то лето вы оба покинули меня.

— Нет.

— О да. — Он довольно ухмыльнулся. — О да. Оставили меня с Буббой и Фрэнки Шейкс и еще с кучкой слизняков с прогнившими мозгами. А дальше? Это было в августе?

Я знал, что он имел в виду, поэтому кивнул:

— Четвертого августа.

— Там, на Карсон-Бич, вы наконец сделали свое дело. А потом ты, умник, ты обошелся с ней как со шлюхой. И она прибежала ко мне. И я снова был вторым.

— Снова?

— Снова. — Он откинулся на спинку своего стула и вытянул руки в примирительном жесте. — Послушай, — сказал он, — у меня всегда был шарм и внешность, но у тебя — интуиция.

— Шутишь?

— Ничуть, — сказал он. — Продолжим, Пат. Я всегда слишком много размышлял, а ты действовал. Ты первым из всех нас понял, что Энджи не является одним из наших корешей, ты первым перестал торчать на углу, первым...

— Я был неугомонный. Я...

— У тебя была интуиция, — сказал он. — Ты всегда мог заранее предвидеть ситуацию и воспользоваться ею.

— Ерунда.

— Ерунда? — Он хихикнул. — Признайся, Пат, это твой дар. Помнишь тех дурацких клоунов в Сейвин-Хилл?

Я улыбнулся и вместе с тем вздрогнул.

— Еще бы.

Он кивнул, и я увидел, что даже спустя два десятилетия он все еще чувствует дрожь, не отпускавшую нас несколько недель после встречи с теми клоунами.

— Если бы ты не угодил бейсбольным мячом в их лобовое стекло, — сказал он, — кто знает, сидели ли бы мы здесь сейчас.

— Фил, — сказал я, — мы были детьми с чересчур развитым воображением и...

Он энергично покачал головой:

— Конечно, конечно. Мы были детьми, и были на взводе, потому что на прошлой неделе был убит Кол Моррисон, и по городу поползли различные слухи об этих ребятах. Все так, Патрик, но мы действительно были там. И ты прекрасно знаешь, что бы с нами случилось, если бы мы вошли в их фургон. Он до сих пор стоит перед моими глазами. Черт. Все забрызгано грязью и мазутом, из открытых окон доносится вонь...

Белый фургон с разбитым стеклом в личном деле Хардимена.

— Фил, — сказал я. — Фил. О Господи Иисусе.

— Что?

— Клоуны, — сказал я. — Ты сам только что сказал. Это было как раз на той неделе, когда убили Кола Моррисона. Когда, мать их, я запустил мяч прямо в их лобовое стекло...

— И точно в цель.

— И сказал своему отцу. — Я поднес руку ко рту, разинутому от потрясения.

— Погоди-ка, — сказал он, и я понял, что та же мысль, обжигающая как искра мой позвоночник, осенила и Фила. Его глаза вспыхнули ярким светом.

— Я пометил фургон, — сказал я. — Черт побери, я пометил его, Фил, не подозревая об этом. И ОАЭЭ нашла его.

Он пристально смотрел на меня, и я видел, что он тоже все знает.

— Патрик, так ты говоришь...

— Теми клоунами были Алек Хардимен и Чарльз Рагглстоун.

31

Если в то время, когда убили Кола Моррисона, вы были ребенком и проживали в нашей округе, вы просто тряслись от страха.

Вы боялись чернокожих парней, потому что предполагалось, что он стал их жертвой. Вы боялись потрепанных, невзрачных мужчин, слишком долго глазеющих на вас в метро. Вас пугали машины, которые либо слишком долго задерживались у светофоров, когда зажигался зеленый, либо замедляли ход, когда проезжали мимо. На вас наводили страх бездомные и те сырые аллеи в темных парках, где они находили ночлег.

Одним словом, вы боялись всего.

Но ничто так не страшило ребят нашей округи, как клоуны.

Теперь, оглядываясь назад, понимаешь, как это было глупо. Клоуны-убийцы буйствовали на страницах книг в мягких обложках и в дешевых фильмах, что шли в открытых киношках. Они жили в мире вампиров и доисторических монстров, поглотивших Токио. Книги и фильмы делали свое дело: старались напугать самую доверчивую публику, которая только и была в состоянии испытывать страх перед клоунами, а именно — детей.

Когда я вырос, то перестал бояться ходить в туалет ночью. На меня больше не наводили ужас скрипы старого дома, в котором я вырос: это были всего лишь скрипы — жалобный стон стареющего дерева и вздохи облегчения оседающего фундамента. Я практически ничего не боялся, за исключением ствола пистолета, направленного в мою сторону, или внезапной вспышки скрытой угрозы в глазах отпетых пьяниц или мужиков, вдруг осознавших, что их жизнь прошла не замеченной никем, кроме них самих.

Но в детстве мой страх был воплощен в клоунах. Не помню, как возникли те самые слухи — возможно, у костра в летнем лагере, а может, после того, как кто-то из нашей группы посмотрел один из этих поганых фильмов, — но к тому времени, как мне исполнилось шесть или около того, каждый ребенок был наслышан о клоунах, хотя ни один не мог похвастаться, что действительно видел их.

Но слухи разрастались буйным цветом.

У них был фургон, они возили коробки с конфетами и яркими шарами, а также букеты цветов, распускавшихся прямо из их бездонных рукавов.

А в самом фургоне у них была машинка, от которой ребенок сразу терял сознание и после этого уже никогда больше не просыпался.

Пока жертва была в бессознательном состоянии, но еще не умерла, они поочередно издевались над телом.

Затем перерезали ей горло.

А поскольку, как и положено, лица клоунов размалеваны на один манер, они всегда улыбались.

Мы с Филом в то время почти достигли возраста, когда дети перестают бояться клоунов, а также верить в Санта-Клауса или в то, что ты давно утерянный сын миллиардера, который вдруг объявится и заявит на тебя свои права.

Мы уже вернулись после игры Малой бейсбольной лиги в Сейвин-Хилл, но задержались почти до сумерек — играли в войну в роще позади школы Мотли, карабкаясь по ветхой пожарной лестнице на крышу здания. Когда мы наконец спустились вниз, день явно клонился к закату, похолодало, а тени вытянулись вверх по стенам и тяжело разлеглись на безлюдном тротуаре, как будто были высечены на нем.

Мы двинулись вниз по Сейвин-Хилл-авеню, солнце скрылось совсем, а небо приобрело оттенок полированного металла, по которому взад-вперед носились клубы туч, удерживая прохладу в пределах залива, и мы игнорировали урчание в желудках, говорящее о том, что рано или поздно нам придется пойти домой, а дома было кисло.

Когда мы стали спускаться вниз по улице, которая, хорошо помню, была совершенно пустынна, и миновали станцию метро, то заметили, что за нами едет фургон. Затем он появился перед нами, и все это происходило в той внезапной пустынности, которая наступает в нашей округе в часы вечерней трапезы. Еще не было темно, но мы заметили оранжевые и желтые квадраты светящихся окон в домах, выходящих на авеню, а также одинокую хоккейную шайбу, притулившуюся у колеса машины.

Все сидели по домам, ужиная. Даже в барах было тихо.

Фил своей мощной рукой запустил мяч в воздух, и тот взлетел немного выше, чем я ожидал; мне пришлось подпрыгнуть и извернуться, чтобы поймать его. Приземляясь, я снова развернулся, и вот тогда-то и увидел белое лицо с синими волосами и растянутыми губами, взирающее на меня из пассажирского окна фургона.

— Хороший прыжок, — сказал клоун.

В нашей округе существовал единственно возможный ответ клоунам.

— Да пошел ты...

— Хороший мальчик, — сказал клоун, и мне не понравился его тон и улыбка, когда он произнес это, не снимая руку в перчатке с дверцы.

— Хороший, — сказал водитель. — Очень, очень хороший. А твоя мама знает, что ты умеешь так ругаться?

Я стоял совсем близко от дверцы, словно примерзнув к асфальту, не в состоянии двинуться с места. Я не мог отвести глаз от красного рта клоуна.

Фил, как я заметил, успел уйти довольно далеко, но видно было, он тоже напуган.

— Может, вас подбросить, ребята? — спросил клоун-пассажир.

Я покачал головой, во рту у меня пересохло.

— Малыш, кажется, проглотил язык.

— Ага. — Водитель высунул голову из-за шеи своего подельника, и я увидел яркие рыжие волосы и желтые круги вокруг глаз. — Похоже, вы оба продрогли.

— Я даже вижу гусиную кожу, — добавил пассажир.

Я сделал два шага вправо, чувствуя, что ноги будто погружаются в мокрую губку.

Клоун-пассажир быстро глянул дальше на улицу и снова повернулся ко мне.

Водитель посмотрел в боковое стекло, и его рука, соскользнув с руля, исчезла в глубине салона.

— Патрик! — раздался голос Фила. — Пошли.

— Патрик, — медленно проговорил клоун-пассажир, чеканя каждое слово. — Хорошее имя. А как твоя фамилия, Патрик?

Даже теперь не могу понять, почему я ответил. Дикий страх, а может, желание выиграть время, но все равно я вполне мог соврать, но, увы, я этого не сделал. У меня было какое-то отчаянное чувство, что если они узнают мою фамилию, то увидят во мне личность, а не жертву, и отнесутся ко мне с милосердием.

— Кензи, — сказал я.

И клоун одарил меня соблазнительной улыбкой, и я услышал, как он открыл замок дверцы, и щелчок этот был похож на треск от кругового движения храповика в дробовике.

Вот тогда-то я и бросил бейсбольный мяч.

Не помню, чтобы я планировал это. Я просто сделал два шага вправо — тяжелых, медленных, будто во сне, — и, думаю, поначалу целился в самого клоуна, когда он начал открывать дверцу.

Вместо этого мяч вырвался из моей руки, и кто-то крикнул «черт!», после чего раздался громкий хлопок, когда мяч протаранил лобовое стекло по самому центру, и оно раскололось, напоминая большую паутину.

Фил завопил: «На помощь! На помощь!»

Пассажирская дверь распахнулась, и я увидел ярость на лице клоуна.

Я споткнулся, и сила тяжести повлекла меня вниз по Сейвин-Хилл-авеню.

— На помощь! — кричал Фил, и мы понеслись друг за другом, хотя я все еще пытался удержать равновесие, раскинув руки, а тротуар угрожающе приближался к моему лицу.

Мощный мужчина с густыми, как щетка, усами вышел из бара «Бульдог», что на углу Сидни, мы же тем временем все время слышали визг шин позади нас. У силача был недовольный вид, а в руке он держал укороченную биту, и поначалу я решил, что он собирается использовать ее против нас.

Его мясницкий передник был покрыт красно-коричневыми пятнами крови.

— Что за хрень такая? — спросил мужчина, его глаза сузились, глядя поверх моей головы, и я понял, что фургон приближается. Он собирается прыгнуть на тротуар и раздавить всех нас.

Повернув голову, чтобы увидеть свою смерть, я заметил лишь оранжевые вспышки задних фар, когда фургон заворачивал за угол на Грэмпиэн-уэй и исчез.

Владелец бара знал моего отца, и спустя десять минут мой старик появился в «Бульдоге». Мы с Филом сидели за стойкой с бокалами имбирного эля, воображая, что это виски.

Мой отец не всегда был сволочью. У него были просветления. И по неведомым мне причинам этот день был одним из таковых. Он даже не стал сердиться за то, что в такое время мы были еще на улице, хотя неделю назад я был избит за эту провинность. Всегда равнодушный к моим друзьям, на этот раз он взъерошил волосы Фила и заказал нам еще эля и пару пухлых сандвичей с солониной. И мы сидели вместе с ним в баре, пока не открылась входная дверь и бар не заполнился посетителями.

Когда я сбивчивым голосом рассказал отцу, что случилось, его лицо стало таким добрым и нежным, каким я его никогда не видел. Он взирал на меня с ласковым беспокойством и убирал мои влажные кудри со лба своим крупным, но мягким пальцем и даже вытирал салфеткой остатки солонины с уголков моего рта.

— Ну и денек у вас выдался! — сказал отец. Он свистнул и улыбнулся Филу, и тот ответил ему широкой улыбкой.

Улыбка моего отца была такой редкостью, что заслуживала большого изумления.

— Я не собирался разбивать окно, — сказал я. — Не собирался, пап.

— Все в порядке.

— Ты не сердишься?

Он покачал головой.

— Я...

— Ты совершил прекрасный поступок, Патрик. Прекрасный, — прошептал отец. Прижав мою голову к своей широкой груди, он поцеловал меня в щеку и пригладил мой вихор своей ладонью. — Я горжусь тобой.

Первый, и последний, раз в жизни я слышал такие слова из уст своего отца.

— Клоуны, — сказал Болтон.

— Клоуны, — повторил я.

— Да, клоуны, — подтвердил Фил.

— Так, — медленно произнес Болтон. — Клоуны, — повторил он и кивнул.

— Без дураков, — сказал я.

— Угу. — Он снова кивнул, затем повернул свою мощную голову, глядя прямо мне в глаза. — Полагаю, вы разыгрываете меня. — Он вытер губы тыльной стороной руки.

— Нет.

— Мы совершенно серьезны, — сказал Фил.

— Господи! — Болтон склонился над раковиной, глядя вверх на Энджи. — Скажите, что хоть вы не участвуете в этом, мисс Дженнаро. Вы все-таки похожи на человека, у которого есть здравый смысл.

Энджи завязала пояс на халате потуже.

— Не знаю, что и сказать. — Она пожала плечами и посмотрела в нашу с Филом сторону. — Похоже, они совершенно уверены.

— Секунду внимания...

Болтон в три больших шага пересек комнату.

— Нет. Нет. Из-за вас мы сняли наблюдение, мистер Кензи. Вы вызвали меня сюда и сказали, что нашли ключ к делу. Вы...

— Да нет...

— ...все вычислили, и вам необходимо срочно увидеться со мной. Поэтому я здесь, и он здесь, — Болтон указал на Фила, — а теперь и они здесь, — он кивнул головой в сторону Дэвина и Оскара. — И теперь все надежды на то, чтобы заманить Эвандро сюда, рухнули, так как наше сборище выглядит совещанием ООН, черт побери. — Он замолчал, переводя дух. — И я бы все стерпел, если бы, как говорится, мы сдвинулись с мертвой точки. Но нет — появляетесь вы со своими клоунами.

— Мистер Болтон, — сказал Фил, — мы на полном серьезе.

— О, ладно. Давайте посмотрим, правильно ли я понял: двадцать лет назад два циркача с растрепанными волосами и в широких штанах проехали мимо вас в фургоне, когда вы шли на игру Малой лиги...

— После, — сказал я.

— Что?

— Мы возвращались после игры, — сказал Фил.

— Mea culpa [1], — сказал Болтон, расшаркиваясь и отвешивая поклон. — Mea culpa, мать вашу за ногу, пардон.

— Меня раньше никогда не оскорбляли по-латыни, — сказал Дэвин Оскару. — А тебя?

— По-китайски случалось, — сказал Оскар, — но по-латыни — никогда.

— Хорошо, — сказал Болтон. — Когда вы возвращались с игры, к вам пристали два циркача, и только потому — я правильно понял, мистер Кензи? — что во время тюремного допроса Алек Хардимен спел «Зовите клоунов сюда», вы решили, что он был одним из клоунов, а следовательно, что он убивает людей, чтобы отомстить вам за то, что вы удрали от них в тот день?

— Все не так просто.

— О да, слава богу. Послушайте, мистер Кензи, двадцать пять лет назад я пригласил на свидание Кэрол Ейгер из Чеви-Чейз, штат Мэриленд, и она рассмеялась мне в лицо. Но это не значит...

— Трудно поверить, — заметил Дэвин.

— ...что я буду ждать два десятка лет, чтобы прикончить каждого, кого она знала.

1 Моя вина (*лат.*).

— Болтон, — сказал я, — мне нравится наблюдать, как вы здесь роете землю от ярости, но у нас нет времени. Вы принесли личные дела Хардимена, Рагглстоуна и Моррисона, как я просил вас?

Болтон потрепал свой дипломат:

— Они здесь.

— Доставайте.

— Мистер Кензи...

— Пожалуйста.

Он открыл дипломат, вынул личные дела и сложил их на кухонном столе.

— Ну?

— Проверьте доклад медэкспертизы по Рагглстоуну. Особое внимание обратите на раздел о токсинах неясного происхождения.

Болтон нашел место, поправил очки.

— Так.

— Что было найдено в разрезах на лице Рагглстоуна?

Он зачитал:

— «Экстракт лимона; перекись водорода; тальк, минеральное масло, стеариновая кислота, пегматит-32, триэтаноламин, ланолин...» Все это — ингредиенты грима белый «Пенкейк». — Он взглянул вверх. — Ну и что?

— Прочтите у Хардимена. Тот же раздел.

Болтон пролистал несколько страниц и прочитал.

— Ну и что? Они оба пользовались гримом.

— Белым «Пенкейком», — уточнил я. — Тем, что употребляют мимы, — сказал я. — И клоуны.

— Вижу, куда вы...

— У Кола Моррисона под ногтями обнаружен тот же состав.

— И все же, — сказал он.

— Найдите фотографию фургона, брошенного рядом с местом преступления, — он зарегистрирован на имя Рагглстоуна.

Болтон полистал страницы дела:

— Вот он.

— В нем отсутствует лобовое стекло, — сказал я.

— Да.

— Но фургон был начисто вымыт, возможно, именно в тот день. И в период между уборкой и приездом полиции кто-то через разбитое стекло стащил оттуда бетонные блоки, возможно, во время убийства Рагглстоуна.

— И что из этого?

— А то, что это я пометил фургон. Удар моего мяча привел к образованию стеклянной паутины. Это было единственной причиной предположить, что Хардимен и Рагглстоун были теми клоунами. Убираем стекло, пропадает и мотив.

— Каков же ваш вывод?

В действительности я сам не верил в это, пока не сказал вслух:

— Думаю, ассоциация убила Чарльза Рагглстоуна.

— Он прав, — сказал наконец Дэвин.

Вскоре, после восьми, град превратился в дождь, который замерзал на ходу. Струйки воды стекали по окнам Энджи, становясь на наших глазах хрустящими ледяными венами.

Болтон отправил одного из агентов в свою лабораторию на колесах, чтобы сделать копии личных дел Рагглстоуна, Хардимена и Моррисона, и мы провели последний час за чтением их в гостиной Энджи.

— И все-таки я не уверен, — сказал Болтон.

— Да ладно, — сказала Энджи. — Все это в деле, если, конечно, присмотреться внимательно. Все почему-то уверены, что Алек Хардимен, накачанный наркотиком, убил Рагглстоуна, постаравшись за десятерых. Если бы меня убедили в том, что Хардимен убил еще несколько человек, возможно, я бы тоже поверила. Но у него был поражен нерв левой руки, в его организме был секонол, а сам он был найден без сознания. А теперь, если представить, что повреждения на теле Рагглстоуна — дело рук десяти, ну, скажем, семи человек, все отлично складывается.

— Отец Патрика, — сказал Дэвин, — знал о поврежденном лобовом стекле. Они со своими друзьями по ОАЭЭ выследили фургон, нашли Хардимена и Рагглстоуна...

— И ОАЭЭ убила Рагглстоуна, — с нотками шока в голосе проговорил Оскар.

Болтон взглянул на личное дело, затем на меня, затем снова на папку. Читая раздел о ранах Рагглстоуна, он шевелил губами. Когда он взглянул на меня, мышцы на его лице обмякли, рот оставался открытым.

— Вы правы, — тихо сказал он. — Вы абсолютно правы.

— Старайтесь не слишком загружаться, — сказал Дэвин. — А то мозги лопнут.

— Старая сказка, — тихим шепотом проговорил Болтон.

— Что?

Мы с ним сидели в гостиной. Остальные сидели на кухне в ожидании знаменитых бифштексов Оскара, который там священнодействовал.

В темноте Болтон поднял вверх руки.

— Это напоминает сказки братьев Гримм. Два клоуна, старый фургон, угроза невинным деткам.

Я пожал плечами:

— В то время все это выглядело жутко.

— Ваш отец, — сказал он.

Я смотрел на разводы ледяных струек, застывших на стекле окна.

— Вы понимаете, что я имею в виду, — сказал он.

Я кивнул:

— Он мог быть одним из тех, кто сжигал Рагглстоуна.

— По частям, — сказал Болтон. — Пока человек кричал.

Льдинки треснули и распались на фрагменты, а потоки дождя устремились в образовавшиеся проходы. Но и они тут же превратились в прозрачные вены.

— Да, — сказал я, вспоминая поцелуй отца в тот вечер. — Мой отец сжег Рагглстоуна живьем. По частям.

— Он был способен на это?

— Я же говорил вам, агент Болтон, он был способен на все.

— Но на такое? — спросил Болтон.

Мне вспомнилось прикосновение отцовских губ к моей щеке, прилив крови к его груди, когда он прижимал меня к себе, любовь в его голосе, когда он говорил, что гордится мной.

Затем я вспомнил, как он жег меня утюгом, запах горелой плоти, исходивший от моего живота и вызывавший у меня удушье, и как он наблюдал за мной с гневом, граничившим с экстазом.

— Он не только был способен на это, — сказал я, — похоже, он получал от этого наслаждение.

Когда вошел Эрдхем, мы сидели в столовой и погло-
щали бифштексы Оскара.

— Да? — спросил Болтон.

Эрдхем подал ему фотографию:

— Думаю, вы должны это видеть.

Болтон вытер рот и пальцы салфеткой и поднес фотографию к свету.

— Одна из найденных в квартире Аруйо?
Верно?

— Да, сэр.

— Установили людей на фотографии?

Эрдхем покачал головой:

— Нет, сэр.

— В таком случае зачем мне смотреть на нее,
агент Эрдхем?

Эрдхем взглянул на меня и нахмурил брови.

— Дело не столько в людях, сэр... Посмотрите,
где она сделана.

Болтон искоса посмотрел на фото:

— Да?

— Сэр, если вы...

— Минуточку. — Болтон положил салфетку
на тарелку.

— Да, сэр, — сказал Эрдхем, и его тело вздрог-
нуло.

Болтон посмотрел на меня:

— Это ваш дом.

Я опустил вилку.

— О чем вы говорите?

— Этот снимок сделан у парадного входа вашего дома.

— Чей, меня или Патрика? — спросила Энджи.

Болтон покачал головой:

— Женщины и маленькой девочки.

— Грейс, — сказал я.

341

32

Я первый покинул дом Энджи. Выйдя на крыльцо, где завывали сирены нескольких правительственных машин, направлявшихся в Хауз, приложил телефонную трубку к уху.

— Грейс?

— Да?

— У тебя все нормально? — Я поскользнулся на ледяной корке, но удержался, ухватившись за перила. Энджи и Болтон тоже вышли на крыльцо.

— Что? Ты разбудил меня. Мне к шести на работу. Который час?

— Десять. Прости.

— Мы не можем поговорить утром?

— Нет. Нет. Пожалуйста, оставайся на линии и проверь все двери и окна.

В эту минуту машины притормозили у входа в дом.

— Что это? Что за шум?

— Грейс, проверь все двери и окна. Убедись, что они закрыты.

Я направился к тротуару. Кроны деревьев были тяжелыми и мерцали в темноте сосульками льда. Улица и тротуар были покрыты сплошной коркой льда.

— Патрик, я...

— Грейс, не теряй времени.

Я вскочил в боковую дверь передней машины, темно-синего «линкольна», Энджи села рядом. Болтон сел впереди и назвал водителю адрес Грейс.

— Поехали. — Я хлопнул подголовник водителя. — Давай, давай!

— Патрик, — сказала Грейс, — что происходит?

— Ты проверила двери?

— Проверяю. Входная дверь заперта. Дверь в подвал на замке. Подожди, иду к задней.

— Нас обгоняет машина справа, — сказала Энджи.

Устремляясь к боковой дороге, ведущей на юг, наш водитель нажал на газ, отчего машина, едущая навстречу с восточной стороны, затормозила на льду, отчаянно загудела и заюлила поперек автострады, заставив поток машин, следующих за нами, резко свернуть, огибая ее сзади.

— Задняя дверь на замке, — сказала Грейс. — Сейчас проверю окна.

— Хорошо.

— Напугал меня до чертиков.

— Знаю. Прости. Окна.

— В спальной и гостиной закрыты. Пойду взгляну к Мэй. Закрыто, закрыто...

— Мамочка?

— Все хорошо, дорогая. Лежи в постельке. Я сейчас вернусь.

Наш «линкольн» свернул на 93-е шоссе, идя по крайней мере на скорости 60 миль в час. Задние колеса подпрыгивали на островках льда и замерзшей грязи, задний мост потряхивало.

— Я в комнате Аннабет, — прошептала Грейс. — Закрыто, закрыто. Открыто.

— Открыто?

— Да. Она оставила его чуть приоткрытым.

— Черт.

— Патрик, объясни, что происходит.

— Закрой его, Грейс. Закрой.

— Уже сделала это. Что ты думаешь...

— Где твой пистолет?

— Мой пистолет? У меня его нет. Ненавижу оружие.

— Тогда нож.

— Что?

— Найди какой-нибудь нож, Грейс. О господи. Найди...

Энджи выхватила телефон из моей руки и знаком, приложив палец к губам, приказала мне молчать.

— Грейс, это Эндж. Послушай. Возможно, ты в опасности. Мы еще точно не знаем. Поэтому оставайся пока на связи и не двигайся, пока не будешь уверена, что в твоей квартире нет посторонних.

Мимо проплыли щиты с названием районов — Эндрю-сквер, Массачусетс-авеню, — и «линкольн», свернув на Франтедж-роуд, миновал свалку промышленных отходов и отходов от строительства Биг-Диг[1] в виде большого темного пятна, вырулил в сторону Ист-Беркли.

— Болтон, — сказал я, — она не приманка.

— Знаю.

— Хочу, чтобы по программе защиты свидетелей ее упрятали так далеко, чтобы сам президент не мог найти ее, если захочет.

— Понимаю.

— Возьми Мэй, — сказала Энджи по телефону, — и оставайся в комнате с запертой на ключ дверью. Мы будем минуты через три. Если кто-то попытается проникнуть через дверь, вылезай в окно и беги в сторону Хантингтон или Массачусетс-авеню и ори что есть мочи.

1 Биг-Диг — гигантская подземная автострада в Бостоне.

Мы проскочили первый красный свет на Ист-Беркли, вынудив какую-то машину вильнуть в сторону, выскочить на тротуар и врезаться в фонарный столб у гостиницы «Пайн-стрит».

— Подсудное дело, — сказал Болтон.

— Нет, нет, — продолжала по телефону взволнованным голосом Энджи. — Не покидай дом, пока не услышишь, что кто-то внутри. Если он поджидает на улице, это как раз то, что ему нужно. Мы уже почти прибыли, Грейс. В какой ты комнате?

Молниеносный поворот на Коламбус-авеню стоил нам покрышки левого заднего колеса, налетевшего на бордюр.

— В спальне Мэй? Хорошо. Мы всего в восьми кварталах от вас.

Тротуар Коламбус-авеню был покрыт толстым слоем льда, такого черного и твердого, что, казалось, мы продвигаемся по полосе чистой лакрицы.

Когда колеса нашей машины забуксовали, то обретая стойкость, то вновь теряя ее, я не выдержал и стукнул кулаком по дверце.

— Успокойтесь, — сказал Болтон.

Энджи потрепала меня по колену.

Когда «линкольн» повернул прямо на Уэст-Ньютон, в моем сознании, подобно вспышкам шаровой молнии, встали черно-белые образы.

Кара, распятая на морозе.

Голова Джейсона Уоррена, свисающая на электропроводе.

Питер Стимович с лицом, лишенным глаз.

Мэй пытается удержать собаку, играя с ней в траве.

Влажное тело Грейс, мягко качающееся на моем в духоте теплой ночи.

Кол Моррисон, запертый в глубине того грязного белого фургона.

Кроваво-красный хитрый взгляд клоуна, когда он произносил мое имя.

— Грейс, — прошептал я.

— Все в порядке, — говорила Энджи по телефону, — мы уже почти прибыли.

Мы свернули на Сент-Ботолф, водитель включил тормоза, и мы плавно проскользнули мимо коричнево-кирпичного дома Грейс, пока наконец машина не затормозила на два дома дальше.

Остальные наши машины остановились позади нас. Я вылез и побежал к дому. На тротуаре поскользнулся и упал на одно колено. В этот момент из прохода между двумя машинами справа появился мужчина. Обернувшись, я уткнул ему пистолет в грудь, после чего он поднял руки в темноте дождя.

Мой палец почти нажал на спуск, когда он вскрикнул:

— Патрик, стой!

Нельсон.

Он опустил руки, лицо у него было потным и испуганным. Подоспевший сзади Оскар ударил его и налетел, как поезд, отчего оба свалились на лед, и тщедушное тело Нельсона полностью исчезло под мощным торсом Оскара.

— Оскар, — воскликнул я, — все в порядке! Отбой. Он работает на меня.

Я взбежал по ступенькам к двери Грейс.

Энджи с Дэвином последовали за мной. Грейс открыла дверь и сразу защебетала:

— Патрик, что, черт возьми, происходит? — Она посмотрела поверх моего плеча, но, увидев, как

Болтон, отдавая приказы, рычит на своих людей, округлила глаза.

Огни фар то и дело мелькали вниз и вверх по улице.

— Все в порядке, — сказал я.

Дэвин опустил пистолет и подошел к Грейс:

— Где ребенок?

— Что? В своей спальне.

Он вошел в дом в пуленепробиваемом жилете.

— Эй, ·подождите! — Она бросилась вслед за ним.

Мы с Энджи прошли за ней. Остальные агенты прочесывали двор дома с помощью ручных фонариков.

Грейс указала на пистолет Дэвина:

— Уберите его, сержант. Уберите...

Мэй начала громко плакать.

— Мама-а...

Дэвин то и дело заглядывал в подъезд, прижимая пистолет чуть выше колена.

Тепло и свет гостиной отнюдь не успокоили меня — меня подташнивало, а руки дрожали от прилива адреналина. Из спальни доносился плач Мэй, и я пошел на этот звук.

Мой мозг одолевала мысль: *я чуть не убил Нельсона,* — она вызывала дрожь, но затем все-таки оставила меня в покое.

Грейс прижала Мэй к плечу, а та, открыв глаза и увидев меня, разразилась новым потоком слез.

Грейс взглянула на меня:

— Боже, Патрик, неужели все это так необходимо?

Лучи фонариков во дворе отскакивали от окон.

— Да, — сказал я.

— Патрик, — глядя на мою руку, сердито сказала она, — убери это.

Я взглянул вниз, заметил пистолет в своей руке, осознал, что именно он стал причиной слез Мэй. Я сунул его обратно в кобуру, затем, посмотрев на них, мать и дочь, лежащих в обнимку на кровати, почувствовал себя подлым предателем.

Пока Мэй переодевалась в своей спальне, Болтон беседовал с Грейс в гостиной.

— Первостепенная задача сейчас — обеспечить безопасность вам и вашей дочери. Внизу нас ждет машина, и я хочу, чтобы вы сели в нее и поехали с нами.

— Куда? — спросила Грейс.

— Патрик, — позвал слабый голосок.

Я обернулся и увидел Мэй на пороге спальни, наспех одетую в джинсы и свитер, с незавязанными шнурками на ботинках.

— Да? — спросил я как можно мягче.

— Где твой пистолет?

Я попробовал улыбнуться:

— Выбросил. Прости, что напугал тебя.

— Он толстый?

— Что? — Я нагнулся и завязал ей ботинки.

— Он... — Она заволновалась, пытаясь найти нужное слово, и явно расстроилась.

— Тяжелый? — подсказал я.

Она кивнула:

— Да. Тяжелый?

— Да, Мэй. Особенно для тебя.

— А для тебя?

— Для меня тоже довольно тяжелый, — сказал я.

— Тогда зачем он тебе? — Она наклонила голову налево и посмотрела вверх, прямо мне в глаза.

— Он необходим мне для работы, — сказал я. — Как стетоскоп для твоей мамы.

Я поцеловал ее в лоб.

Она поцеловала меня в щеку и обняла мою шею такими нежными ручками, что казалось невероятным, что они существуют в том же мире, что Алек Хардимен, Эвандро Аруйо, ножи и пистолеты. Она вернулась обратно в спальню.

В гостиной Грейс отрицательно качала головой:

— Нет.

— Почему? — спросил Болтон.

— Нет, — повторила Грейс. — Я не поеду. Можете взять Мэй, а я позвоню ее отцу. Уверена, да-да, что он возьмет отпуск и побудет с ней. Я буду навещать их, пока все это не кончится, но сама поехать не могу.

— Доктор Коул, это неприемлемо.

— Я первый год в хирургии, агент Болтон. Вам это понятно?

— Да, понимаю, но ваша жизнь в опасности.

Грейс тряхнула головой:

— Можете защищать меня. Можете следить. И можете спрятать мою дочь. — Она взглянула на спальню Мэй, и на ее глаза навернулись слезы. — Но я не могу бросить свою работу. Только не сейчас. Я никогда больше не получу такую возможность, если уйду посреди испытательного срока.

— Доктор Коул, — сказал Болтон, — я не могу позволить вам это.

Грейс вновь тряхнула головой.

— Придется, агент Болтон. Защитите мою дочь. О себе я позабочусь сама.

— Человек, с которым мы имеем дело...

— Опасен, знаю. Вы мне сказали. И мне страшно, агент Болтон, но я не могу отказаться от того, к чему я шла всю жизнь. Никак не могу. Даже ради кого-то.

— Он найдет тебя, — сказал я, все еще ощущая на своей шее прикосновение ручонок Мэй.

Все взгляды в комнате повернулись в мою сторону.

— Даже если я... — сказала Грейс.

— Что «я»? Я не в состоянии защитить вас всех, Грейс.

— Я и не прошу тебя...

— Он сказал, у меня есть выбор.

— Кто?

— Хардимен, — ответил я, с удивлением заметив, как громко звучит мой голос. — Он предложил мне выбрать кого-то из моих близких. Он имел в виду тебя и Мэй, а также Фила и Энджи. Я не могу защитить всех вас, Грейс.

— И не надо, Патрик. — Ее голос был холоден. — Не надо. Это ты привел его к моему порогу. В дом моей дочери. Твое чертово тупое пристрастие к миру насилия привело ко мне этого нелюдя. Твоя жизнь стала и моей жизнью, и жизнью моей дочери, но мы тебя об этом не просили. — Она ударила себя кулаком по колену, затем опустила взгляд вниз, на пол, и тяжело вздохнула. — Со мной все будет хорошо. Увезите Мэй в безопасное место. Я сейчас же позвоню ее отцу.

Болтон посмотрел на Дэвина, и тот пожал плечами:

— Я не могу заставить вас принять программу защиты...

— Нет, — сказал я. — Нет, нет и нет, Грейс, ты не знаешь этого человека. Он доберется до тебя. Доберется.

Я пересек комнату и остановился над ней.

— Ну? — спросила она.

— Ну? — ответил я. — Ну?

Уверен, в этот момент все в комнате смотрели на меня. Уверен, я был немного не в себе. Безумный и мстительный. Неистовый, уродливый, на грани.

— Ну? — спросила Грейс снова.

— Он отрежет твою чертову башку.

— Патрик, — нахмурилась Энджи.

Я наклонился над Грейс.

— Поняла? Он отрежет тебе голову. Но только в самом конце. Сначала, Грейс, он будет тебя какое-то время насиловать, затем станет потихоньку вырезать кусочки из твоего тела, затем начнет вгонять гвозди в твои чертовы ладони, а потом...

— Прекрати, — сказала она тихо.

Но я не мог. Мне казалось, очень важно, чтобы она знала это.

— ...он выпотрошит тебя, Грейс. Он это любит. Делает это, чтобы увидеть внутренний пар. После этого, возможно, он выколет тебе глаза, в то время как его напарник всадит тебе...

За моей спиной послышался крик.

К этому моменту Грейс закрыла уши руками, но, услышав крик, освободила их.

Я повернулся и увидел позади себя Мэй. Лицо ее было ярко-красным, руки спазматически дергались в разные стороны, будто сквозь ее тельце пропускали ток.

— Нет, нет, нет! — восклицала она сквозь слезы ужаса, пробежала мимо меня, прыгнула на мать отчаянно прижалась к ней.

Обнимая дочку, Грейс смотрела куда-то вдаль, затем перевела взгляд на меня, и в нем сияла и огромная, чистая ненависть.

— Покинь мой дом, — сказала она.

— Грейс.

— Сейчас же, — сказала она.

— Доктор Коул, — вмешался Болтон, — мне хотелось бы...

— Я поеду с вами, — сказала она.

— Что?

— Я согласна на программу защиты и поеду с вами, агент Болтон. Я не покину свою дочь. Я еду, — мягко сказала она.

— Послушай, Грейс...

Она закрыла ладонями уши девочки.

— Кажется, я ясно сказала, убирайся вон из моего дома.

Послышался телефонный звонок, она подошла к аппарату, но глаза ее не отрывались от меня ни на миг.

— Алло. — Она нахмурилась. — Мне казалось, я сказала вам сегодня днем не перезванивать мне. Если хотите поговорить с Патриком...

— Кто это? — спросил я.

Она бросила трубку на пол к моим ногам.

— Ты дал мой номер этому психу, своему другу, Патрик?

— Бубба? — Я поднял трубку в тот момент, когда она проходила мимо меня, унося Мэй в спальню.

— Привет, Патрик.

— Кто это? — спросил я.

— Тебе понравились снимки твоих друзей, которые я сделал?

Я посмотрел на Болтона и прошептал губами:

— Эвандро.

Он выскочил из дома, Дэвин вслед за ним.

— Они не произвели на меня большого впечатления, Эвандро.

— О, — сказал он. — Как жаль... Я так отрабатывал технику, старался играть светом и пространством, выстраивал перспективу, все такое... Мне кажется, вышло художественно. Ты не согласен?

Из окна было видно, как один из агентов взбирается на телефонный столб во дворе дома Грейс.

— Не знаю, Эвандро. Сомневаюсь, что ты смог бы заснять Энни Лейбовиц, особенно ее взгляд через плечо или что-нибудь в этом роде.

Эвандро хихикнул:

— Зато я ухватил твой взгляд через плечо, разве не так, Патрик?

В комнату вошел Дэвин, держа в руках листок бумаги с фразой: «Подержи его еще две минуты».

— Да, ты прав. А где ты находишься, Эвандро?

— Смотрю на тебя.

— Правда? — Я едва сдержал желание повернуться и выглянуть в окно, выходящее на улицу.

— Наблюдаю за тобой, твоей подружкой и всеми этими легавыми, наводнившими ваш дом.

— Ну, раз уж ты поблизости, заходи в гости.

Снова легкое хихиканье.

— Лучше я подожду. А ты сейчас выглядишь очень привлекательно, Патрик, — прижатая к уху трубка, сосредоточенно сдвинутые брови, растрепанные от дождя волосы. Ты очень красив.

В гостиную вошла Грейс и поставила чемодан на пол у двери.

— Спасибо за комплимент, Эвандро.

Услышав это имя, Грейс прищурилась и посмотрела на Энджи.

— Не за что, — сказал Эвандро.

— Во что я одет?

— При чем здесь это? — спросил он.

— Во что я одет?

— Патрик, когда я фотографировал твою подружку и ее...

— Во что я сейчас одет, Эвандро?

— ...маленькую девочку...

— Ты не знаешь, потому что не наблюдаешь за домом, так?

— Я вижу гораздо больше, чем ты можешь себе представить.

— Ты полное дерьмо, Эвандро. — Я засмеялся. — Все строишь из себя...

— Не смей издеваться надо мной.

— ...всевидящего и всезнающего суперпреступника...

— Измени свой тон. Немедленно, Патрик.

— ...но отсюда, где я стою, ты выглядишь как обыкновенная шваль.

Дэвин посмотрел на часы и поднял три пальца. Протянуть еще тридцать секунд.

— Я собираюсь разрубить девчонку пополам и прислать ее тебе по почте.

Я повернул голову и увидел Мэй, склонившуюся над своим чемоданом в спальне и потиравшую глазки.

— Ты даже близко к ней не подберешься, ты, ничтожество. У тебя был шанс, но ты им подавился.

— Я уничтожу всех, кто тебе дорог. — Его голос дрожал от ярости.

Войдя через парадную дверь, Болтон кивнул.

— Моли Бога, чтобы я не увидел тебя первым, Эвандро.

— Этого не случится, Патрик. Никому еще не удавалось. До свиданья.

И тут на линии послышался другой, более жесткий, чем у Эвандро, голос:

— Еще увидимся, ребятки.

Связь прервалась, и я посмотрел на Болтона.

— Оба, — сказал я.

— Да.

— Вы узнали второй голос?

— Нет, помехи на линии.

— Они на Норт-Шор.

— На Норт-Шор? — переспросила Энджи.

Болтон кивнул:

— Нахант.

— Они залегли на острове? — спросил Дэвин.

— Мы можем накрыть их, — сказал Болтон. — Я уже поднял на ноги береговую охрану и направил полицейские машины из Наханта, Линна и Свемпскотта, чтобы заблокировать мост, соединяющий берег с островом.

— Значит, мы в безопасности? — спросила Грейс.

— Нет, — сказал я.

Словно не слыша, она посмотрела на Болтона.

— Я не могу полагаться на случай, — сказал Болтон. — Вы тоже, доктор Коул. Я не могу рисковать вашей жизнью и жизнью вашей дочери, пока мы не поймаем их.

Она посмотрела на Мэй, которая вышла из своей спальни с детским саквояжем.

— Да. Вы правы.

Болтон повернулся ко мне:

— Двое моих людей на квартире мистера Ди-масси, но этого недостаточно. Половина из них все еще на Саут-Шор. Те, что здесь, мне нужны.

Я взглянул на Энджи, и она кивнула.

— На парадной и на задней дверях вашей квартиры установлена высококлассная сигнализация, мисс Дженнаро.

— Мы сможем защитить себя на протяжении нескольких часов, — сказал я.

Он хлопнул меня по плечу.

— Мы возьмем их, мистер Кензи. — Он посмотрел на Грейс и Мэй. — Вы готовы?

Она кивнула, протянула руку Мэй. Та взяла ее и посмотрела на меня с грустью и смущением, делавшими ее не по летам взрослой.

— Грейс.

— Нет. — Она отдернула голову, когда я протянул к ней руку. И вышла.

Они уехали на черном «крайслере» с пуленепробиваемыми окнами и водителем с холодными, крайне настороженными глазами.

Я спросил:

— Куда вы их везете?

— Очень далеко, — ответил Болтон. — Очень далеко.

Вертолет приземлился в самом центре Массачусетс-авеню, и Болтон, Эрдхем и Филдс, подпрыгивая, шли к нему по льду.

Когда вертолет поднялся в воздух, раскидав мусор по витринам магазинов вдоль авеню, к нам присоединились Дэвин и Оскар.

— Я отправил твоего дружка-карлика в больницу, — сказал Оскар, протягивая мне в знак примирения руки. — Сломаны шесть ребер. Жаль.

Я пожал плечами. Придется как-нибудь компенсировать Нельсону это недоразумение.

— Я послал к дому Энджи сержанта, — сказал Дэвин. — Хороший парень, его зовут Тим Данн. Он справится. Можете ехать.

Мы стояли под дождем и наблюдали, как они садились в полицейские и фэбээровские машины, которые караваном двинулись вниз по Массачусетс-авеню, и плеск дождя по льду звучал печальнее всего, что я слышал в жизни.

33

Наш таксист маневрировал по обледенелым улицам с удивительной ловкостью, удерживая стрелку спидометра на цифре 20 и нажимая на тормоз лишь в критических случаях.

Город был скован льдом. Обширная стекловидная пелена покрывала фасады домов, а сточные желоба прогибались под тяжестью каскада белых сосулек, по форме напоминающих кинжалы. Деревья мерцали платиновым светом, а машины, стоящие вдоль авеню, превратились в ледяные скульптуры.

— В такую ночь, как сегодня, бывает много неприятностей с электричеством, скажу я вам, — произнес таксист.

— Думаете? — механически ответила Энджи.

— О, бьюсь об заклад, прекрасная леди. Этот лед пригнет все электропровода к земле, вот увидите. Никто не должен в такую бурную ночь быть вне дома, нет.

— Почему же вы не дома? — спросил я.

— Должен кормить малышей, увы, да. Они не должны знать, в каком жестоком мире живет их папочка. Нет. Они должны быть сытыми.

Я вдруг увидел лицо Мэй, скорченное от смущения и ужаса. Слова, которые я буквально вылил на ее мать, эхом звучали в моих ушах.

Малыши не должны знать.

Как я мог забыть об этом?

Пока мы шли по дорожке к дому Энджи, Тимоти Данн дважды полоснул нас лучом своего фонарика.

Он осторожно перешел улицу и подошел к нам. Это был худощавый паренек с широким, открытым лицом, прикрытым темно-синей фуражкой. Такие лица бывают у крестьянских мальчишек или у тех, кого матери с детства готовят к посвящению в духовный сан.

Его фуражка была покрыта водонепроницаемым пластиком, а тяжелый черный плащ блестел от дождя. Он приподнял фуражку, когда мы подошли к парадной двери.

— Мистер Кензи, мисс Дженнаро, я — сержант Тимоти Данн. Как вам погодка?

— Бывает и лучше, — сказала Энджи.

— Да, мэм, я слышал.

— Мисс, — поправила его Энджи.

— Простите?

— Пожалуйста, зовите меня «мисс» или просто Энджи. Слово «мэм» намекает, что я гожусь вам в матери. — Она пристально посмотрела на него сквозь морось. — Это ведь не так, правда?

Он застенчиво улыбнулся:

— Конечно, нет, мисс.

— Сколько вам лет?

— Двадцать четыре.

— О-о-о!

— А вам?

Она хихикнула:

— Никогда не спрашивайте у женщины ее вес и возраст, сержант Данн.

Он кивнул:

— И в том и в другом отношении Бог очень щедр к вам, мисс.

Я закатил глаза.

Она немного отпрянула и вновь посмотрела на него:

— Далеко пойдете, сержант Данн.

— Благодарю вас, мисс. Мне все это говорят.

— Верьте людям, — сказала она.

Он посмотрел вниз, переступил ногами, затем потянул себя за правую мочку уха — этот жест, видимо, был машинальным.

Он прочистил горло.

— Сержант Амронклин сказал, что из ФБР пришлют подкрепление, как только окончательно окружат их на Саут-Шор. Он сказал, около двух или трех ночи. Я так понял, что парадная и задняя двери на сигнализации, а задняя часть дома под охраной.

Энджи кивнула.

— Я все же хотел бы проверить.

— Прошу вас.

Данн снова приложился к фуражке и пошел вокруг дома, а мы стояли на крыльце и прислушивались к скрипу его шагов по замерзшей траве.

— Интересно, где Дэвин раздобыл этого мальчишку? — спросила Энджи. — В хоре для мальчиков?

— Может, племянник, — сказал я.

— Дэвина? — Она покачала головой. — Не может быть.

— Может. У Дэвина восемь сестер, и половина из них монашки. Серьезно. Вторая половина замужем за типами, уверенными, что они — правая рука Иисуса.

— Каким образом Дэвин вылез из этого родового болота?

— Тайна, покрытая мраком.

— Этот юнец так невинен и искренен, — сказала она.

— Он слишком молод для тебя.

— Каждому юноше нужна опытная совратительница, — ответила она.

— И ты как раз подходишь.

— Конечно, тупица. Ты же видел, как ерзают его бедра в этих узеньких брючках?

Я вздохнул.

Луч фонарика возвестил о возвращении Тимоти Данна — его осторожные шаги послышались с другой стороны дома.

— Все чисто, — сказал он, когда мы снова вышли на крыльцо.

— Благодарю вас, сержант.

Он встретился с ней глазами, его зрачки вспыхнули, но он отвел взгляд вправо.

— Тим, — сказал он. — Зовите меня просто Тим, мисс.

— Тогда вы меня — Энджи. А это Патрик.

Тим кивнул, и, когда взглянул на меня, в его глазах появилось выражение легкой вины.

— Ну, — сказал он.

— Ну, — повторила Энджи.

— Ну, я буду в машине. Если решу подойти к дому, сначала позвоню. Сержант Амронклин дал мне ваш номер.

— А если будет занято? — спросил я.

Он предусмотрел и это.

— Три вспышки моего фонаря вот в это окно. — Он указал на гостиную. — Я знаком с планом дома, свет будет видно в любой комнате, за исключением кухни и ванной. Верно?

— Да.

— И наконец, если вы будете спать или не увидите, я позвоню в звонок. Два коротких звонка. Ясно?

— Кристально, — сказал я.

— Все под контролем, — подбодрил нас Тим.

Энджи кивнула:

— Спасибо, Тим.

Он ответил кивком, но не глядя ей в глаза. Он пошел обратно, пересек улицу и, дойдя до машины, забрался внутрь.

Я скривился и пропел:

— Тим!

— Заткнись.

— Они все забудут, — сказала Энджи.

Мы сидели в столовой, беседуя о Грейс и Мэй. Отсюда мне была видна красная пульсирующая точка сигнализации на входной двери. Вместо успокоения она подчеркивала нашу уязвимость.

— Нет, не забудут.

— Если они любят тебя, то поймут, что ты потерял самообладание под влиянием стресса. Грубо, конечно, но не более того.

Я покачал головой:

— Грейс права. Я привел ужас в ее дом. И сам в него обратился. Я испугал ее ребенка, Энджи.

— Дети отходчивы, — сказала она.

— Если бы ты была Грейс и я разыграл бы перед тобой такой спектакль, а твоего ребенка на месяц погрузил в ночные кошмары, что бы ты сделала?

— Я не Грейс.

— А если бы была ею?

Она покачала головой, глядя на бокал с пивом в руке.

— Скажи, — сказал я.

— Возможно, я бы вычеркнула тебя из своей жизни, — сказала она, глядя в бокал. — Навсегда.

Мы перешли в спальню, уселись в кресла по обе стороны кровати, чувствуя глубокую усталость и вместе с тем возбуждение — слишком сильное, чтобы уснуть.

Дождь прекратился, свет в спальне был погашен, и лед за окном отсвечивал серебром, придавая комнате жемчужный оттенок.

— Кончится тем, что оно нас проглотит, — сказала Энджи. — Насилие.

— Мне всегда казалось, мы сильнее.

— Ошибаешься. Спустя время оно заражает.

— Ты имеешь в виду себя или меня?

— Нас обоих. Помнишь, несколько лет назад я застрелила Бобби Ройса?

Я помнил.

— Ты спасла мне жизнь.

— Забрав его жизнь. — Она глубоко затянулась сигаретой. — Все эти годы я говорила себе, что ничего не чувствовала, когда нажимала на спуск, не могла чувствовать...

— А что ты чувствовала?

Сидя в кресле и положив стопы на край кровати, она подалась вперед и крепко сжала ладонями колени.

— Я чувствовала себя богом, — сказала она. — Мне было хорошо, Патрик.

Позднее она лежала в постели с пепельницей на животе, глядя в потолок. Я же оставался в своем кресле.

— Это мое последнее дело, — сказала она. — По крайней мере надолго.

— Ладно.

Она повернула голову на подушке.

— Не возражаешь?

— Нет.

Она выпустила кольца дыма в потолок.

— Я так устала от страха, Патрик. От страха, который превращается в ярость. Меня истощила ненависть, накопившаяся за эти годы.

— Знаю.

— Я устала иметь дело с психопатами, домашними тиранами, мерзавцами, лжецами, причем не день и не два подряд, а постоянно. Мне начинает казаться, что, кроме них, в мире никого больше нет.

Я кивнул. Я тоже устал от всего этого.

— Ведь мы еще молоды. — Она посмотрела на меня. — Ты помнишь об этом?

— Да.

— Мы еще достаточно молоды, чтобы изменить что-то, если захотим. И достаточно молоды, чтобы вновь стать чистыми.

Я подался вперед.

— Давно у тебя эти мысли?

— С тех пор как мы застрелили Мариона Сосия. А может, с тех пор, как я убила Бобби Ройса, не знаю. Но давно. Я уже так долго чувствую себя грязной, Патрик. И не могу привыкнуть.

Мой голос прозвучал шепотом:

— Так мы можем, несмотря на все, снова стать чистыми, Энджи? Или уже слишком поздно?

Она пожала плечами:

— Стоит попробовать. Как думаешь?

— Конечно. — Я нагнулся и взял ее руку. — Раз ты так думаешь, значит, стоит.

Она улыбнулась:

— Ты мой самый лучший друг на свете.

— Взаимно.

Я вскочил.

— Что? — спросил я, но никого не было.

В квартире было тихо. Уголком глаза я заметил какое-то движение. Оглянулся и посмотрел на дальнее окно. Я смотрел на замерзшие стекла, и темные силуэты листьев то плотно прижимались к стеклу, то отрывались и возвращались в темноту, а тополь все качался на ветру.

Я обратил внимание, что красные цифры на будильнике Энджи не горят.

Я нашел свои часы на комоде и нагнулся к окну, чтобы поймать отблеск света: 1 час 45 минут.

Повернувшись, я поднял жалюзи на окне и посмотрел на окружающие дома. Ни одна лампа не горела, даже фонари у входа. Вся округа выглядела как горная деревушка, покрытая льдом, лишенная электричества.

Когда зазвонил телефон, звук был оглушающим.

Я схватил трубку:

— Алло.

— Мистер Кензи?

— Да.

— Тим Данн.

— Свет вырубился.

— Да, — сказал он. — По всему городу. Корка льда стала слишком тяжелой и пригнула электропровода к земле, что вывело из строя трансформаторы по всему штату. Я уже сообщил в компанию «Бостон Эдисон» о нашей ситуации, но для восстановления понадобится какое-то время.

— Ясно. Благодарю, офицер Данн.

— Не стоит.

— Сержант.

— Да?

— Которая из сестер Дэвина ваша мать?

— Как вы догадались?

— Забыли? Я ведь сыщик.

Он хихикнул.

— Тереза.

— А, — сказал я. — Одна из старших. Дэвин всегда боялся тех, кто старше его.

Он тихо засмеялся:

— Знаю. Немного смешно.

— Спасибо за заботу, сержант Данн.

— Рад стараться, — сказал он. — Доброй ночи, мистер Кензи.

Я повесил трубку, глядя на безмолвную мешанину красок за окном — иссиня-черной, ярко-серебристой и жемчужной.

— Патрик?

Ее голова оторвалась от подушки, а левая рука отбросила пучок спутавшихся волос с лица. Она приподнялась на локте, и я заметил движение ее груди под майкой со школьной эмблемой.

— Что такое?

— Ничего, — сказал я.

— Плохой сон? — Она села, одна нога под ней, другая, обнаженная и гладкая, выскользнула из-под простыни.

— Мне показалось, я что-то услышал. — Я кивнул в сторону окна. — Оказалось, это ветка дерева.

Энджи зевнула.

— Давно собираюсь его обрезать.

— К тому же отключили электричество. По всему городу.

Она заглянула под штору:

— Ого!

— Данн сказал, трансформаторы вышли из строя по всему штату.

— Нет, нет, — вдруг сказала она и, отбросив простыню, выскочила из постели. — Так не пойдет. Слишком темно.

Она порылась в своей кладовке и вытащила оттуда коробку из-под обуви. Поставив ее на пол, достала оттуда горсть белых свечей.

— Помощь нужна? — спросил я.

Она покачала головой и направилась в обход по комнате, вставляя свечи в подсвечники и подставки, которые я не мог видеть в темноте. Они были спрятаны у нее повсюду — на двух ночных тумбочках, туалетном столике, комоде. Я с какой-то тревогой наблюдал, как она зажигает фитили, ее большой палец не отпускал колесо зажигалки, и она ходила от одной свечи к другой, пока тени от пламени, колыхаясь и дрожа, не распространились по всем стенам, освещенным их же светом.

В течение двух минут Энджи превратила комнату в подобие скорее часовни, чем спальни.

— Вот так, — сказала она, вновь залезая под одеяло.

С минуту мы оба молчали. Я смотрел на пламя, мерцающее и временами возрастающее, и теплый желтоватый свет, играя на наших телах, обрел яркий отблеск в прядях ее волос.

Она повернулась ко мне лицом, ноги, скрещенные в коленях, были подобраны под себя, простыня сбилась. Она сжала ее двумя руками и, закинув голову назад, тряхнула волосами, чтобы они расправились и перекочевали на спину.

— Постоянно во сне вижу трупы, — пожаловалась она.

— А мне снится только Эвандро.

— Что он делает? — Она подалась немного вперед.

— Приходит за нами. Каждый день.

— В моих снах он уже прибыл.

— Выходит, те трупы...

— Мы с тобой. — Ее руки сцепились на коленях, она же смотрела на них так, будто они могли разъединиться сами, по своей собственной воле. — Я не хочу умирать, Патрик.

Я облокотился о спинку кровати.

— Я тоже.

Энджи подалась вперед. Ее сцепленные на коленях руки, прижавшееся ко мне тело, густые волосы, почти закрывшие ее лицо, — все это придавало ей вид заговорщицы, посвященной в тайны, которые она никому не раскроет.

— Если кто-нибудь доберется до нас...

— Этого не случится.

— Да, разумеется.

Дом заскрипел, войдя на какую-то долю сантиметра в землю.

— Если он придет, мы его встретим.

Она рассмеялась каким-то влажным, удушливым смехом.

— Мы с тобой, что называется, в пролете, Патрик. Ты знаешь это, я знаю, и он, наверное, тоже знает. Уже столько дней мы не в состоянии ни есть, ни спать как все люди. Он сломил нас эмоционально и психологически, мы ни о чем другом не в состоянии даже думать. — Ее руки легли на мои щеки. — Если он захочет, он нас уничтожит.

Я ощутил дрожь, исходящую от ее рук, будто их пронзил внезапный электрический разряд. А сквозь ее футболку пробивался пульсирующий жар, жар крови и неги молодого тела, и я понимал, что она права.

Если он захочет, то уничтожит нас.

И эта мысль была так дьявольски отвратительна, так осквернена сознанием, что мы, вернее, каждый из нас — совершеннейшее ничто, а точнее, груда органов, вен, мышц и клапанов, которые находятся в подвешенном состоянии среди потоков крови внутри бренной, бесполезной внешней оболочки. И вот, по взмаху хлыста, может явиться Эвандро и спокойно прихлопнуть нас, причем сделает это так же легко, как мы выключаем свет, после чего эта самая груда органов перестанет функционировать, белый свет для нас померкнет и наступит вечная тьма.

— Помнишь, о чем мы говорили? — спросил я. — Если нам придется умереть, мы заберем его с собой.

— Что? — сказала она. — Что, черт побери, Патрик? Я не хочу брать Эвандро с собой. Я просто-напросто не хочу умирать. Хочу, чтобы он оставил меня в покое.

— Ш-ш-ш, — мягко сказал я. — Все в порядке. Успокойся.

Она грустно улыбнулась:

— Прости, это потому, что вокруг глухая ночь, и мне не было так страшно никогда в жизни, и я не в состоянии изображать из себя эдакого крутого парня. Наши, кстати, в последнее время чувствуют себя ненамного лучше.

Глаза ее увлажнились, то же случилось и с ладонями, прижатыми к моим щекам, а теперь вновь сползающими на ее колени.

Я нежно сжал ее запястья, она вновь подалась вперед. Ее правая рука зарылась в мои волосы, отбрасывая их со лба, она прижалась ко мне всем телом, при этом ее бедра умостились между моими, а ее левая нога коснулась моей правой, когда она сбрасывала простыню к концу кровати.

Прядь ее волос щекотала мой левый глаз, но мы оба застыли, почти касаясь лицами друг друга.

Страх был повсюду: в ее дыхании, в наших волосах, на нашей коже.

Темные глаза уставились на меня со смешанным чувством любопытства, решимости и тени прошлых обид, о которых мы никогда не говорили. Ее пальцы забрались еще глубже, а бедро уткнулось в мое собственное.

— Мы не должны этого делать, — сказала она.

— Нет, — ответил я.

— А как же Грейс? — прошептала она.

Вопрос ненадолго повис в воздухе, у меня не было ответа.

— А как насчет Фила?

— Пройденный этап.

— Но есть веские причины, по которым мы не занимались этим уже семнадцать лет, — сказал я.

— Знаю. Помню.

Подняв руку, я запустил ее в волосы Энджи над левым виском, она же впилась зубами в мое запястье, изогнула спину и надавила на меня бедром еще сильнее.

— Рене, — сказала она, вцепившись в волосы у моего виска с внезапной злостью.

— Рене ушла. — Я грубо схватил ее за волосы.

— Ты так уверен?

— Когда-нибудь слышала, чтобы я говорил о ней? — Я вытянул левую ногу вдоль ее правой и прижал ее лодыжкой.

— Это подозрительно, — сказала она. Ее левая рука соскользнула с моей груди и больно ущипнула меня за бедро, туда, где обнаженная кожа встречается с резинкой трусов. — Странно, что ты никогда не говоришь о женщине, на которой был женат. — Пальцами она подцепила резинку на моем бедре.

— Эндж...

— Не произноси мое имя.

— Что?

— По крайней мере когда мы говорим о тебе и моей сестре.

Вот так всегда. Прошло целых десять лет с тех пор, как мы начали эту дискуссию, и вот теперь она вновь на повестке дня со всеми своими грязными подробностями.

Энджи откинулась назад и теперь сидела у меня на бедрах, а мои руки спустились на ее талию.

— Я свое заплатил, — сказал я.

Она покачала головой:

— Нет.

— Да.

Она пожала плечами:

— Меня, кстати, это не очень волнует. По крайней мере в данный момент.

— Эндж...

Она приставила палец к моим губам, затем снова откинулась назад и стянула с себя майку. Отбросив ее на край кровати, она схватила мои руки и положила себе на грудь.

Она опустила голову, и ее волосы упали мне на руки.

— Я скучала по тебе семнадцать лет, — пробормотала она.

— Я тоже, — хрипло проговорил я.

— Хорошо, — прошептала она.

Ее волосы вновь упали мне на лицо, губы парили над моими, колени, сжимая мне бедра, сдвигали мои трусы вниз. Ее тонкий язык пощекотал мою верхнюю губу.

— Хорошо, — снова повторила она.

Я поднял голову и поцеловал ее. Правой рукой ухватил густую прядь ее волос, а так как мои губы отстранились от ее, она наклонилась и снова прижалась к ним, погружая внутрь свой язык. Мои руки опустились на ее спину, при этом пальцы сжимали ее талию с двух сторон, пока не нащупали резинку трусиков.

Она подняла руку и ухватилась за спинку кровати, ее тело подтянулось вперед, мой язык при этом добрался до ее горла, а руки начали скатывать трусики в шелковый валик, туго облегающий ее бедра и ягодицы. Ее грудь опустилась мне в рот, и она задохнулась, слегка отталкивая спинку кровати. Кисть руки резко полоснула меня по животу и направилась в пах, потом она быстро скинула скатанные трусики к лодыжкам и вновь уселась на меня.

И тут зазвонил телефон.

— Пошли они все, — сказал я. — Достали.

Нос Энджи слегка стукнулся о мой, она застонала, затем мы оба расхохотались почти в рот друг другу.

— Помоги-ка мне, — сказала она. — Я связана по рукам и ногам.

Вновь зазвенел телефон, громко и пронзительно.

Наши ноги и нижнее белье сплелись в один узел, и когда моя рука скользнула вдоль ее ноги и встретила там руку Энджи, это внезапное прикосновение стало одним из самых сильных эротических ощущений, испытанных мною.

Снова зазвонил телефон, и она изогнулась на кровати, наши лодыжки наконец разъединились, и я увидел капельки пота, сверкающие при свечах на ее смуглой коже.

Энджи застонала, но это был стон досады и раздражения, и наши тела вновь заскользили друг о друга, так как Энджи надо было добраться до телефона.

— Наверное, офицер Данн, — сказала она. — Черт.

— Тим, — поправил я. — Зови его Тим.

— Пошел ты... — сказала она с хриплым смехом и шлепнула меня по груди.

Вместе с трубкой она вернулась обратно, перевалившись через меня, и отодвинулась на край кровати, при этом на фоне белых простыней смуглая кожа выглядела еще темнее.

— Алло, — проговорила она и дунула на влажную прядь волос, прилипших ко лбу.

Мне послышался звук какого-то царапанья. Мягкий, но настойчивый. Взглянув на правое окно, я увидел темные листья, прилипшие к стеклу.

Цап-царап.

Правая нога Энджи оторвалась от моей, и я сразу же ощутил холод.

— Фил, пожалуйста, — сказала Энджи. — Почти два часа ночи.

Она легла на спину, утопив голову и плечи в подушку, и, пристроив телефон между ухом и плечом, приподняла ягодицы и натянула трусики обратно.

— Я рада, что у тебя все в порядке, — сказала она. — Но, Фил, не могли бы мы поговорить об этом утром?

Листья снова начали царапать окно, я нашарил шорты, натянул их.

Машинально погладив меня кистью руки по бедру, Энджи повернулась ко мне и закатила глаза, как бы задавая немой вопрос: «Да что же это такое?!» Затем она внезапно сжала рукой мою кожу повыше бедра и поджала нижнюю губу, чтобы сдержать улыбку. Но ей это не удалось.

— Послушай, Фил, не иначе как ты напился. Верно?

Цап-царап.

Я взглянул в окно, но листья уже исчезли, подхваченные темным ветром.

— Знаю, Филипп, — грустно проговорила она. — Знаю. И стараюсь. — Ее рука отпустила мое бедро, она повернулась к телефону и встала с кровати. — Нет. У меня нет к тебе никакой ненависти.

Вот так, стоя одним коленом на постели и глядя в окно, с телефонным проводом вокруг бедер, она ухитрилась напялить на себя футболку.

Я также встал с постели и натянул на себя джинсы с рубашкой. Без жара человеческого тела в доме было холодно, и мне совсем не хотелось снова забираться под одеяло, пока Энджи болтала с Филом.

— Я не читаю тебе нотации, — сказала она. — Но если Аруйо надумает сегодня ночью прийти за тобой, не лучше ли тебе иметь свежие мозги?

Белый луч света скользнул по ее плечам в полумраке и трижды мигнул на стене у потолка. Но она сидела с опущенной головой и ничего не заметила, поэтому я вышел из спальни и спустился в прихожую, на ходу согревая себя хлопками по рукам и наблюдая через окно в гостиной, как Тим Данн переходит улицу, направляясь к нашему дому.

Я отключил сигнализацию, заметив, что она и так бесполезна из-за отключения электричества.

Я открыл дверь прежде, чем он позвонил в дверь.

— Что случилось? — спросил я.

Из-за стекающих с листьев струек воды его голова была опущена, и я понял, что он смотрит на мои голые ступни.

Из гостиной донесся пронзительный стрекот рации.

— Холодно? — спросил Данн и потянул себя за мочку уха.

— Да. Заходите, — сказал я. — Закройте за собой дверь.

Я повернулся и пошел в гостиную, откуда услышал резкий голос Дэвина по рации:

— Патрик, убирайтесь к черту из этого дома. Аруйо обвел нас вокруг пальца, как щенков. Он не в Наханте.

Я повернулся, и тут Данн поднял наконец голову, и из-под козырька фуражки на меня смотрело лицо Эвандро Аруйо.

— Аруйо не в Наханте, Патрик. Он здесь. И до конца твоей жизни.

34

Прежде чем я смог что-то сказать, Эвандро прижал стилет чуть ниже моего правого глаза. Он вонзил острие в кость глазной впадины и закрыл за собой дверь.

Нож уже был в крови.

Он заметил мой взгляд и с грустью улыбнулся.

— Сержант Данн, — прошептал он, — так и не достигнет двадцати пяти, боюсь, это так. Неудачник.

Он всадил острие ножа еще глубже, чем отбросил меня назад, и я спустился на несколько ступенек ниже.

— Патрик, — сказал он, держась другой рукой за служебный пистолет Данна, — если издашь хоть один звук, я выколю тебе глаз и застрелю твою напарницу раньше, чем она выйдет из спальни. Понял?

Я кивнул.

Хотя свет свечей, доходивший из спальни, был слабым, я заметил, что на нем была форменная рубашка Данна; она потемнела от крови.

— Зачем надо было его убивать? — прошептал я.

— Ненавижу гель для волос, — сказал Эвандро. Когда мы дошли до ванной, находящейся посередине коридора, он прижал руку к губам, приказав мне остановиться.

Я остановился.

Он был без бороды, а волосы, выглядывающие из-под козырька фуражки, были обесцвечены в кокетливо блондинистый цвет. Контактные линзы на этот раз были серыми, и я решил, что бакенбарды фальшивые, так как при нашей последней встрече их не было.

— Повернись, — прошептал он. — Медленно.

Из спальни донесся вздох Энджи.

— Фил, я на самом деле очень устала.

Она не слышала рацию. Черт.

Не успел я повернуться, как Эвандро приставил плоскую грань стилета к моему лицу и позволил ей скользить по моей коже по мере поворота головы. Я чувствовал, как острие, слегка подпрыгивая, ползет по моему затылку, затем впивается во впадину под правым ухом, в промежуток между черепом и челюстью.

— Только рыпнись, — прошептал Эвандро мне на ухо, — и это острие выйдет через твой нос. Иди медленно.

— Филипп, — взывала Энджи. — Хватит...

У спальни было два выхода. Один соединял ее с коридором, другой, по ту сторону, вел в кухню. Мы находилась где-то в полутора метрах от первой двери, когда Эвандро приставил острие стилета к моей коже, чтобы остановить меня.

— Ш-ш-ш, — прошептал он. — Ш-ш-ш.

— Нет, — сказала Энджи, ее голос звучал устало. — Нет, Фил, у меня нет к тебе ненависти. Ты хороший человек.

— Я был примерно в трех с половиной метрах отсюда, — прошептал Эвандро. — Ты, твоя подружка и бедный сержант Данн беседовали об охране дома от меня, а я сидел, скорчившись, в соседской живой изгороди. Мой нос различал даже твой запах, Патрик.

Острие стилета, подобно булавке, вонзилось в кожу на краю челюсти, я почувствовал легкий укол.

Я пока не видел выхода. Если я ударю Эвандро локтем в грудь, а это первое, на что он рассчитывает, то шанс, что он успеет пронзить ножом мой мозг, слишком велик. Другие возможности — удар кулаком в пах или пяткой по пальцам ступни, внезапный рывок влево или вправо — имели ту же вероятность успеха. В одной руке он держал нож, в другой пистолет, и оба оружия впивались в мое тело.

— Если ты позвонишь мне утром, — сказала Энджи, — мы с тобой все обсудим.

— Или нет, — прошептал Эвандро. Он слегка подтолкнул меня вперед.

На пороге спальни Эвандро резким движением оторвал пистолет от моего бока. Острие ножа переместилось от уха к тыльной части головы и вонзилось в место, где встречались мой позвоночник и череп. Войдя, Эвандро встал за мной, прикрываясь.

Вместо того чтобы сидеть там, где я ее оставил, она исчезла. Телефонная трубка, снятая с рычага, лежала в центре постели, и я услышал учащенное дыхание Эвандро, когда он вытянул шею над моим плечом, чтобы все рассмотреть.

Простыни на кровати все еще хранили очертания наших тел. Сигарета Энджи продолжала выпускать в воздух пируэты дыма и сыпать пепел в пепельницу. Огоньки свечей мерцали, как желтоватые глаза пантер.

Эвандро взглянул в сторону кладовки, заполненной одеждой, что навело его на мысль, что там вполне можно спрятаться.

Он вновь подтолкнул меня, а я мысленно ответил ему ударом локтя.

Взведя курок у служебного пистолета Данна, Эвандро кивнул им в сторону кладовки.

— Она там? — прошептал он, перемещаясь влево, так как взял на мушку кладовку и еще глубже вонзил нож в мой череп.

— Не знаю.

Я услышал ее голос раньше, чем понял, что она здесь.

Он исходил откуда-то сзади. Ему предшествовало жесткое металлическое щелканье пистолетного затвора.

— Ни с места. Подонок.

Эвандро задвинул острие ножа в основание моего черепа так сильно, что я невольно поднялся на носки и почувствовал, что струя крови льется по моему затылку.

Я чуть повернул голову влево и увидел ствол пистолета Энджи, вставленный в правое ухо Эвандро, заметив, какими бледными были суставы ее пальцев, держащие рукоятку.

Сильным ударом Энджи выбила пистолет из рук Эвандро. Когда он шлепнулся на пол возле задней спинки кровати, я ждал, что он выстрелит, но он лежал себе спокойно со взведенным курком, нацеленный на дамскую сумку.

— Анджела Дженнаро, — сказал Эвандро. — Приятно познакомиться. Ловко же вы притворились, что все еще беседуете по телефону.

— Я и сейчас на телефоне, придурок. Разве трубка висит?

Глаза Эвандро усиленно заморгали.

— Нет, не висит.

— И о чем это говорит?

— Лично мне это говорит о том, что кто-то забыл ее повесить. — Он втянул носом воздух. — Здесь пахнет сексом. Совокупление плоти. Ненавижу этот запах. Видно, вы покувыркались.

— Полиция уже в пути, Эвандро, так что бросай нож.

— Хотелось бы, Анджела, но сначала я должен убить вас.

— Ты не убьешь нас обоих.

— Вы не в состоянии здраво мыслить, Анджела. Видимо, секс затуманил вам мозги. Он таков. Отвратный запах секса. На самом деле это зловоние пещерного человека. После того как я переспал с Карой и Джейсоном — не по своему желанию, — мне захотелось там же, на месте, перерезать им горло. Но я был обречен на ожидание. Я был...

— Он пытается убаюкать тебя разговорами, Эндж.

Она глубже воткнула пистолет ему в ухо.

— Я кажусь тебе убаюканной, Эвандро?

— Не забывайте о том, что вы узнали за последние несколько недель. Я не работаю один, не забыли об этом?

— Как мне кажется, в данный момент ты один, Эвандро. Поэтому убери свой чертов нож.

Он копнул им еще глубже, и в моем мозгу вспыхнул белый свет.

— У вас почва уходит из-под ног, — сказал Эвандро. — Думаете, мы не в состоянии убить вас, а на самом деле это вам не справиться с нами.

— Застрели его, — сказал я.

— Что? — дико завопил Эвандро.

— Застрели его!

Но тут справа, из кухни, донесся чей-то голос:

— Привет!

Энджи повернула голову, и я почувствовал запах пули, попавшей в нее. Она пахла серой, кордитом и кровью.

Ее пистолет очутился между мной и Эвандро, и блеск дула почти ослепил меня.

Я рванулся вперед и почувствовал, что стилет вынырнул из моего тела и грохнулся на пол позади нас как раз в тот момент, когда ногти Эвандро впились в мое лицо.

Я двинул его локтем в голову и услышал треск кости, за ним крик, и вдруг пистолет Энджи дважды взревел, заставив задрожать все стекла в кухне.

Мы с Эвандро продолжали борьбу, двигаясь вслепую в сторону спальни, но вскоре сквозь белотуманную пелену я стал различать какие-то контуры. Моя нога наткнулась на служебный пистолет Данна, и он, громко выстрелив в воздух, вылетел в кухню.

Руки Эвандро впились в мое лицо, я же запустил руки ему под ребра. Извиваясь, я сжимал пальцами его нижние ребра и швырнул его на любимое трюмо Энджи.

Когда я увидел его худощавое тело среди парфюмерии и разбитого стекла, белая пелена в моих глазах исчезла совсем. Зеркало раскололось на большие, с зазубринами, куски, формой напоминающие спинные плавники рыбы. Пламя свечей потрескивало, но, когда они падали на пол, вновь вспыхивало ярким светом. Эвандро сполз вниз, а вместе с ним и все флакончики. Я перегнулся через кровать, схватил с тумбочки Энджи свой пистолет, перебрался на другую сторону кровати и без колебания выстрелил в то место, где оставил Эвандро.

Но его там не было.

Повернув голову, я увидел Энджи, она сидела на полу и, искоса поглядывая по сторонам, целилась во что-то на полу, поддерживая одну руку другой; рядом с ней на полу горела упавшая свеча. Шаги на кухне приостановились, и Энджи нажала на спуск.

Затем нажала еще раз.

На кухне кто-то вскрикнул.

И тут я услышал другой крик, с улицы, но это был скрежет металла, вой двигателя, и кухня внезапно озарилась вспышками разгневанного флюоресцентного света и шумом включающихся электроприборов.

Я погасил свечу рядом с рукой Энджи и отступил в коридор позади нее с пистолетом, нацеленным на Эвандро. Он стоял к нам спиной, руки свисали по бокам. Он раскачивался из стороны в сторону, стоя посреди кухни, словно в такт лишь ему слышимой музыке.

Первая пуля Энджи попала ему в центр спины, и в черной форменной кожаной куртке Данна виднелась дыра. На наших глазах она заполнялась кровью, Эвандро же остановился и опустился на одно колено.

Вторая пуля Энджи снесла ему часть головы, прямо над правым ухом.

Он машинально поднял руку с револьвером Данна к этому месту, но тот упал, прокатившись по линолеуму.

— С тобой все в порядке? — спросил я.

— Глупый вопрос, — простонала Энджи. — Иисусе! Беги в кухню.

— Где тип, стрелявший в тебя?

— Вышел через кухню. Иди скорее туда.

— Черт с ним. Ты ранена.

Она поморщилась.

— Все нормально, Патрик, а он может еще поднять пистолет. Пойдешь ты или нет, черт побери?

Я подошел сзади к Эвандро и поднял пистолет Данна, затем обошел вокруг, чтобы посмотреть ему в лицо. Он тоже смотрел на меня, не переставая при этом осторожно ощупывать раненое место на голове. При флюоресцентном освещении его лицо приобрело серый оттенок.

Он тихо плакал, и слезы, смешанные с кровью, текли по его лицу, а кожа была настолько бледной, что я невольно вспомнил клоунов из далекого прошлого.

— Совсем не болит, — сказал он.

— Еще будет.

Он смотрел на меня снизу вверх смущенным, печальным взглядом.

— Это был голубой «мустанг», — сказал он, и похоже было, для него важно, чтобы я понял это.

— Что?

— Машина, которую я украл. Она была голубая, с белыми кожаными удобными сиденьями.

— Эвандро, — сказал я, — кто твой сообщник?

— Колпаки, — сказал он, — сияли.

— Кто твой сообщник?

— Ты хоть что-нибудь чувствуешь ко мне? — спросил он, широко открыв глаза и протягивая мне, как проситель, руки.

— Нет, — сказал я твердо и глухо.

— Тогда мы доберемся до вас, — сказал он. — Мы вас победим.

— Кто это мы?

Он заморгал, щурясь от слез и крови.

— Я побывал в аду.

— Знаю.

— Нет, я правда был в аду, — простонал он, и новый поток слез хлынул из его глаз и потек по искаженному лицу.

— И поэтому ты решил устроить ад для других. Быстрее, Эвандро, кто твой сообщник?

— Не помню.

— Врешь, Эвандро. Скажи мне.

Я терял его. Он умирал передо мной, прикрывая рукой голову и стараясь остановить поток крови, а я знал, что в любую секунду, может, через несколько часов, но все равно он умрет.

— Не помню, — повторил он.

— Эвандро, он бросил тебя. Ты умираешь, а он нет. Давай.

— Я не помню, кем был до того, как попал туда. Не имею понятия. Не могу даже вспомнить... — Его грудь вдруг поднялась, щеки раздулись, как у лягушки, и я услышал у него в груди бульканье.

— Кто...

— ...не могу вспомнить, как я выглядел в детстве.

— Эвандро.

Его вырвало кровью прямо на пол, и с минуту он смотрел на лужу. Когда он взглянул на меня, на лице его был ужас.

Мое лицо, очевидно, не внушало ему большой надежды, потому что, видя, что приключилось с его телом, я понимал: он долго не протянет.

— О черт, — сказал он и, протянув перед собой руки, стал смотреть на них.

— Эвандро...

Но он так и умер — глядя на свои руки, упавшие затем по бокам, стоя на одном колене, с лицом смущенным, испуганным и совершенно одиноким.

— Он мертв?

Я вернулся в коридор после того, как заглянул в спальню, где погасил последнюю свечу, упорно горевшую на полу.

— На все сто. Как ты?

Ее кожа блестела от крупных капель пота.

— Мне здесь просто классно, Патрик.

Мне не понравился звук ее голоса. Он был гораздо выше по тембру, чем обычно, и в нем были нотки истерики.

— Куда тебя ранило?

Она подняла руку, и я увидел темную красную дыру между бедром и неровно вздымавшейся грудной клеткой.

— Как выглядит рана? — Она прислонила голову к дверному косяку.

— Неплохо, — солгал я. — Я возьму полотенце.

— Я видела только его фигуру, — сказала она. — Точнее, силуэт.

— Что? — Я стянул полотенце с вешалки в ванной и вернулся в коридор. — Чей?

— Подонка, что стрелял в меня. Когда я выстрелила в ответ, то увидела его фигуру. Он невысокого роста, но крепкий. Понял?

Я приложил полотенце к ее боку.

— Коротышка-качок. Буду иметь в виду.

Она закрыла глаза и что-то пробормотала.

— Что? Открой глаза, Эндж. Давай.

Устало улыбаясь, она открыла глаза.

— Этот пистолет, — невнятно проговорила она, — такой тяжелый.

Я взял пистолет из ее рук.

— Он больше не понадобится. Эндж, но ты не должна спать, пока...

У парадной двери послышался громкий скрежет, и я, пригнувшись, взял на мушку Фила и двух санитаров «скорой помощи», которые ворвались в дом.

Фил опустился на колени возле Энджи, и только тогда я убрал свой пистолет.

— О боже, — сказал он. — Милая! — Он отбросил мокрые волосы с ее лба.

Один из санитаров сказал:

— Нам нужно пространство. Отойдите.

Я отступил назад.

— Милая! — все стонал Фил.

Ее глаза распахнулись.

— Привет, — сказала она.

— Сэр, отойдите, — сказал санитар. — В сторону.

Фил шлепнулся на задницу и отполз на некоторое расстояние.

— Мисс, — сказал санитар, — вы ощущаете это давление?

Снаружи послышался резкий, пронзительный визг патрульных машин, которые заполнили окна ослепительными огнями.

— Страшно, — сказала Энджи.

Второй санитар в коридоре выпустил колеса носилок и всунул металлический рычаг в их изголовье.

Внезапно в коридоре возник сильный шум, я взглянул на Энджи и увидел, что ее пятки колотят паркет пола.

— Она впадает в шок, — сказал санитар. Он схватил Энджи за плечи. — Хватайте ее за ноги! — закричал он. — Держите ее ноги, эй, вы!

Я схватил ее ноги, а Фил стал причитать:

— О боже! Сделайте что-нибудь, ну сделайте же что-нибудь!

Ее ноги колотили меня в подмышку, и я прижал их рукой к груди и так держал, в то время как ее глаза побелели и закатились, голова соскользнула с порога и свалилась на пол.

— Сейчас, — сказал первый санитар, и второй подал ему шприц, который тот всадил в грудь Энджи.

— Что вы делаете? — вскричал Фил. — Иисус Христос, что вы с ней делаете?

Она дернулась в моих руках последний раз, после чего сползла обратно на пол.

— Нам надо поднять ее, — сказал один из санитаров. — Осторожно, но быстро. На счет «три». Один...

В дверях появились четверо полицейских. Руки их сжимали оружие.

— Два, — сказал санитар. — Убирайтесь к черту от дверей! Нам через него нести раненую женщину.

Второй санитар вынул из сумки кислородную маску и держал наготове.

Полицейские вышли на крыльцо.

— Три!

Мы подняли Энджи, и ее тело показалось мне слишком легким. Можно было подумать, что оно никогда не двигалось, не прыгало и не танцевало.

Мы положили его на носилки, второй санитар наложил ей на лицо кислородную маску и закричал:

— На выход! — И ее понесли через коридор, затем на крыльцо.

Мы с Филом следовали за ними, но как только я вышел на обледенелое крыльцо, то услышал щелканье по меньшей мере двадцати затворов пистолетов, направленных в мою сторону.

— Опустить пистолеты и стать на колени, живо!

Я знал по опыту, что спорить с нервными полицейскими не стоит.

Я положил пистолеты, свой и Фила, на крыльцо, опустился на колени и поднял вверх руки.

Фил был всецело поглощен состоянием Энджи, так что даже не сообразил, что сказанное полицейскими относилось и к нему.

Он сделал два шага вслед за носилками, когда один из полицейских вскинул к плечу приклад дробовика.

— Он ее муж, — закричал я. — Муж!

— Заткни пасть, придурок! Руки вверх, урод! Давай! Давай!

Я подчинился. И оставался на коленях, пока полицейские осторожно подбирались ко мне все ближе, а морозный воздух щекотал мои босые ступни и проникал сквозь тонкую рубашку. Медработники занесли Энджи в машину «скорой помощи» и увезли.

35

К тому времени как полицейские все осмотрели, Энджи уже второй час лежала на операции.

Филу разрешили уйти около четырех, после того как он дозвонился в городскую больницу, но мне пришлось остаться, чтобы сопровождать четырех следователей и нервного молодого представителя прокуратуры по месту происшествия.

Тело Тимоти Данна было найдено обнаженным и засунутым в канализационный сток возле качелей на «Детской площадке Райан». Возникло предположение, что Эвандро завлек его туда какими-то подозрительными действиями, однако не настолько, чтобы сойти за явную угрозу или опасность.

Позднее была найдена простыня, свисавшая с баскетбольной корзинки на площадке, которая находилась в поле зрения Данна, сидящего в своем неприметном автомобиле. Человек, развешивающий в два часа ночи в ненастье простыню вокруг баскетбольной корзинки, очевидно, выглядел довольно странно, чем и привлек любопытство молодого полицейского, но не вызвал желания звонить и просить подмогу.

Простыня примерзла к ободку и висела там, как кристалл на фоне оловянного неба.

Видимо, Данн как раз подходил к ступенькам площадки, когда Эвандро подошел к нему сзади и всадил стилет в правое ухо.

Мужчина, стрелявший в Энджи, проник в дом через заднюю дверь. Его следы, восьмой размер, были обнаружены по всему заднему дворику, но ушел он на Дорчестер-авеню. Сигнализация, установленная Эрдхемом, из-за отключения света оказалась бесполезной, и все, что нужно было сделать, — это, использовав отмычку, открыть заурядный замок и войти в квартиру.

Оба выстрела Энджи прошли мимо. Одна пуля была найдена в стене возле двери. Вторая рикошетом отлетела от плиты и разбила окно над раковиной.

Осталось только рассказать об Эвандро.

Когда убивают кого-то из полицейских, прочие превращаются в страшных людей. Гнев, который обычно кипит у них внутри, выходит наружу, и можно только пожалеть бедолагу, которого они арестуют под горячую руку.

В этом случае все было еще хуже, потому что Тимоти Данн был родственником их выдающегося собрата по профессии. А сам Данн, многообещающий полицейский, был к тому же молод и неиспорчен, а с него содрали форму и затолкали в канализацию. Вот с таким настроением меня допрашивал на кухне детектив Корд, седовласый мужчина с мягким голосом и безжалостными глазами, а офицер Роджин, полицейский с быковатой статью, кружил вокруг тела Эвандро, сжимая и разжимая кулаки.

Роджин обладал качеством, присущим некоторым полицейским и тюремным охранникам, а именно садизмом, который заставляет их выбирать данные профессии, чтобы иметь легальный выход своим эмоциям.

Вопреки всем законам физики, в частности закону гравитации, тело Эвандро находилось в том же положении, в котором я оставил его: припавшим на одно колено, руки вдоль тела, потупленный взгляд.

Так он постепенно цепенел, и это вывело Роджина из равновесия. Тяжело дыша сквозь ноздри и сжимая кулаки, он долго смотрел на Эвандро, словно, постояв так какое-то время и испуская флюиды угрозы, он оживит мертвеца, чтобы с удовольствием застрелить еще раз.

Но этого не произошло.

Поэтому Роджин отступил на шаг назад и пнул труп в лицо подкованным носком своего ботинка.

Тело Эвандро сползло на спину, при падении подпрыгнув на полу. Одна его нога подвернулась, голова съехала набок, а глаза уставились на плиту.

— Роджин, черт возьми, что ты делаешь?

— Все хорошо, Хьюджи.

— Нарываешься на рапорт, — сказал детектив Корд.

Роджин посмотрел на него, и стало ясно: у них давние отношения.

Роджин демонстративно пожал плечами и сплюнул на нос Эвандро.

— То-то же, — сказал один из полицейских. — У него все равно не хватило бы смелости принять от тебя вторую смерть, Роджин.

После этого в доме наступила глубокая тишина. Роджин, смущенно моргая, смотрел на что-то в прихожей.

В кухню вошел Дэвин и остановил свой взгляд на трупе Эвандро. Лицо его раскраснелось от холода. Оскар и Болтон вошли вслед за ним и остановились чуть позади.

Дэвин с минуту смотрел на труп, все остальные молчали. Возможно, даже не дышали.

— Чувствуете себя лучше? — Он посмотрел на Роджина. — Сержант? Вы чувствуете себя лучше?

Роджин вытер руку о бедро.

— Не очень понимаю, что вы имеете в виду, сэр.

— Очень простой вопрос, — сказал Дэвин. — Вы только что ударили труп. Чувствуете себя после этого лучше?

— Хм... — Роджин уставился в пол. — Да.

Дэвин кивнул.

— Хорошо, — мягко сказал он. — Хорошо. Рад, что у вас появилось чувство выполненного долга, офицер Роджин. Это важно. Что еще вы совершили сегодня ночью?

Роджин прокашлялся:

— Определил периметр места преступления.

— Хорошо. Это всегда полезно.

— И я, гм...

— Избил дубинкой парня на крыльце, — сказал Дэвин. — Верно?

— Я думал, он вооружен, сэр.

— Понятно, — сказал Дэвин. — Скажите, вы принимали участие в погоне за вторым преступником?

— Нет, сэр. Это было...

— Возможно, вы нашли одеяло, чтобы прикрыть голое тело офицера Данна?

— Нет.

— Нет. Нет. — Дэвин слегка толкнул тело Эвандро носком ботинка, глядя на него с полной апатией. — Вы предприняли какие-либо меры, чтобы установить местонахождение второго преступника? Опросили соседей, прочесали каждый дом?

— Нет. Но я...

— Выходит, кроме того, что вы пнули ногой труп, избили дубинкой беззащитного человека и оградили желтой лентой место преступления, вы больше ничего не сделали, так, сержант?

Роджин изучал что-то на поверхности плиты.

— Нет.

— Что вы сказали?

— Я сказал «нет», сэр.

Дэвин кивнул и, переступив через труп, стал рядом с Роджином.

Последний был высокого роста, а Дэвин нет, поэтому Роджину пришлось согнуться, когда Дэвин поманил его пальцем. Он наклонил голову, и Дэвин сказал прямо ему в ухо:

— Оставьте место преступления, сержант Роджин.

Роджин посмотрел на него.

Дэвин прошептал, но так, что все на кухне слышали:

— Пока я руки тебе не оторвал.

— Мы все профукали, — сказал Болтон. — Точнее, я профукал.

— Нет, — сказал я.

— Это я виноват.

— Во всем виноват Эвандро, — сказал я. — И его подельник.

Он уперся лбом в стену коридора.

— Я был слишком самонадеян. Они подсунули мне приманку, и я ее проглотил. Я не должен был оставлять вас одних, ни за что.

— Вы не могли предвидеть отключение электричества, Болтон.

— Разве? — Он поднял обе руки, затем опустил их с отвращением.

— Болтон, — сказал я, — Грейс цела. Мэй цела. Фил цел. Именно они являются гражданским населением в данном деле. Не я и не Энджи.

Я направился через коридор к гостиной.

— Кензи.

Я оглянулся.

— Если вы и ваша напарница не гражданское население и не легавые, то кто же?

Я пожал плечами:

— Два идиота, которые оказались и вполовину не так крепки, как думали.

Позднее, когда мы сидели в гостиной, сереющий горизонт дал понять, что наступает утро.

— Ты уже сообщил Терезе? — спросил я Дэвина. Он смотрел в окно.

— Еще нет. Собираюсь вот поехать к ним.

— Сожалею, Дэвин. — Этого, конечно, было недостаточно, но мне больше ничего не приходило на ум.

Оскар, глядя в пол, закашлялся в кулак.

Дэвин провел пальцем по оконной раме, посмотрел на пыль, оставшуюся на пальце.

— Моему сыну вчера стукнуло пятнадцать, — сказал он.

Бывшая жена Дэвина Хелен и двое их детей жили в Чикаго с ее вторым мужем, ортодантистом. Опека была у нее, а после неприглядного скандала на Рождество четыре года назад Дэвин утратил право видеться с детьми.

— Серьезно? Как там Ллойд?

Дэвин пожал плечами:

— Несколько месяцев назад прислал свою фотографию. Он высокий, а волосы такие длинные, что не видно глаз. — Он разглядывал свои крепкие шероховатые руки. — Он играет на ударных в местной группе. Хелен считает, это мешает его учебе.

Оглянувшись, он посмотрел из окна на улицу, и серые пятна на горизонте, казалось, осели влагой на его коже и расползлись по ней. Когда он вновь заговорил, голос его дрожал:

— Впрочем, на свете есть вещи похуже, чем быть музыкантом. Согласен, Патрик?

Я кивнул.

Когда утро все-таки вступило в свои права, Дэвин подвез меня к гаражу, где я держал свой «порше», так как Фил, уезжая в больницу, прихватил мою «краун викторию».

Остановившись у гаража, Дэвин, сидя на своем месте, закрыл глаза, не замечая, что выхлопной газ, с шипением покидающий неисправную трубу, окутывает машину.

— Аруйо и его подельник вмонтировали телефон в модем компьютера в заброшенном доме в Наханте, — сказал Дэвин. — Так что могли звонить с телефона-автомата на улице, а звонок проходил через компьютер. Очень умно.

Он потер лицо руками и еще крепче зажмурился, как бы перекрывая выход новой волне боли и обиды.

— Я всего лишь легавый, — сказал он. — Это все, что я умею делать. И я должен выполнять свою работу. Профессионально.

— Знаю.

— Найди этого парня, Патрик.

— Найду.

— Любым способом.

— Болтон...

Он поднял руку.

— Болтон тоже хочет с этим покончить. Не привлекай к себе внимания. Не мелькай на людях. Мы с Болтоном со своей стороны гарантируем полную свободу действий. Слежки за тобой не будет. — Он открыл глаза, повернулся и долго смотрел на меня. — Не позволяй этому парню писать в тюрьме книги или давать интервью газетам.

Я кивнул.

— Наверное, захотят изучить его мозг. — Он повертел в руках кусок винила, выбившийся из его разбитого щитка. — Но это будет невозможно, если у него не останется мозгов.

Я похлопал его по руке и вылез из машины.

Когда я позвонил в больницу, Энджи все еще была в операционной. Я попросил разыскать Фила, и, когда он подошел к телефону, чувствовалось, что он совершенно подавлен.

— Что происходит? — спросил я.

— Она все еще там. Они ничего не говорят мне.

— Успокойся, Фил. Она выдержит.

— Приедешь сюда?

— Скоро, — сказал я. — Мне еще надо кое-кого повидать.

— Ладно, Патрик, — осторожно проговорил он, — ты тоже успокойся.

Эрика я нашел в его квартире в Бэк-Бэй.

Он встретил меня на пороге в рваном банном халате, под которым виднелись серые плавки, с осунувшимся лицом и седой щетиной трехдневной давности. Его волосы не были собраны в конский хвост, а спадали на уши и плечи, что сильно старило его.

— Надо поговорить, Эрик.

Он посмотрел на пистолет у меня на поясе.

— Оставь меня, Патрик. Я устал.

Позади него виднелись разбросанные по полу газеты и гора грязной посуды в раковине.

— Ни хрена, Эрик. Мы должны поговорить.

— Со мной уже беседовали.

— ФБР, знаю. Ты не прошел детектор лжи.

Он прищурился:

— Что?

— Ты слышал.

Он почесал ногу, зевнул и взглянул куда-то поверх моего плеча.

— Суд это не учитывает.

— Речь идет не о суде, — сказал я. — А о Джейсоне Уоррене. И об Энджи.

— Энджи?

— Она схлопотала себе пулю, Эрик.

— Что? — Он держал перед собой руку, будто не знал, что с ней делать. — О боже, Патрик, надеюсь, она выздоровеет?

— Пока не знаю, Эрик.

— Ты, наверно, не в себе.

— Я действительно здорово взвинчен, Эрик. Имей в виду.

Он поморщился, и в его глазах промелькнула какая-то горечь и безнадежность.

Оставив дверь открытой, Эрик повернулся и пошел внутрь квартиры. Я последовал за ним через гостиную, заполненную разбросанными книгами, пустыми коробками из-под пиццы, бутылками вина, порожними пивными банками.

На кухне он налил себе чашку кофе из кофеварки, покрытой давнишними пятнами, которые он давно уже не вытирал. У нее отсутствовала и крышка. И сам кофе был бог знает какой давности.

— Вы с Джейсоном были любовниками? — спросил я.

Он отхлебнул свой холодный кофе.

— Эрик? Почему ты ушел из Массачусетского университета?

— Знаешь, что бывает с профессорами-мужчинами, которые спят со студентами? — спросил он.

— Профессора всегда и везде спят со студентами, — сказал я.

Он улыбнулся и покачал головой:

— Профессора-мужчины спят, как правило, со студентками. — Он вздохнул. — Но даже это в политизированной атмосфере, царящей нынче в студгородках, стало опасным делом. Как говорили древние, береги честь смолоду. Не слишком страшная фраза, если только не применяется к мужчинам и женщинам, достигшим двадцати одного года, живущим в стране, где меньше всего хотят, чтобы дети стали по-настоящему взрослыми.

Я нашел чистое место на столешнице и облокотился на него.

Эрик поднял взгляд от своего кофе.

— Так вот, Патрик, существует мнение, что, если девушка не является студенткой именно этого профессора-мужчины, сексуальные отношения между ними вполне допустимы.

— Тогда в чем проблема?

— Проблема в отношениях между профессором-геем и студентом-геем. Можешь мне верить, они не поощряются.

— Эрик, — сказал я, — проясни, пожалуйста. Речь идет о Бостонской академии. Самом укрепленном бастионе американского либерализма.

Он слегка усмехнулся:

— Ты и в самом деле в это веришь? — Он снова покачал головой, странная улыбка не сходила с его лица. — Если б у тебя была дочь, Патрик, скажем, лет двадцати, хорошенькая, которая училась бы в Гарварде или Брайсе, и ты вдруг обнаружил, что у нее сексуальные отношения с одним из профессоров, что бы ты чувствовал?

Я встретил его отсутствующий взгляд.

— Не скажу, что меня бы это обрадовало, Эрик, но и не удивило бы. Я бы посчитал, что она уже взрослая и это ее выбор.

Он кивнул:

— Теперь представь тот же сценарий, но у тебя сын, и у него интимные отношения с профессором.

Это меня озадачило. Точнее, задело глубоко упрятанную и задавленную, скорее пуританскую, чем католическую, часть моего «я», а картинка в моем воображении — юноша на небольшой тесной кровати вместе с Эриком — на какое-то мгновение возмутила меня, но я взял себя в руки и выбросил ее из головы, призвав на помощь остатки моего собственного либерализма.

— Я бы...

— Видишь? — Он весело засмеялся, но глаза его все же были пустыми и бегающими. — Это тебя шокировало, верно?

— Эрик, я...

— Разве не так?

— Да, — тихо сказал я. И удивился своей реакции.

Он поднял руку.

— Это нормально, Патрик. Я знаю тебя уже десять лет как человека, почти не подверженного гомофобии. И все же ты гомофоб.

— Но это не касается...

— Твоих друзей-геев, — сказал он, — тут ты на высоте. Допускаю, но если дело коснется твоего сына и его друзей-геев...

Я пожал плечами:

— Возможно.

— У нас с Джейсоном был роман, — сказал он, выливая кофе в раковину.

— Когда? — спросил я.

— В прошлом году. Все закончилось. Да и длилось-то всего один месяц. Как-никак я был другом дома, и у меня было ощущение, что я предаю Дайандру. Что касается Джейсона, мне кажется, ему хотелось быть ближе к своим ровесникам, к тому же он очень нравится женщинам. Расставание было дружеским.

— Ты рассказал об этом ФБР?

— Нет.

— Эрик, ради Христа, почему нет?

— Это разрушит мою карьеру, — сказал он. — Вспомни свою реакцию на мое предположение. И не важно, сколь либеральной ты считаешь академию, главное, что спонсоры колледжей, как правило, правильные белые мужчины. Либо их жены, пропадающие в загородных клубах. И если они узнают, что гей-профессор превращает их детей или детей их друзей в геев, они уничтожат его. Без вариантов.

— Послушай, Эрик, это все равно выйдет наружу. ФБР, Эрик. ФБР. Они сейчас проверяют твою жизнь с увеличительным стеклом. И в конце концов наткнутся на то, что им нужно.

— Я не могу, Патрик. Не могу.

— А как насчет Эвандро Аруйо? Ты знал его?

Он покачал головой:

— Нет. Джейсон был напуган, Дайандра тоже, вот я и обратился к тебе.

Я верил ему.

— Эрик, пожалуйста, подумай о признании федералам.

— Ты сообщишь им то, что рассказал тебе я?

Я покачал головой:

— Я этим не занимаюсь. Единственное, что я сделаю, так это скажу, что не считаю тебя подозреваемым, но не думаю, что без доказательств это повлияет на их мнение.

Он кивнул и, выйдя из кухни, направился к двери.

— Спасибо, что зашел, Патрик.

У входной двери я задержался.

— И все-таки скажи им, Эрик.

Он положил руку мне на плечо и улыбнулся, явно храбрясь при этом.

— В ночь, когда убили Джейсона, я был с одним студентом, любовником. Отец его высокопоставленный прокурор из Северной Каролины и почетный член Христианского Союза. Как думаешь, что он сделает, если узнает правду?

Я уставился на его пыльный ковер.

— Единственное, что я умею делать, — это преподавать. Это мое, Патрик. Без этого я сгину.

Я взглянул на него, и мне показалось, что при этих словах он стал действительно исчезать, удаляясь куда-то во мглу на моих глазах.

По дороге в больницу я остановился у «Черного изумруда», но он был закрыт. Я взглянул вверх, на окна Джерри. Шторы были опущены. Я поискал глазами его машину, обычно припаркованную перед баром. Ее там не было.

Если убийца, согласно теории Долквиста, постоянно встречался со мной лицом к лицу, это сужало круг подозреваемых. По мнению ФБР, в него входили Эрик и Джерри. А Джерри был еще и мощного телосложения.

Но какой у него мог быть мотив?

Я знал Джерри всю свою сознательную жизнь. Способен ли он на убийство?

Каждый из нас способен убить, прошептал в моей голове чей-то голос. Каждый.

— Мистер Кензи.

Я обернулся и увидел агента Филдса, стоящего возле темного «плимута». Он бросил записывающее устройство внутрь машины.

— Мистер Глинн чист.

— То есть?

— Прошлой ночью мы наблюдали за баром. В час ночи Глинн поднялся в свою квартиру, до трех смотрел телевизор, затем лег спать. Мы дежурили здесь всю ночь, и он никуда не выходил. Он не тот человек, мистер Кензи. Сожалею.

Я кивнул, при этом какая-то моя часть почувствовала облегчение, какая-то — угрызения совести за подозрение в адрес Джерри.

Конечно же, была еще одна часть моего «я», ощутившая разочарование. Возможно, в глубине души мне хотелось, чтобы это оказался Глинн.

В таком случае все бы уже закончилось.

— Пуля наделала дел, — сказал мне доктор Барнетт. — Она продырявила ее печень, задела обе почки и застряла в нижней части брюшины. Мы дважды чуть не потеряли ее, мистер Кензи.

— Как она сейчас?

— Ну, она еще без сознания, — сказал он. — А вообще-то она сильная женщина? Великодушная?

— О да, — ответил я.

— Тогда ее шансы выше, чем у других. Это все, что я могу сейчас сказать.

Энджи перевезли в реанимацию в восемь тридцать утра после полуторачасового пребывания в послеоперационной.

По ее виду казалось, что она потеряла не меньше пятидесяти фунтов, и ее тело словно колыхалось в постели.

Пока медсестра подключала капельницу и включала монитор, мы с Филом стояли над койкой Энджи.

— Зачем это? — спросил Фил. — С ней ведь уже все в порядке. Разве нет?

— Мистер Димасси, у нее дважды открывалось внутреннее кровотечение. Мы подключаем ее к монитору, чтобы это не повторилось снова.

Фил взял руку Энджи, она выглядела в его лапище такой маленькой.

— Энджи! — проговорил он.

— Она будет спать почти весь день, — сказала сестра. — Сейчас вы вряд ли можете ей чем-нибудь помочь, мистер Димасси.

— Я не покину ее, — сказал Фил.

Сестра взглянула на меня, но я смог ответить ей только унылым взглядом.

В десять я вышел и увидел Буббу.

— Ну как она?

— Говорят, — сказал я, — все обойдется.

Он кивнул.

— Думаю, все будет яснее, когда она проснется.

— Когда это будет?

— Ближе к вечеру, — сказал я. — Возможно, позже.

— Я могу чем-нибудь помочь?

Я нагнулся над фонтанчиком и стал жадно пить воду, словно человек, вышедший из пустыни.

— Мне надо поговорить с Толстым Фредди, — сказал я.

— Конечно. А в чем дело?

— Необходимо найти Джека Рауза и Кевина Херлихи и задать им несколько вопросов.

— Думаю, у Фредди не будет проблем по этой части.

— Если они не ответят на мои вопросы, — сказал я, — мне понадобится его разрешение пострелять их малость, пока не разговорятся.

Бубба склонился над фонтанчиком и посмотрел на меня:

— Ты серьезно?

— Передай Фредди, что, даже если он мне откажет, я сделаю это без разрешения.

— Теперь вижу, что серьезно, — сказал Бубба.

Мы с Филом дежурили по очереди.

Если одному из нас надо было отлучиться в туалет или буфет, другой держал руку Энджи. Весь день ее рука провела в наших ладонях.

В полдень Фил отправился в кафетерий, а я прижал ее руку к своим губам и закрыл глаза.

В день, когда мы с ней познакомились, у нее не хватало обоих передних зубов, а волосы были так коротко и некрасиво подстрижены, что я подумал, что она мальчик. Мы были в спортзале в спортивном центре «Литтл Хаус» на Ист-Коттэдж, шестилеток пускали туда бесплатно. Это было до того, как в нашей округе был организован внеклассный досуг для детей, но и в то время родители могли за пять долларов в неделю оставлять там детей на три часа, причем персонал центра давал нам зеленый свет при условии, что мы ничего не сломаем.

В тот день в спортзале было полным-полно самых разных мячей: коричневых и оранжевых баскетбольных, тугих футбольных и бейсбольных, а также хоккейных клюшек и шайб, и со всем этим инвентарем носилась неуправляемая ватага из двадцати пяти шестилеток с дикарскими криками.

Надо сказать, что шайб было мало, поэтому, раздобыв себе клюшку, я высмотрел коротышку со смешно обрезанными волосами, который неуклюже толкал шайбу вдоль стены зала. Я погнался за ним, приподнял его клюшку своей и перехватил шайбу.

Тогда он, вернее, она налетела на меня, стукнула клюшкой по голове и отобрала шайбу назад.

И теперь, в реанимации, прижимая ее руку к своему лицу, я вспоминал сценку так живо, словно это было вчера.

Я наклонился, прижался щекой к ее щеке, приложил ее руку к своей груди и закрыл глаза.

Когда вернулся Фил, я стрельнул у него сигарету и вышел на стоянку покурить.

Я не курил уже семь лет, но, когда затянулся, запах табака показался мне ароматом духов, а дым, заполнявший мои легкие, выглядел чистым и прозрачным в холодном воздухе.

— Этот «порше», — сказал кто-то справа, — хорош в езде. Шестьдесят шестой?

— Шестьдесят третий, — сказал я и повернулся, чтобы посмотреть на говорящего.

На Пайне было пальто из верблюжьей шерсти, брюки из твида темно-бордового цвета и черный шерстяной свитер. Черные перчатки выглядели второй кожей на его руках.

— На какие шиши купили? — спросил он.

— Вообще-то я купил только корпус, — сказал я. — А начинку собирал несколько лет.

— Вы из тех, кто любит свою машину больше жены или друзей?

Я поднял вверх связку ключей.

— Это всего лишь хром, металл и резина, Пайн, и, пожалуй, это мало что для меня значит, особенно в данный момент. Нравится — берите.

Он покачал головой:

— Слишком показушная на мой вкус. Я сам вожу «акуру».

Я сделал вторую затяжку и сразу почувствовал легкое головокружение. Воздух затанцевал у меня перед глазами.

— Стрелять в единственную внучку Винсента Патризо, — сказал он, — чрезвычайно неосмотрительно со стороны того, кто это сделал.

— Да. Мистер Константине информирован, что те двое, кому он приказал сотрудничать с вами, не выполнили задания.

— Верно.

— И теперь мисс Дженнаро лежит в реанимации.

— Да.

— Мистер Константине просил сообщить вам, что он не имеет к этому никакого отношения.

— Знаю.

— Мистер Константине также хочет сообщить, что он дает вам полный карт-бланш на все действия, необходимые для задержания человека, стрелявшего в мисс Дженнаро.

— Карт-бланш?

— Карт-бланш, мистер Кензи. Если мистер Херлихи и мистер Рауз в один прекрасный день исчезнут, мистер Константине уверяет вас: ни он, ни его друзья не станут их искать. Понятно?

Я кивнул.

Он подал мне открытку. На одной стороне был нацарапан адрес: Саут-стрит, 411, 4-й этаж. На обратной стороне был номер телефона — номер мобильного Буббы.

— Поговорите с мистером Роговски как можно скорее.

— Спасибо.

Он пожал плечами, посмотрел на мою сигарету:

— Не курите, это вредно, мистер Кензи.

Он пошел в глубь стоянки, я затушил окурок и вернулся в помещение.

Энджи открыла глаза в два часа сорок пять минут.

— Милая? — сказал Фил.

Она моргнула и попыталась что-то сказать, но у нее пересохло во рту.

Следуя инструкциям медсестры, вместо воды мы дали ей несколько кусочков льда, и она благодарно кивнула.

— Не называй меня милой, — прохрипела она. — Сколько раз говорить тебе, Филипп?

Фил рассмеялся и поцеловал ее в лоб. Я поцеловал ее в щеку, а она слабо шлепнула нас обоих. Мы вновь уселись.

— Как ты себя чувствуешь?

— Идиотский вопрос, — проговорила она.

Доктор Барнетт опустил стетоскоп в карман и сказал Энджи:

— Вы пробудете в реанимации до завтра, чтобы мы могли постоянно наблюдать за вами, но похоже, вы идете на поправку.

— Боль адская, — сказала Энджи.

Он улыбнулся:

— Неудивительно. Эта пуля проделала чрезвычайно извилистый путь, мисс Дженнаро. Позже мы обсудим возможные осложнения. Могу сразу сказать, что вы никогда больше не сможете есть многие продукты. Что касается жидкости, то кроме воды все остальное на какое-то время должно быть исключено.

— Проклятье, — сказала Энджи.

— Будут и другие ограничения, о которых мы поговорим, но...

— Что? — Она взглянула на меня и Фила, затем отвела взгляд.

— Да? — сказал Барнетт.

— Ясно, — проговорила она, — пуля повеселилась у меня там, внизу живота...

— Она не затронула ни одного репродуктивного органа, мисс Дженнаро.

— О, — с облегчением сказала Энджи и, заметив мою улыбку, проговорила: — Ни слова, слышишь, Патрик.

Боль вернулась к ней где-то к пяти часам, и ей ввели приличную дозу демерола, способную усмирить даже бенгальского тигра.

Лекарство начало действовать, и я приложил ладонь к ее щеке.

— Как там с моим стрелком? — спросила она через силу.

— Что?

— Ты его вычислил?

— Нет.

— Но ты это сделаешь, да?

— Не сомневайся.

— Хорошо, тогда...

— Да?

— Расквитайся с ним, Патрик, — сказала она. — Прикончи его.

36

Дом номер 411 по Саут-стрит был единственным пустующим зданием на богемной улице, заселенной художниками, ковроделами, портными, торговцами одеждой, с галереями, куда приходят только по записи. Иными словами, бостонский двухквартальный эквивалент Сохо.

Дом был четырехэтажный и прежде служил многоместным гаражом, в котором город тогда еще не нуждался. В конце сороковых сменился хозяин, и новый владелец превратил его в развлекательный комплекс для моряков. На первом этаже разместились бар и бильярдная, на втором — казино, на третьем — проститутки.

На протяжении всей моей жизни строение пустовало, поэтому я не представлял, что находится на четвертом этаже, до того момента, когда мой «порше» в старомодном автомобильном лифте поднялся наверх и, минуя темные этажи, остановился у открытых дверей, за которыми виднелся сырой, затхлый зал для боулинга.

С потолка свисала электропроводка, а игровые дорожки превратились в заваленные мусором каналы. Сломанные кегли валялись в кучах белой пыли в нишах, а электросушки были давно вырваны из пола и, очевидно, проданы на запчасти. На некоторых удаленных полках еще лежали шары для боулинга, и я заметил на нескольких дорожках следы от недавних бросков.

Когда мы, оставив машину, вышли из лифта, то увидели Буббу, восседающего в директорском кресле у центрального пролета. У подножия кресла все еще болтались винты и гайки основания, из которого оно было вырвано, кожа в нескольких местах была разрезана, оттуда клочьями торчала белая набивка.

— Кто хозяин этого места? — спросил я.

— Фредди. — Он отхлебнул из бутылки финской водки. Лицо его было ярко-красного цвета, а глаза слегка водянисты, и по опыту я знал: это признак второй бутылки, что само по себе не предвещало ничего хорошего.

— Выходит, Фредди содержит брошенное здание просто из любви к искусству?

Бубба покачал головой:

— Второй и третий этаж выглядят дерьмово только со стороны лифта. На самом деле они очень даже хороши. Фредди и его ребята используют их для некоторых акций, да, блин. — Он взглянул на Фила, и его взгляд не был дружеским. — А ты что здесь делаешь, ссыкун?

Фил невольно сделал шаг назад, но все-таки вел себя гораздо достойнее, чем большинство людей, случись им столкнуться с Буббой во всей красе его психоза.

— Я теперь тоже в этом деле, Бубба. По уши.

Бубба улыбнулся, при этом мрак, таящийся на дорожках, казалось, поднимается за его спиной.

— Надо же, — сказал он. — Расстроился, что кто-то упрятал Энджи в больницу вместо тебя? Кто-то вторгся в сферу твоего влияния, слизняк?

Фил шагнул ближе ко мне.

— Это не касается наших с тобой разногласий, Бубба.

Бубба поднял на меня брови.

— Он что, храбрости набрался или просто дурак?

Таким мне доводилось видеть Буббу всего несколько раз, и всегда при этом я чувствовал, что очутился слишком близко к логову демонов. По моим наблюдениям, он успел опустошить уже три бутылки водки, и нельзя было сказать, позволит ли он своим темным инстинктам взять над собой верх.

Вообще-то Бубба любил только двух человек на свете — меня и Энджи. А так как Фил слишком долго портил Энджи кровь, то Бубба мог испытывать к нему только чёрную ненависть. Быть объектом чьей-то ненависти — дело относительное. Если твой враг — рекламный агент, чьё новенькое авто ты поцарапал в пробке, пожалуй, можно сильно не волноваться. А если тебя ненавидит Бубба, то лучше на всякий случай сменить континент.

— Бубба, — сказал я.

Он медленно повернул голову и окинул меня мутным взглядом.

— В этом деле Фил на нашей стороне. Это все, что тебе нужно знать на данный момент. Он хочет быть с нами, что бы ни случилось.

Никакой реакции на мои слова не последовало, Бубба лишь обернулся в сторону Фила и зафиксировал на нем свой затуманенный взгляд.

Фил выдержал этот взгляд сколько мог, но в конце концов потупился.

— Ладно, красавчик, — сказал Бубба. — Так и быть, позволим тебе посидеть в зале и посмотреть, раз ты хочешь как-то искупить свою вину за зло, причиненное жене, или как ты это дерьмо называешь. — Он встал и возвысился над Филом, пока тот не поднял на него взгляд. — Так вот, чтобы не было недопонимания, — Патрик простит. Энджи тоже. А я нет. Когда-нибудь я тебя отделаю.

Фил кивнул:

— Знаю, Бубба.

Указательным пальцем Бубба поднял подбородок Фила.

— И если хоть одно слово о том, что случится в этой комнате, просочится наружу, я буду знать: это не Патрик. Иными словами, я прибью тебя, Фил. Понял?

Фил сделал попытку кивнуть, но палец Буббы не позволил ему.

— Да, — процедил Фил сквозь зубы.

Бубба взглянул на темную стену по другую сторону лифта.

— Свет! — скомандовал он.

Кто-то повернул выключатель, и в нескольких уцелевших лампах дневного света в задней части дорожек замерцали слабые бело-зеленые огоньки. В нишах послышалось шипение, и несколько ярких желтых вспышек озарили помещение.

Бубба поднял руки и повернулся к нам величественно, как Моисей, вступающий в Красное море, мы же увидели крысу, убегающую прочь по одной из дорожек.

— Свят, свят, — пробормотал Фил, затаив дыхание.

— Ты что-то сказал? — поинтересовался Бубба.

— Нет. Ничего, — поспешил сказать Фил.

В конце пролета, прямо передо мной, в нише для кеглей стоял на коленях Кевин Херлихи. Руки его были связаны за спиной, ноги — в районе лодыжек, а петля, охватившая шею, подвешена на гвозде в стене над нишей. Лицо у него было распухшее, лоснящееся от кровавых подтеков. Нос, который Бубба перебил ему, был обвисшим и синим, а сломанная челюсть была подвязана проволокой.

Джек Рауз, выглядевший еще хуже, был связан аналогичным образом в соседней нише. Он был намного старше Кевина, поэтому его лицо совсем позеленело и блестело от пота.

Бубба посмотрел на наши искаженные лица и улыбнулся. Он наклонился к Филу и сказал:

— Хорошо присмотрись к ним. И обмозгуй, что в один прекрасный день я сделаю с тобой, петушок.

Когда Бубба, шатаясь, направился к связанным, я спросил:

— Ты что, уже допросил их?

Он покачал головой и отхлебнул водки.

— Да нет, черт побери. Я не знал, что у них спрашивать.

— Тогда почему они избиты до полусмерти, Бубба?

Он дошел до Кевина, нагнулся над ним и, обернувшись, посмотрел на меня со своей идиотской улыбкой.

— Потому что достали.

Он поморщился и хлопнул Кевина по челюсти, и тот вскрикнул сквозь скрепленные проволокой зубы.

— Боже, Патрик, — прошептал Фил. — Господи.

— Успокойся, Фил, — сказал я, хотя у самого кровь застыла в жилах.

Бубба подошел к Джеку и, став сбоку, нанес ему удар по голове такой силы, что звук волной прокатился по четвертому этажу, но Джек не вскрикнул, только на мгновение закрыл глаза.

— Так. — Бубба повернулся, отчего полы его шинели описали окружность, и подошел к нам, грохоча своими набойками, как заправская лошадь. — Задавай свои вопросы, Патрик.

— Сколько они уже здесь? — спросил я.

Он пожал плечами:

— Несколько часов. — Он подобрал запылившийся боулинговый шар и вытер его рукавом.

— Может, хотя бы дадим им воды?

Он развернулся ко мне.

— Что? Черт возьми, ты смеешься надо мной? Патрик! — Он обвил меня рукой, указывая шаром на пленников. — Этот подонок грозился убить тебя и Грейс. Помнишь? Эти уроды могли прекратить все еще месяц назад, до того как Энджи получила пулю, а Кара Райдер была распята. Они — враги, — прошипел он, и вместе с его дыханием меня окутала волна алкоголя.

— Все верно, — сказал я, а Кевин невольно покачал головой. — Но...

— Никаких «но»! — прокричал Бубба. — Никаких «но»! Сегодня ты сказал, что готов убить их, если понадобится. Верно? Так?

— Да.

— Тогда в чем дело? А? Вот они, Патрик. Держи свое слово. Не пудри мне мозги, черт тебя побери! Не пудри.

Он забрал назад свою руку и прижал шар к груди, поглаживая.

Да, я говорил, что ради информации пристрелил бы их, и в тот момент у меня было такое желание. Но одно дело говорить и чувствовать что-то, находясь в приемном покое больницы, далеко от самого человека, от живой плоти, которой я угрожал расправой. И совсем другое — сейчас, когда передо мной находились два окровавленных человеческих существа, абсолютно беспомощных. В моем распоряжении. И были они не отвлеченными образами, они дышали и дрожали.

В моем распоряжении.

Я направился по дорожке к Кевину. Он наблюдал, как я приближаюсь, и, похоже, это придавало ему силы. Возможно, он считал меня слабым звеном.

Когда Грейс рассказала мне, что он подошел к ее столу, я поклялся, что убью его. И если бы он в тот момент вошел в комнату, я бы это сделал. Тогда это был гнев.

Сейчас — мука.

Когда я приблизился к нему, он втянул в себя воздух и покачал головой, будто хотел освежить ее, затем впился в меня своими остекленевшими глазами.

Кевин — садист, прошептал голос в глубине моего сознания. Он убивает. С удовольствием. Он бы тебя не пощадил. И пусть не ждет пощады.

— Кевин, — сказал я и опустился перед ним на одно колено, — дело плохо. Ты сам это знаешь. Если не скажешь то, что мне нужно, Бубба устроит тебе испанскую инквизицию.

— Пошел ты. — Его скрипучий голос прорвался сквозь стиснутые зубы. — Пошел на хрен, Кензи. Понял?

— Нет, Кев. Нет. Если ты не поможешь мне, ты будешь умирать десять раз. Разными способами. Толстый Фредди дал мне карт-бланш на тебя и Джека.

Левая часть его лица чуть дернулась.

— Это правда, Кев.

— Чушь.

— Думаешь, иначе мы были бы здесь? Ты позволил подстрелить внучку Винсента Патризо.

— Нет, я не...

Я покачал головой:

— Он так думает. И твои слова ничего не изменят.

Глаза его налились кровью и чуть не вылезли из орбит, он покачал головой и уставился на меня.

— Кевин, — мягко сказал я, — расскажи, что произошло у ОАЭЭ с Хардименом и Рагглстоуном. Кто третий убийца?

— Спроси у Джека.

— В свое время, — сказал я. — Но сначала я спрошу у тебя.

Он кивнул, петля врезалась ему в шею, и в горле у него забулькало. Я оттянул веревку с его кадыка, и он, уставясь в пол, вздохнул.

Он непреклонно покачал головой, и я понял: говорить он не будет.

— Гол! — пронзительно завопил Бубба.

Глаза Кевина широко раскрылись, а шея инстинктивно дернулась назад, я же отступил в сторону, так как по дорожке мчался шар, все больше набирая скорость, пока наконец он не зацепился за щепку в старом полу и не врезался в пах Кевина.

Он взвыл и дернулся вперед, на петлю, я схватил его за плечи, чтобы удержать, и по его щекам потекли ручьи слез.

— Это пробный, — сказал Бубба.

— Послушай, Бубба, — обратился я к нему, — прекрати.

Но Бубба уже вошел в раж. Он скрестил ноги, выставив одну перед другой, и крученый шар, вылетев из его руки и описав дугу, хлопнулся прямо на дорожку и, вспарывая обшивку, раздробил Кевину левое колено.

— Господи! — закричал он и сполз вправо.

— Твоя очередь, Джек. — Бубба поднял шар и перешел к следующей дорожке.

— Я умру, Бубба. — Голос Джека был мягким и покорным, что на мгновение остановило Буббу.

— Если не заговоришь, Джек, — сказал я.

Он посмотрел на меня, будто только что заметил мое присутствие.

— Знаешь, чем ты отличаешься от своего старика, Патрик?

Я покачал головой.

— Твой отец бросал бы шар сам. Ты же пользуешься плодами пыток, но ни за что не будешь делать это. Ты — шваль.

Я посмотрел на него и внезапно ощутил ту же сумасшедшую ярость, что и в доме Грейс. Этот кусок дерьма, наемный убийца ирландской мафии вздумал строить из себя праведника? И это при том, что Грейс и Мэй спрятаны ФБР в бункере где-то в Небраске или другом месте, а карьера Грейс полетела ко всем чертям? И это притом что Кара Райдер лежит в земле, Джейсон Уоррен разрезан на куски, Энджи находится на больничной койке, а Тим Данн раздетым засунут в сточную канаву?

Я провел месяцы в бездействии, пока люди, подобные Эвандро с его подельником, подобные Хардимену, Джеку Раузу и Кевину Херлихи, творили насилие над невинными жертвами просто так, ради развлечения. Только потому, что им нравилось видеть боль других. Потому, что они сильнее.

И вдруг я почувствовал, что я зол не лично на Джека, Кевина или Хардимена, моя ярость обжигала каждого, кто совершал насилие просто так. На тех, кто взрывал клиники, где делались аборты, воздушные лайнеры, кто вырезал целые семьи или пускал в подземные туннели ядовитый газ, кто убивал заложников или женщин, похожих на тех, кто отверг их когда-то.

Убивал во имя их боли. Или их принципов. Или к их радости.

Что ж, я был по горло сыт их насилием, ненавистью и своим дурацким моральным кодексом, который в последний месяц мог стоить людям жизни. Меня выворачивало наизнанку.

Джек смотрел на меня вызывающим взглядом, а я чувствовал, как во мне закипает кровь, хотя рядом все еще слышалось шипение Кевина сквозь стиснутые от боли зубы. Наши с Буббой взгляды встретились, и я увидел в его глазах блеск, который вдохновил меня.

Я почувствовал себя всемогущим.

Не спуская глаз с Джека, я вытащил пистолет и всадил рукоятку в стиснутые зубы Кевина.

Крик, вырвавшийся из него, выражал недоверие и внезапный, истинный страх.

Не сводя глаз с Джека, я схватил другой рукой волосы Кевина, жирные и скользкие, и, приставив ствол пистолета к его виску, взвел курок.

— Если у тебя есть хоть какое-то чувство к нему, колись, Джек.

Джек посмотрел на Кевина, и я видел, что он страдает. Меня вновь удивило, что между двумя людьми, которые так мало знают о любви, могут существовать какие-то узы.

Рот Джека открылся, и он за одно мгновение сильно постарел.

— У тебя пять секунд, Джек. Один, два, три...

Кевин застонал, и его сломанные зубы под давлением проволоки затрещали.

— Четыре.

— Твой отец, — тихо начал Джек, — сжег Рагглстоуна с ног до головы за четыре часа.

— Знаю. Кто еще был там?

Его рот вновь широко открылся, и он посмотрел
на Кевина.

— Кто еще, Джек? Не то начну считать по новой.
С цифры «четыре».

— Все мы. Тимпсон. Мать Кевина. Дидра Райдер. Бернс. Климстич. И я.

— Что произошло?

— Мы нашли Хардимена и Рагглстоуна, спрятав-
шихся на том складе. Мы всю ночь искали фургон,
а наутро нашли его совсем близко, в нашей округе. —
Джек облизнул верхнюю губу бледным, почти белым
языком. — Твоему отцу пришла идея привязать Хардимена к стулу и заставить его смотреть, как мы рас-
правляемся с Рагглстоуном. Сначала мы собирались
всыпать ему хорошенько, каждый по нескольку
хороших тумаков, затем поработать над Хардименом, после чего вызвать полицию.

— Что же вам помешало?

— Не знаю. С нами там что-то случилось. Твой
отец нашел холодильник, спрятанный под досками
пола. А в нем был ящик. Там лежали части человеческих тел. — Он взглянул на меня диким взглядом. — Части тел. Детей. Взрослых тоже, но, господи, там была детская ступня, Кензи. Все еще
в маленьком красном кеде в синий горошек. О господи! Мы увидели это и потеряли голову. Тогда
твой отец и принес бензин. А мы взяли в руки
короткие ножи и бритвы.

Я замахал рукой, показывая, что не желаю
больше выслушивать подробности о добропоря-

дочных горожанах из ОАЭЭ и их зверском убийстве Чарльза Рагглстоуна.

— Кто сейчас убивает для Хардимена?

Джек, казалось, смутился.

— Как там его имя... Аруйо. Его же прошлой ночью убила твоя напарница, верно?

— У Аруйо был напарник. Ты его знаешь, Джек?

— Нет, — сказал он. — Не знаю. Кензи, мы совершили ошибку, оставив Хардимена в живых, но...

— Почему?

— Что «почему»?

— Почему вы оставили его в живых?

— Потому что это был наш единственный шанс после того, как нас прищучил Д. Таково было его условие.

— «Д.»? О ком ты говоришь, черт побери?

Джек вздохнул:

— Мы попали в ловушку, Патрик. Ведь мы стояли вокруг Рагглстоуна, глядя на его тело, объятое пламенем, и вся наша одежда была в крови.

— Кто вас поймал?

— Д. Я же сказал.

— Кто он такой, этот «Д.», Джек?

Он ухмыльнулся:

— Джерри Глинн, Кензи.

Я почувствовал внезапное головокружение, будто вновь попробовал затянуться сигаретой.

— И он не арестовал вас? — спросил я Джека.

Джек слегка кивнул.

— Он сказал, это можно понять. По его словам, большинство людей поступило бы так же.

— Джерри сказал такое?

— А о ком я тут, на хрен, распинаюсь? Да. Джерри. Он дал понять каждому из нас, что теперь мы перед ним в долгу, после чего распустил нас по домам и арестовал Алека Хардимена.

— Как это понимать — в долгу?

— Так и понимай. До конца жизни мы должны были оказывать ему услуги. Твой отец потянул за нужные нити и раздобыл ему помещение под бар с лицензией. Я подсказал ему выгодные вложения. Другие постарались в иных областях. Нам запретили это обсуждать, поэтому не знаю, кто и чем еще ему услужил.

— Вам запретили разговаривать друг с другом? Кто, Джерри?

— Конечно, он. — Джек смотрел на меня, и вены на его шее напряглись и стали выпукло-синими. — Ты ведь не представляешь, с кем имеешь дело в лице Джерри, ведь так? О господи. — Он громко засмеялся. — Святая простота! Купился на этот спектакль под названием «Хороший полицейский», да? Кензи, — сказал он, и петля у него на шее натянулась, — Джерри Глинн — не человек, он монстр. По сравнению с ним я — святой. — Он вновь засмеялся, и в этом смехе было что-то хриплое, страшное. — Думаешь, такси, что он держит у входа, всегда везет людей куда им надо?

Я вспомнил ту ночь в баре, пьяного подростка, которого Джерри послал к такси, дав ему десять баксов. Добрался ли он домой? И кто был таксистом? Эвандро?

Отняв пистолет от головы Кевина, я увидел приближающихся Буббу с Филом и посмотрел на них.

— Вы, ребята, знали об этом?

Фил покачал головой.

Бубба сказал:

— Я знал, что Джерри парень скрытный, что он приторговывал травкой и держал девочек, но это все.

— Он одурачил всех вас, бойскауты недоношенные, — сказал Джек. — Всех до одного. Господи.

— Конкретнее, — сказал я. — Конкретнее, Джек.

Он улыбнулся нам, и его глаза оживились.

— Джерри Глинн — один из самых подлых негодяев, когда-либо промышлявших в нашей округе. У него умер сын. Вы знали об этом?

— У него был сын? — спросил я.

— Да, бля, был у него сын. Брендон. Умер в шестьдесят пятом. Какое-то там кровоизлияние в ствол мозга. Парнишке было четыре года, играл во дворе с женой Джерри и вдруг схватился за голову да и рухнул замертво. После этого Джерри сломался. Он убил свою жену.

— Чушь, — сказал Бубба. — Он же был полицейский.

— Ну и что? Джерри вбил себе в голову, что это ее вина. Что ей было наплевать на него и бог наказал ее тем, что убил их ребенка. Он забил ее до смерти, ложно обвинив в этом другого. Затем этот другой был избит до смерти в тюрьме Дэдхем спустя неделю после ареста. Дело закрыли.

— Интересно, как Джерри смог добраться до человека в закрытой камере?

— Когда-то Джерри работал полицейским в Дэдхеме. Это было в старые времена, когда полицейским разрешали работать на двух работах в одной системе. Так вот, был свидетель, констебль, который вроде прознал, что это дело рук Джерри.

Через неделю после своего освобождения Джерри убил этого парня в Сколлэй-сквер.

Джамаль Купер. Жертва номер один. Боже.

— Джерри — один из самых жутких уродов на этой планете, придурок.

— А тебе никогда не приходило в голову, что он мог быть напарником Хардимена? — спросил я.

Все посмотрели на меня.

— Хардимена?.. — Рот Джека вновь широко открылся, и его челюсти под тонкой кожей пришли в движение. — Нет, нет. Конечно, Джерри опасен, но он не...

— Ну, ну, Джек?

— Он не серийный убийца-психопат.

Я покачал головой:

— Как можно быть таким тупым?

Джек посмотрел на меня:

— Чушь, Кензи, ведь Джерри из нашей округи. Среди нас не мог вырасти нелюдь, подобный ему.

Я покачал головой:

— Между прочим, ты тоже из нашей округи, Джек. И мой отец. А что вы оба натворили на том складе?

Я пошел обратно вдоль дорожки, но он бросил мне вслед:

— А как насчет тебя, Кензи? И того, что ты устроил здесь сегодня?

Я оглянулся и увидел Кевина, еще не потерявшего сознание, несмотря на боль, — его рот и подбородок были залиты кровью.

— Я никого не убил, Джек.

— Но если б я не заговорил, убил бы. Да, убил бы.

Не останавливаясь, я обернулся.

— Хочешь выставить себя чистеньким, а, Кензи? Подумай над тем, что я тебе сказал. Помни, что ты мог бы сделать.

Из темноты впереди меня раздались выстрелы. Я видел вспышку и буквально почувствовал полет первой пули над своим плечом.

Я упал на пол в тот момент, когда вторая пуля прорвалась из темноты в свет.

Позади я услышал два леденящих душу звука от встречи металла с человеческой плотью.

Из темноты появился Пайн, на ходу снимая глушитель с пистолета. Его руки в перчатках были окутаны дымом.

Я обернулся.

Фил стоял на коленях, закрыв голову руками.

Бубба стоял с запрокинутой головой, вливая себе в рот водку из бутылки.

Кевин Херлихи и Джек Рауз смотрели на меня немигающим взором, посреди лба у каждого зияла аккуратная дырка.

— Пришло время для супермена, — сказал Пайн, подавая мне руку в перчатке.

37

Когда мы спускались в лифте вниз, мне не понравился взгляд Пайна, направленный на Фила, который стоял с опущенной головой, опершись на «порше», как будто нуждался в дополнительной поддержке. Взгляд Пайна был неподвижным.

Не доезжая до первого этажа, Пайн что-то сказал Буббе, и тот в ответ засунул руки в карманы пальто и пожал плечами.

Двери лифта раскрылись, мы влезли в машину, выехали через заднюю дверь и свернули на проулок, ведущий к Саут-стрит.

— О господи, — сказал Фил.

Я медленно вел машину по проулку, сосредоточив взгляд на лучах от передних фар, рассекающих тягостную темень впереди.

— Останови машину, — с отчаянием проговорил Фил.

— Нет, Фил.

— Пожалуйста. Меня сейчас вырвет.

— Знаю, — сказал я. — Но ты должен потерпеть, пока мы не покинем зону их видимости.

— Но почему, боже ты мой?

Я выехал на Саут-стрит.

— Потому что если Пайн или Бубба увидят, что тебя рвет, то убедятся, что тебе нельзя доверять. Держись.

Я проехал квартал, свернул направо и, прибавив скорость, поехал по Саммер-стрит. Миновав полквартала после Саут-стейшн, я завернул за здание почты, проверил, не начинается ли загрузка почтовых машин, и лишь тогда остановился у мусорных баков.

Фил выскочил из машины еще до остановки, и я включил радио, чтобы не слышать звуки, издаваемые его телом, взбунтовавшимся против того, что ему пришлось увидеть.

Я включил звук на полную мощность, и окна буквально завибрировали под песню группы «Спондж» — «Плауд», рвущуюся из динамиков, мощные гитарные рифы впивались мне в мозг.

Два человека были убиты, и я сам чуть не спустил курок. Они не были невинными обывателями.

И тем не менее они были человеческими существами.

Фил вернулся в машину, я подал ему салфетку и уменьшил звук. Он вытер салфеткой рот, я выехал обратно на Саммер-стрит и направился в сторону Саути.

— Почему он убил их? Они ведь сказали нам все, что было нужно.

— Они ослушались своего босса. А тебе лучше оставить свои «почему», Фил.

— Но, ради бога, он только что застрелил их! Он вытащил пистолет, а они ведь были связаны, и я стоял рядом, глядя на них, и тут — черт! — ни звука, ничего, одни только дыры.

— Послушай, Фил.

Я припарковался у обочины дороги на темном участке возле арабской кофейни, и аромат жареного кофе пытался перебить запах мазута и бензина, идущий от доков слева.

Фил закрыл глаза руками.

— О господи!

— Фил! Черт возьми, посмотри на меня!

Он опустил руки.

— Что?

— Этого никогда не было. Понял? — Видимо, я орал, поэтому Фил отпрянул от меня в темноту салона, но мне было все равно. — Ты тоже хочешь умереть? Да? Речь сейчас именно об этом, Фил.

— О господи. Я? Почему?

— Потому что ты свидетель.

— Знаю, но...

— «Но» не дает тебе выбора. Все очень просто, Фил. Ты жив, потому что Бубба никогда не убьет того, кто для меня что-то значит. Ты жив, потому что он убедил Пайна, что я буду держать тебя в узде. Что до меня, то я жив, потому что они знают: я буду молчать. И кстати, мы оба вполне можем загреметь в тюрьму за двойное убийство как соучастники. Но до этого никогда не дойдет, потому что, если у Пайна появится причина для беспокойства, он просто-напросто убьет сначала тебя, затем меня, а потом, возможно, и Буббу.

— Но...

— Спрячь свои чертовы «но» в карман, Фил. Клянусь богом: ты должен убедить себя, что ничего этого просто не было. Тебе приснился кошмарный сон, а Кевин и Джек уехали в отпуск. Потому что если ты не сделаешь этого, то проболтаешься.

— Нет.

— Поверь мне. Ты расскажешь своей жене, или подружке, или просто кому-нибудь в баре, и тогда все мы — покойники. И тот, кому ты расскажешь, тоже. Понятно?

— Да.

— За тобой будут следить.

— Что?

Я кивнул.

— Прими это и найди способ примириться. Какое-то время ты будешь под наблюдением.

Ему стало трудно глотать, глаза выкатились, и мне показалось, что его снова вырвет.

Вместо этого он покрутил головой, выглянул в окно и вжался в сиденье.

— Как тебе-то удается? — прошептал он. — День прошел, и ладно?

Я откинулся на сиденье, закрыл глаза, слушая рокот немецкого мотора.

— Как ты уживаешься сам с собой, Патрик?

Я включил первую передачу и, пока мы ехали по Саути и спускались вниз, в наши места, не проронил больше ни слова.

Я оставил «порше» перед своим домом и отправился за своей «викторией», припаркованной чуть дальше, так как «Порше-63» — не та марка, на которой стоит ездить по округе, если не желаешь привлекать внимания.

Фил стоял у пассажирской дверцы, но я покачал головой.

— В чем дело? — спросил он.

— Ты останешься здесь, Фил. На этот раз я один.

Теперь он покачал головой:

— Нет. Она была моей женой, Патрик, и этот гад ее подстрелил.

— Хочешь, чтобы он подстрелил и тебя, Фил?

Он пожал плечами:

— Считаешь, не гожусь для этого?

Я кивнул:

— Не годишься, Фил.

— Почему? Из-за случившегося в боулинге? Но ведь Кевин вырос среди нас. Был нашим товарищем. Так что понятно, почему я потерял над собой контроль. Но Джерри? — Он приставил свой пистолет к крыше машины, достал патроны и вставил в обойму. — Джерри — тварь вонючая. Он умрет.

Я посмотрел ему в глаза, ожидая, когда он сам поймет, как глупо он выглядит, этакой пародией на крутого Уокера, демонстрирующего браваду.

Фил не отвел взгляд, а дуло его пистолета стало медленно поворачиваться, пока не остановилось на моем лице.

— Собираешься застрелить меня, Фил? А?

Рука его была тверда. Пистолет не шелохнулся.

— Ответь же, Фил. Собираешься застрелить меня?

— Если сам не откроешь, Патрик, я выстрелю в стекло и влезу внутрь, чего бы мне это ни стоило.

Я спокойно посмотрел на пистолет в его руке.

— Я тоже ее люблю, Патрик. — Он опустил пистолет.

Я сел в машину. Он стал стучать в окно пистолетом, а я вздохнул, понимая, что Фил либо станет преследовать меня по пятам, либо выстрелом выбьет окно моего «порше» и заведет его без всякого ключа.

Поэтому я потянулся через сиденье и открыл дверцу.

Дождь начался примерно в полночь, сначала даже не дождь, а всего несколько капель пополам с грязью на лобовом стекле, смытые стеклоочистителем.

Мы припарковались перед домом престарелых на Дорчестер-авеню, примерно в половине квартала от бара «Черный изумруд». Затем тучи прорвало, дождь забарабанил по крыше и потек по улице большими темными потоками. Дождь был леденящий, подобно вчерашнему, и единственное влияние, которое он оказывал на приросший к тротуару и домам лед, состояло в том, что ледяной покров становился на миг прозрачнее и еще опаснее.

Сначала мы были благодарны дождю, так как наши окна запотели, и если бы кто-то стоял рядом с машиной, то не мог бы разглядеть, кто находится внутри.

Но вскоре мы поняли, что это работает против нас, так как перестали хорошо различать как сам бар, так и вход в жилище Джерри. Обогреватель в машине не работал, и сырой холод пробирал меня до костей. Я приоткрыл свое окно, Фил тоже, и мне пришлось локтем вытирать конденсат, пока наконец входные двери Джерри и его бара пусть не очень четко, но появились вновь.

— Ты уверен, что именно Джерри работает с Хардименом? — спросил Фил.

— Нет, — ответил я. — Но похоже на то.

— Тогда почему не позвать полицию?

— А что мы им скажем? Пара бандюг со свежими дырками в головах сказали нам, что Джерри — плохой?

— Тогда, может, ФБР?

— Та же штука. Никаких доказательств. Если это все-таки Джерри и мы спугнем его раньше времени, он может ускользнуть снова, залечь на дно и будет себе потихоньку убивать детей-беглецов, которых никто не ищет.

— В таком случае зачем мы здесь?

— Затем, что, если он что-то предпримет, не важно что, я хочу быть свидетелем, Фил.

Фил вытер свою сторону ветрового стекла и выглянул в направлении бара.

— Может, стоит войти туда и задать пару вопросов?

Я взглянул на него:

— Ты что, идиот?

— А что?

— Потому что, если это он, нам конец, Фил.

— Нас двое, Патрик. И мы вооружены.

Я видел, что он старается уговорить себя, подкрепиться мужеством, необходимым, чтобы войти в эту дверь. Тем не менее он был далек от реальных действий.

— Это просто напряжение, — сказал я. — От ожидания.

— Ты о чем?

— Иногда оно гораздо мучительнее, чем любая драка, потому что, когда действуешь, у тебя исчезает ощущение, что тебе надо лезть из кожи вон.

Фил кивнул:

— Да, ощущение не из приятных.

— Проблема в том, Фил, что, если Джерри — тот самый убийца, противостояние будет гораздо труднее, чем ожидание. Он убьет нас, вооружены мы или нет.

Фил сделал глоток, затем кивнул.

С минуту я неотрывно смотрел на вход в бар. За то время, что мы вели наблюдение, никто не входил и не выходил, а это было более чем странно, учитывая, что дело было за полночь. Мощный поток воды, шириной с целый дом, прокатился по улице с пеной по краям, а вдали завывал ветер.

— Сколько человек? — спросил Фил.

— Что?

Фил кивнул головой в направлении «Изумруда».

— Если это он, сколько человек, думаешь, он убил? За всю свою жизнь? Если брать во внимание, что он убивал всяких бродяг и наверняка без счету тех, о ком никто и не знал...

— Фил.

— Да?

— Я немного нервничаю. Есть вещи, о которых мне не хотелось бы говорить именно сейчас.

— О! — Он почесал щетину под подбородком. — Ладно.

Я наблюдал за баром, отсчитывая уже вторую минуту. И все же никто не вошел и не вышел.

Зазвонил мой мобильный телефон, мы с Филом так резко повернули головы, что стукнулись о крышу.

— Господи, — сказал Фил.

Я ответил:

— Алло.

— Патрик, это Дэвин. Где ты?

— В своей машине. Что случилось?

— Только что беседовал с Эрдхемом из ФБР. Он получил пробные отпечатки с паркетной доски в твоем доме, где был спрятан один из жучков.

— И? — Кислород, циркулирующий по моему телу, замедлился почти до полной остановки.

— Это Глинн, Патрик. Джерри Глинн.

Я смотрел в запотевшее стекло и едва различал контуры бара, но тут вдруг отчетливо ощутил страх, какого не испытывал ни разу в жизни.

— Патрик? Ты на месте?

— Да. Послушай, Дэвин, я нахожусь сейчас у бара Джерри.

— Что ты сказал?

— Ты меня слышал. Я пришел к тому же выводу час назад.

— Нет, Патрик! Уезжай оттуда. Сию минуту. Не мешкай, черт возьми. Уезжай.

Я хотел бы. Видит бог, хотел бы.

Но вдруг Джерри сейчас дома и пакует сумку с ножами для колки льда и острыми лезвиями, готовясь к охоте на новых жертв?..

— Не могу, Дэв. Если он куда-то отправится, я последую за ним.

— Нет, нет и нет. Нет, Патрик. Слышишь? Убирайся оттуда ко всем чертям.

— Не могу, Дэв.

— Черт! — Слышно было, что он обо что-то ударился. — Ладно, выезжаю к тебе с подмогой. Понял? Сиди тихо, мы будем минут через пятнадцать. Если он выйдет, звони по этому номеру.

Он дал номер, и я нацарапал его на обратной стороне щитка.

— Поспеши, — сказал я.

— Уже бегу. — Он повесил трубку.

Я посмотрел на Фила:

— Все верно, это Джерри.

Фил смотрел на телефон в моей руке, и его лицо выражало отвращение и отчаяние одновременно.

— Помощь уже в пути? — спросил он.

— Уже в пути.

Стекла окон запотели снова, и я, вытирая свое, заметил уголком глаза что-то темное возле задней двери.

Затем дверь распахнулась, и Джерри Глинн, вскочив в машину, обнял меня мокрыми руками.

38

— Как жизнь, ребята? — спросил Джерри.

Рука Фила скользнула под куртку, но я взглядом приказал ему не вытаскивать пушку в машине.

— Хорошо, Джерри, — сказал я.

Мы встретились с ним глазами в зеркале, и его взгляд был таким добрым, немного смешливым.

Его мощные руки похлопали меня по груди.

— Напугал вас?

— О да, — сказал я.

Он хихикнул:

— Простите. Увидел вас здесь и подумал: «И почему это Патрик и Фил сидят в машине на Дорчестер-авеню в полпервого ночи, да еще и во время бури?»

— Просто болтали, Джер, — сказал Фил, пытаясь придать своему голосу небрежный тон, но результат получился обратный.

— О, — проговорил Джерри. — Понятно. Вот только ночь для этого чертовски неподходящая.

Я посмотрел на мокрые рыжие волосинки на его мощных предплечьях.

— Похоже, я нравлюсь тебе? — сказал я.

Джерри прищурился, глядя на меня в зеркало, затем опустил взгляд на свои руки.

— О господи. — Он убрал руки. — Пустяки. Забыл, что я мокрый.

— Ваш бар сегодня не работает? — спросил Фил.

— Что? Нет. Нет. — Он уперся руками в спинки наших кресел и просунул голову между двумя подголовниками. — В данный момент бар закрыт. Я подумал: ну кто в такую погоду захочет вылезать из дома?

— Плохо, — сказал Фил и кашлянул, но получилось нечто похожее на кудахтанье. — Неплохо бы выпить в такую ночь.

Я уставился на руль, чтобы скрыть свою ярость. Фил, думал я, как ты мог такое сказать?

— Для друзей бар всегда открыт, — радостным голосом сказал Джерри, хлопая нас по плечам. — Да, сэр. Нет проблем.

Я сказал:

— Даже не знаю, Джер. Вообще-то поздновато...

— За мой счет, — настаивал Джерри. — Бесплатно, друзья. «Немного поздновато», — сказал он и подтолкнул локтем Фила. — Что это с ним?

— Ну...

— Пошли. Пошли. По стаканчику.

Он выпрыгнул из машины и открыл мою дверцу раньше, чем я успел дотянуться до ручки. Фил посмотрел на меня, его взгляд говорил: «Что же мы делаем?» Сквозь открытую дверцу мое лицо и шею поливал дождь.

Джерри заглянул в машину:

— Пошли, ребята. Хотите, чтобы я утонул?

Джерри держал руки в карманах своей утепленной куртки с капюшоном, и когда, добежав до двери бара, он стал открывать ее ключом, то вытащил только правую руку. В темноте под проливным дождем и ветром я не мог определить, было ли у него оружие, поэтому не стал доставать свое, а тем более производить арест гражданина на улице, имея поддержку лишь в лице нервного штатского.

Джерри открыл дверь и жестом предложил нам войти.

Тусклые желтые лампы освещали только бар, остальная часть помещения была погружена в темноту. Игорный зал, прилегающий к бару, напоминал черную яму.

— И где же моя любимая собака? — спросил я.

— Пэттон? Где-то наверху, в квартире, спит и видит свои собачьи сны. — Джерри задвинул дверную задвижку, что заставило нас с Филом оглянуться.

Он улыбнулся:

— Нечего тут делать всяким пьяницам, еще устроят дебош за то, что рано закрылся.

— Конечно, это ни к чему, — заметил Фил и рассмеялся каким-то идиотским смехом.

Джерри одарил его насмешливым взглядом, затем посмотрел на меня.

Я пожал плечами:

— Мы оба почти не спали, Джерри.

Его лицо тут же обрело выражение глубочайшего сочувствия.

— Чуть не забыл! Господи. Ведь Энджи была ранена прошлой ночью, так?

— Да, — сказал Фил, и на этот раз его голос прозвучал слишком твердо.

Джерри пошел за стойку.

— Вот беда. Но с ней все обойдется?

— Да, все нормально, — сказал я.

— Садитесь, садитесь, — сказал Джерри и полез в холодильник. Стоя к нам спиной, он сказал: — Энджи, она ведь особенная. Вы это знаете?

Когда мы уселись, он поставил на стол две бутылки пива. Я снял куртку и попытался принять естественный вид, стряхнув с рук капли дождя.

— Да, — сказал я. — Она такая.

Хмурясь, Джерри откупорил бутылки.

— Она... как бы это сказать, в этом городе время от времени рождается кто-то совершенно уникальный. Полный воодушевления и жизни. Энджи как раз из них. Я скорей бы умер сам, чем позволил кому-то причинить вред такой девушке.

Фил так сильно сжал свою бутылку пива, что я испугался, не треснет ли она.

— Спасибо, Джерри, — сказал я. — С ней все будет хорошо.

— Ну, за это стоит выпить. — Он налил в бокал пива и поднял его. — За выздоровление Энджи.

Мы опорожнили бутылки в стаканы и выпили.

— А с тобой-то все в порядке, Патрик? — спросил Джерри. — Слышал, ты был в самой гуще перестрелки.

— Все хорошо, Джерри.

— Спасибо Господу нашему за это, Патрик.

— Да, сэр.

Внезапно позади нас загремела музыка, отчего Фил резко повернулся на своем стуле.

— Черт!

Джерри улыбнулся, тронул кнопку под стойкой, и звук стал постепенно стихать, пока не превратился в песню, которую я узнал.

— «Пусть течет кровь». Чертовски подходящее название.

— Проигрыватель включается автоматически через две минуты после моего появления, — сказал Джерри. — Простите, что напугал вас.

— Ерунда, — сказал я.

— С тобой все в порядке, Фил?

— А? — Глаза Фила были размером с блюдца. — Все хорошо. А что?

Джерри пожал плечами:

— Какой-то ты нервный.

— Нет. — Фил энергично покачал головой. — Да нет. — Он одарил нас широкой, странной улыбкой. — Я кремень, Джерри.

— Отлично, — сказал Джерри и, усмехаясь, вновь многозначительно посмотрел на меня.

Этот человек убивает людей, шептал мне внутренний голос. Ради забавы. Десятки людей.

— Какие новости? — спросил Джерри, обращаясь ко мне.

Убивает, шептал мне все тот же голос.

— Что? — спросил я.

— Есть новости? — повторил Джерри. — Помимо перестрелки прошлой ночью.

Он расчленяет людей, шипел голос, пока они еще живы. И кричат.

— Нет, — я взял себя в руки. — В остальном все стабильно, как всегда, Джер.

Он довольно усмехнулся:

— Удивительно, что ты так долго тянешь эту лямку, Патрик, ведешь эту жизнь.

Они молят. А он смеется. Они молят. А он смеется. Этот человек, Патрик. Этот человек с открытым лицом и добрыми глазами.

— Судьба ирландца, — ответил я.

— Мне ли не знать. — Он поднял свой стакан пива и, подмигнув, осушил его. — Фил, — сказал он, налив новый, — а ты чем сейчас занимаешься?

— Что? — спросил Фил. — О чем ты?

Фил прирос к своему стулу, как ракета к ракетоносителю, как будто счет уже пошел и в любую минуту придется отстреливаться.

— О работе, — сказал Джерри. — Ты все еще работаешь на «Голвин бразерс»?

Фил прищурился:

— Нет, нет. Я, гм, теперь на контракте, Джерри.

— Постоянная работа?

Этот человек вскрыл тело Джейсона Уоррена, ампутировал его конечности, изуродовал голову.

— Что? — Фил потягивал пиво из бутылки. — О да, постоянная.

— Вы сегодня какие-то заторможенные, — сказал Джерри.

— Ха-ха, — попытался усмехнуться Фил.

Этот человек прибил гвоздями руки Кары Райдер к мерзлой земле.

Перед моим лицом щелкнули пальцы Джерри.

— Ты как, с нами или нет?

Я улыбнулся:

— Дайте-ка еще пива, Джерри.

Он полез в холодильник, не сводя с меня своего твердого, но любопытного взгляда.

Позади нас «Кровь» уступила место новой песне, «Полуночный странник», в ней губная гармошка звучала как хихиканье, доносящееся из могилы.

Джерри подал мне пиво, и, когда его рука на миг дотронулась до моей, я едва сдержался, чтобы не отдернуться.

— Меня допрашивало ФБР, — сказал он. — Слышал об этом?

Я кивнул.

— О господи, ну и вопросы они задавали. Понимаю, они выполняют свою работу, но какие они все-таки скоты!

Он одарил Фила улыбкой, но она не гармонировала с его словами, и вдруг я осознал, что в помещении стоит какой-то запах, причем с тех пор, как мы пришли. Это был тяжелый запах пота с примесью мускуса, смешанный со зловонием от свалявшейся шерсти и плоти.

Он не мог исходить от Джерри, Фила или меня, потому что это был запах не человека. Животного.

Я взглянул на часы над плечом Джерри. Прошло пятнадцать минут после нашего разговора с Дэвином.

Где же он?

Я все еще ощущал прикосновение руки Джерри, скользнувшей по моей с ледяной бутылкой пива. Кожа в этом месте горела до сих пор.

Эта рука вырезала глаза Питера Стимовича.

Фил потянулся вправо, уставившись на что-то за углом стойки, Джерри посмотрел на нас, и улыбка его улетучилась.

Я понимал, что молчание становится тягостным, мучительным и подозрительным, но не мог придумать, как нарушить его.

Запах вновь ударил мне в нос, и был он тошнотворно теплым. Я чувствовал, что он исходит справа, из черной ямы игорного зала.

«Полуночный странник» отзвучал, и наступившая тишина заполнила весь бар.

И я совершенно четко услышал низкое, почти неслышное пыхтение, исходящее из игорного зала. Звук дыхания. Пэттон был где-то в темноте, наблюдая за нами.

Говори что-нибудь, Патрик. Иначе умрешъ.

— Джер, — сказал я, слова застревали в пересохшем горле, — а что у вас нового?

— Почти ничего, — ответил Джерри, и я понял: он не собирается поддерживать беседу. Теперь он открыто разглядывал Фила.

— Не считая допроса ФБР? — Я усмехался, пытаясь вернуть атмосферу непринужденности в баре.

— Да, не считая, — сказал Джерри, не отводя глаз от Фила.

За «Полуночным странником» последовал «Длинный черный покров». Еще одна песня о смерти. Замечательно.

Фил смотрел на что-то лежащее за углом бара, невидимое с моего места.

— Фил, — сказал Джерри, — тебя что-то интересует?

Фил резко вздернулся, затем прикрыл глаза, как будто был загнан в тупик.

— Нет, Джер. — Он улыбнулся и вытянул руки. — Просто смотрю на собачью миску на полу, и, знаете, еда в ней совсем свежая, будто Пэттон только что ел. Вы уверены, что он наверху?

Предполагалось, что эти слова прозвучат случайно. Уверен, Фил на это и рассчитывал. Но получилось совсем наоборот.

Доброта в глазах Джерри исчезла в воронке черного холода, и теперь он смотрел на меня, будто я жук под микроскопом.

И я понял: притворство закончилось.

Я полез за своим пистолетом как раз в тот момент, когда за окном пронзительно завизжали шины, а Джерри нагнулся под стойку.

Фил еще был в расслабленном состоянии, когда Джерри скомандовал:

— Яго!

Это не было имя одного из персонажей трагедии Шекспира, это был боевой код.

Я вынул пистолет из-за пояса, когда разъяренный Пэттон вырвался из темноты, а в руках Джерри сверкнула длинная бритва.

Фил успел только сказать:

— Нет, нет! — и свалился.

А Пэттон перепрыгнул через него и бросился ко мне.

Далее последовал взмах руки Джерри, и, хотя я инстинктивно отпрянул назад, бритва рассекла мое лицо возле скулы, а Пэттон ударил меня лбом, как мяч, и свалил со стула.

— Нет, Джерри! Нет! — закричал Фил. Рука его застряла за поясом, он пытался достать пистолет.

Зубы пса отскочили от моего лба, голова запрокинулась, и челюсти нацелились на мой правый глаз.

Кто-то вскрикнул.

Я скрутил шею Пэттона свободной рукой, и звук, который он издал, напоминал дикую смесь из крика и лая. Я сдавил его горло, но рука скользнула вверх по холеной шерсти, и пасть вновь приблизилась к моему лицу.

Когда он стал бить меня задней лапой по руке, я приставил пистолет к его груди и дважды нажал на спуск. Голова пса откинулась, как если бы он услышал, что его зовут, затем он дернулся и вздрогнул, а из пасти послышалось шипение. Его тело в моих руках обмякло, он повалился на правый бок и утих между стоящими в ряд стульями.

Я сел и разрядил обойму из шести пуль по зеркалам и бутылкам позади стойки, но Джерри уже нигде не было.

Фил лежал на полу возле своего стула, зажимая рукой горло.

Когда я подполз к нему, входная дверь слетела с петель и я услышал голос Дэвина:

— Не стрелять! Не стрелять! Это наш! — И затем: — Кензи, брось пистолет!

Я добрался до Фила и положил пистолет рядом с ним.

Больше всего крови вытекло из правой стороны горла, где Джерри сделал первый надрез, прежде чем распороть и левую, изобразив таким образом «улыбку».

— «Скорую!» — закричал я. — Нужна «скорая помощь!»

Фил посмотрел на меня как-то смущенно, глядя, как яркая кровь течет сквозь его пальцы и перехлестывает через руку.

Дэвин подал мне полотенце со стойки, я припечатал его к горлу Фила, прижав сверху руками.

— Дело дрянь, — сказал он.

— Не разговаривай, Фил.

— Совсем дрянь, — снова сказал он.

Жемчужные слезинки-близнецы появились в его глазах, как будто он ждал этого момента со своего рождения, словно, покидая утробу матери, мы приходим в этот мир либо победителями, либо проигравшими и ему на роду было написано оказаться ночью на полу бара, заполненного запахом несвежего пива, пропитавшего квадраты линолеума, с перерезанным горлом.

Фил попробовал улыбнуться, слезинки покатились из уголков глаз к вискам и скрылись в темных волосах.

— Фил, — сказал я, — все будет хорошо.

— Знаю, — ответил он.

И умер.

39

Джерри удалось скрыться тем же путем, что и в ночь, когда он подстрелил Энджи: он сбежал через подвал в соседний дом и вышел через заднюю дверь. Потом запрыгнул в машину, стоявшую на заднем дворе, и выехал в сторону Кресчент-авеню.

На перекрестке он чуть не столкнулся с патрульной машиной, а когда вырулил на Дорчестер-авеню, у него на хвосте было четыре полицейские машины.

Еще две машины и фэбээровский «линкольн» проследовали вниз по авеню и на пересечении с Харборвью-стрит образовали стенку в ожидании Джерри, скользящего по льду прямиком к ним.

У «Детской площадки Райан» Джерри вывернул руль и въехал туда прямо по ступеням, с ловкостью преодолевая ледяной покров, который мог стать для него ловушкой.

Он резко развернулся в центре площадки, пока копы и федералы выскакивали из машин и хватались за оружие, затем открыл багажник и выволок оттуда заложников.

Первой была девушка двадцати одного года по имени Дэниэль Роусон, исчезнувшая из родительского дома в Ридинге этим утром. Вторым был её двухлетний сын Кэмпбел.

Когда Джерри вытащил Дэниэль из багажника, к её голове электрическим проводом был прикреплён дробовик.

Джерри посадил мальчика себе на спину в «кенгуру», который был у Дэниэль в момент похищения.

И мать, и ребёнок были накачаны снотворным, но только девушка пришла в чувство, когда Джерри облил себя и её бензином, а затем вылил остатки вокруг себя и пленников.

После этого он попросил вызвать меня.

Я всё ещё находился в баре.

Стоя на коленях над телом Фила, я плакал у него на груди.

Последний раз я плакал, когда мне было лет шестнадцать, и теперь, стоя на коленях над телом старого друга, я рыдал в три ручья, и у меня было ощущение, что с меня полосками сдирают кожу, а вместе с ней всё, что я когда-либо ценил, что составляло моё «я», мой мир.

— Фил... — проговорил я и уронил голову ему на грудь.

— Он требует тебя, — сказал Дэвин.

Я взглянул на него снизу вверх и почувствовал себя отрешённым от всего и всех.

Я заметил свежую полоску крови на рубашке Фила, там, где лежала моя голова, и вспомнил, что Джерри порезал и меня.

— Кто? — спросил я.

— Глинн, — сказал Оскар. — Он окружен на детской площадке. С заложниками.

— У вас есть снайперские винтовки?

— Да, — сказал Дэвин.

Я пожал плечами:

— Так застрелите его.

— Нельзя. — Дэвин протянул мне полотенце вытереть щеку.

Оскар рассказал о ребенке за спиной Джерри, и дробовике, примотанном к голове матери, и о бензине.

И тем не менее все это казалось мне далеким от реальности.

— Он убил Фила.

Дэвин грубо схватил меня за руку и поднял на ноги.

— Да, Патрик, это так. А сейчас он может убить еще двоих. Хочешь помочь нам?

— Да, — сказал я, но мой голос был не похож на мой собственный. Он был мертвым. — Конечно.

Когда я влез в выданный бронежилет и поменял обойму в своей «беретте», они проводили меня к машине.

Болтон присоединился к нам на улице.

— Он окружен.

Я чувствовал себя совершенно опустошенным, подобно яблоку, из которого вырезали сердцевину.

— Скорее, — поторопил меня Оскар. — У тебя всего пять минут, иначе он сожжет заложников.

Я кивнул и, пока мы шли к машине, натянул на жилет сорочку и куртку.

— Знаете склад Буббы? — спросил я.

— Да.

— Забор вокруг него продолжается на детскую площадку. Он общий.

— Знаю, — сказал Дэвин.

Я открыл машину, залез в бардачок и стал разбрасывать его содержимое по сиденьям.

— Что ты делаешь, Патрик?

— В заборе, — сказал я, — есть дыра. Ее нельзя увидеть в темноте, потому что это просто доска. Надо толкнуть, и проход открыт.

— Ясно.

Я увидел край маленького стального цилиндра, торчащего из вороха спичечных коробков и рекламных проспектов, разбросанных по моим сиденьям.

— Дыра находится в правом углу забора, где стыкуются столбы у входа на склад.

Закрыв дверцу, я двинул машину вверх по авеню в сторону детской площадки. Дэвин не отрывал глаз от цилиндра.

— Что у тебя в руке?

— Одноразовый выстрел. — Я ослабил ремешок от часов и всунул цилиндр между кожаной полоской и запястьем.

— Одноразовый выстрел?

— Рождественский подарок Буббы, — сказал я. — Довольно давний. — Я помахал им перед ним. — Одна пуля. Нажимаю на эту кнопку — это такой спуск. И пуля покидает цилиндр.

Дэвин с Оскаром во все глаза глядели на невиданное новшество.

— Подумать только, просто глушитель с парой винтиков и петлей, взрывная капсула и пуля. Оно взорвется в твоей руке, Патрик.

— Возможно.

Впереди замаячила детская площадка, пятиметровый забор блестел от льда, деревья от него были темными и тяжелыми.

— Зачем тебе это? — спросил Оскар.

— Потому что он заставит меня отдать пистолет. — Я повернулся и посмотрел на них. — Отверстие в заборе, ребята.

— Пошлю туда человека, — сказал Болтон.

— Нет. — Я покачал головой, затем кивнул на Дэвина и Оскара. — Один из них. Доверяю только им. Один из вас пройдет через дыру и подползет к нему сзади.

— И что дальше? Патрик, ведь у него...

— ...ребенок, привязанный к спине. Доверься мне. Тебе предстоит ослабить силу его падения.

— Сделаю, — сказал Дэвин.

Оскар фыркнул.

— С твоими-то коленями? Чушь. Ты не пройдешь и десяти метров по льду.

Дэвин посмотрел на него:

— Да? А как, интересно, ты протащишь свою китовую задницу через всю площадку, да еще незаметно?

— Я и ночь одной крови, старик. Мы одно целое.

— О чем это он? — спросил я.

Дэвин вздохнул, ткнув пальцем в Оскара.

— Китовая задница, — сердито проворчал Оскар. — Надо же!

— Там увидимся, — сказал я и зашагал по тротуару к детской площадке.

Поднимаясь по лестнице, я буквально тащил себя, перебирая руками по перилам.

Улицы днем освободились ото льда при помощи соли и колесных шин, но детская площадка представляла собой каток. По меньшей мере пятисантиметровый слой иссиня-черного льда покрывал ее центр, где внутри асфальтового бортика накопилась вода.

Деревья, баскетбольные сетки, гимнастические снаряды и качели — все выглядело сделанным из стекла.

Джерри стоял посреди площадки, там, где сначала собирались построить фонтан, но когда в мэрии поняли, что у них не хватит денег, то ограничились простым цементным бассейном, окруженным скамейками. Иными словами, это было место, куда можно было прийти с детьми и убедиться, на что истрачены деньги налогоплательщиков.

Машина Джерри стояла здесь же, рядом. Когда я подошел, он стоял, облокотившись на капот. Ребенка мне не было видно, но стоявшая у его ног на коленях Дэниэль Роусон своим отсутствующим взглядом доказывала, что морально она уже приняла свою смерть. Двенадцать часов в багажнике сделали свое дело: спутанные волосы сбились на левой части головы, будто их приплюснули рукой, по лицу расползлись разводы туши, уголки глаз покраснели от бензина.

Она напомнила мне снимки женщин, виденных мною в Аушвице, Дахау или Боснии. Похоже, она понимала, что жизнь ее дошла до грани, когда помощи ждать неоткуда.

— Привет, Патрик, — сказал Джерри. — Остановись, достаточно.

Я остановился в шести футах от машины и в четырех от Дэниэль Роусон, обнаружив, что касаюсь носком ботинка бензинового круга на льду.

— Привет, Джерри.

— Ты слишком спокоен. — Он вскинул мокрую от бензина бровь, рыжеватые волосы прилипли к голове.

— Просто устал.

— Глаза покраснели.

— Верю тебе на слово.

— Филипп Димасси мертв, надо полагать.

— Да.

— Ты оплакивал его.

— Да. Верно.

Я посмотрел на Дэниэль Роусон, и мне понадобилось недюжинное усилие, чтобы почувствовать к ней сострадание.

— Патрик?

Он вновь облокотился о машину, отчего дробовик, привязанный к голове Дэниэль Роусон, потянул ее за собой к нему.

— Да, Джерри?

— Ты в шоке?

— Не знаю... — Я повернул голову, посмотрел вокруг: на призмы льда и черную морось, на белые и синие огни фар полицейских машин, на полицейских и федеральных агентов, вжавшихся в корпуса машин, слившихся с телефонными столбами, притаившихся на крышах домов, окружающих

451

площадку. Все они, до последнего человека, держали оружие наготове.

Пистолеты, ружья, автоматы. Триста шестьдесят градусов чистого насилия.

— Думаю, ты все-таки в шоке. — Джерри кивнул сам себе.

— Может, и так, черт возьми, Джерри, — сказал я и почесал голову, волосы насквозь промокли от дождя. — Я не спал двое суток, вы убили или ранили почти каждого, кто мне дорог. Объясните, что я должен после этого чувствовать?

— Любопытство.

— Любопытство?

— Да, именно, — повторил он и так дернул дробовик, что шея Дэниэль Роусон резко изогнулась, а голова ударилась о его колено.

Я смотрел на нее, но в ней не было ни страха, ни гнева. Она была покорна. Как и я. Попытался ощутить некую связь между нами на этой почве, но безуспешно.

Я посмотрел на Джерри.

— Любопытство к чему, Джерри? — Я провел рукой по бедру, нащупав спусковой крючок. До меня дошло, что он не потребовал положить оружие. Странно.

— Ко мне, — сказал он. — Я убил множество людей, Патрик.

— Браво.

Он вздернул дробовик, и колени Дэниэль Роусон оторвались от льда.

— Тебя это развлекает? — спросил он, и его палец крепко сжался вокруг спускового крючка.

— Нет, Джерри, мне по фигу.

В эту минуту я заметил, как в темноте над корпусом машины выдвинулась часть забора, и на ее месте образовалось пустое пространство. Затем забор вернулся на место, а пустота исчезла.

— По фигу? Вот что я тебе скажу, Пат: посмотрим, насколько тебе действительно все безразлично. — Он завел руки назад, перенес вперед ребенка, крепко держа его за одежду на спине, и поднял его в воздух. — Весит меньше, чем некоторые камни, которые я когда-то поднимал, — сказал он.

Ребенок был еще под воздействием лекарств. А возможно, мертв, не знаю. Глазки были крепко зажмурены, как от боли, а маленькую головку покрывали светлые перышки слипшихся волос. На вид малыш казался легче подушки.

Дэниэль Роусон взглянула вверх и уткнулась головой в колени Джерри; ее крик заглушала лента, облепившая рот.

— Собираетесь швырнуть малыша, Джерри?

— Конечно, — ответил он. — А что?

Я пожал плечами:

— Да ничего. Он ведь не мой.

Глаза Дэниэль округлились, а ее зрачки проклинали меня.

— Ты опустошен, Пат.

Я кивнул:

— У меня ничего не осталось, Джерри.

— Достань свой пистолет, Пат.

Я достал. И направился, чтобы выбросить его в замерзший снег.

— Нет, нет, — сказал Джерри. — Держи его при себе.

— Держать при себе?

— Совершенно верно. Более того, вставь патрон и целься в меня. Давай. Будет весело.

Я сделал, как он сказал, поднял руку и прицелился ему в лоб.

— Уже намного лучше, — сказал Джерри. — Мне жаль, что это я так опустошил тебя, Патрик.

— Да ни хрена тебе не жаль. В этом для вас был особый смысл. Разве не так?

Он ухмыльнулся:

— Что ты имеешь в виду?

— Вы хотели на практике доказать свою дебильную теорию «антигуманизма». Верно?

Он пожал плечами:

— Некоторым она не кажется дебильной.

— Некоторые покупают недвижимость в Арктике, Джерри.

Он засмеялся:

— С Эвандро она показала себя прекрасно.

— Именно поэтому вам понадобилось целых двадцать лет, чтобы вернуться?

— Я никогда и не уходил, Патрик. Но в рамках моего эксперимента по части свойств человека вообще и моей особой веры в число «три» — да, нам с Алеком пришлось ждать, пока вы все вырастете и пока Алек не найдет достойного третьего кандидата в лице Эвандро. А потом у меня годы ушли на планирование, а у Алека — на подготовку Эвандро, пока мы не убедились в том, что он — один из нас. По-моему, это огромный успех, разве нет?

— Разумеется, Джерри, как скажешь.

Он поднял ребенка так, что его голова оказалась направлена прямо на лед, и стал искать подходящее место для удара.

— Что собираешься делать, Патрик?

— Не знаю, что я тут могу, Джер.

Он улыбнулся:

— Если выстрелишь в меня, мать точно умрет, ребенок — возможно.

— Идет.

— Не выстрелишь — я размозжу голову ребенка об лед.

Дэниэль дернулась о дробовик.

— И в таком случае, — продолжил Джерри, — погибнут оба. Итак, предлагаю тебе выбор. Что скажешь, Патрик?

На льду под машиной Джерри появилась тень Оскара, который сантиметр за сантиметром продвигался вдоль ее другой стороны.

— Джерри, — сказал я, — вы победили. Верно?

— В каком смысле?

— Попробую угадать. Я должен был расплатиться за то, что мой отец сделал с Чарльзом Рагглстоуном. Верно?

— Частично, — сказал он и, взглянув на ребенка, приподнял головку так, чтобы видеть закрытые глаза.

— Ладно. Ваша взяла. Давайте стреляйте. Будет круто.

— Никогда не хотел убить тебя, Патрик, — сказал Джерри, не сводя глаз с малыша. Сморщив губы, тот издал какой-то воркующий звук. — Прошлой ночью в доме твоей напарницы Эвандро должен был убить ее, а тебя оставить в живых с чувством вины и боли.

— Почему?

Тень Оскара двигалась по льду впереди него самого. Она вынырнула впереди машины и неровными очертаниями стала перемещаться через каменных зверюшек и пони прямо к спине Джерри. Тень отбрасывал уличный фонарь откуда-то из глубины площадки, и меня разозлило, что ни одна гениальная голова не додумалась его выключить, перед тем как Оскар пробрался сквозь забор.

Стоит Джерри повернуть голову, и этот страшный спектакль приблизится к финалу.

Но он повернул лишь руку, вращая ребенка из стороны в сторону.

— Когда-то качал так своего сына, — сказал он.

— Надо льдом? — спросил я.

Он ухмыльнулся.

— Нет, Патрик. Просто держал на руках, вдыхал его запах и иногда целовал в макушку.

— И он умер.

— Да. — Джерри пристально вгляделся в лицо ребенка и придал своему собственному похожее выражение.

— Так что, Джерри, это и есть самая главная причина?

В моем голосе, не знаю откуда и почему, появился слабый намек на эмоцию.

Джерри уловил его.

— Брось пистолет вправо.

Я посмотрел на него отсутствующим взглядом, будто забыл, что он там.

— Живо. — Джерри разжал кисть руки, и ребенок полетел вниз.

Дэниэль вскрикнула сквозь залепленный рот и стукнулась головой о дробовик.

— Ладно, — сказал я. — Ладно.

Голова мальчика гирей приближалась ко льду, но в последний момент Джерри обхватил пальцами лодыжки ребенка.

Я бросил пистолет в слякотную песочную яму под гимнастическими снарядами.

— Теперь второй, — сказал Джерри и стал раскачивать ребенка из стороны в сторону как маятник.

— Да пошел ты, — сказал я, глядя на рискованные манипуляции с детским тельцем.

— Патрик, — сказал он и поднял брови, — похоже, ты уже вышел из оцепенения. Второй.

Я вытащил пистолет Фила, который он держал в руке, когда Джерри перерезал ему горло, и бросил его рядом со своим.

Оскар, видимо, заметил свою тень, так как она стала двигаться обратно за машину, а его ноги появились между передними и задними шинами.

— В день, когда умер мой сын, — сказал Джерри и, прижав Кэмпбела Роусона к щеке, понюхал его нежное личико, — ничто не предвещало беды. Ему было четыре года, он играл во дворе, шумел, затем... тишина. Заклинило какой-то клапан в мозгу. — Он пожал плечами. — Просто заклинило. А череп наполнился кровью. И он умер.

— Сочувствую.

Он одарил меня нежной, доброй улыбкой.

— Если еще раз проявишь ко мне сочувствие, Патрик, я разобью череп ребенка вдребезги. — Он нагнулся и поцеловал Кэмпбела в щечку. — Итак, мой сын был мертв. И я понял: не существует способов предсказать то, что случится, или предотвратить. Бог решил, что Брендон Глинн должен умереть сегодня. Так тому и быть.

— А ваша жена?

Джерри погладил Кэмпбела по волосам, но глаза мальчика оставались закрытыми.

— Моя жена, — сказал он. — Хм-м. Я убил ее, да. Не Бог, а я. Не знаю, какие планы были у Бога насчет этой женщины, но я их разрушил. У меня были планы по части жизни Брендона, но Бог их развеял. Возможно, у него были планы в отношении Кары Райдер, но ему пришлось поменять их, разве нет?

— А Хардимен, — спросил я, — как он пришел к этому?

— Он рассказывал о своем детском открытии по части пчел?

— Да.

— Ммм. Это были не пчелы. Алек любит все приукрашивать. Я был там, это были комары. На него налетела целая туча, а когда он вышел из нее, я заметил, что в его сознании произошел сдвиг. — Он улыбнулся, а в глазах у него плясали насекомые и чернело бездонное озеро. — После этого между Алеком и мной установились отношения «ученик — наставник», которые позднее преобразились в нечто куда более значительное.

— И он добровольно пошел в тюрьму, чтобы защитить вас?

Джерри пожал плечами:

— Тюрьма ничего не значит для таких, как Алек. Его свобода безгранична, Патрик. Она в его сознании. Решетки не могут сдержать ее. В тюрьме Алек более свободен, чем большинство людей за ее пределами.

— Тогда зачем наказывать Дайандру Уоррен за то, что она послала его в тюрьму?

Он ухмыльнулся:

— Она унизила Алека. При всех. Она дерзнула *разобрать его по косточкам* перед судом каких-то тупиц. Это было чертовски оскорбительно.

— В таком случае, — моя рука щупала мокрый от бензина снег, — все это вы с Алеком устроили, чтобы показать кому? Богу?

— Это, пожалуй, слишком упрощенный подход, но, если этой бойкой туфтой ты собираешься кормить средства массовой информации после моей смерти, милости прошу, Патрик.

— Ты собираешься умереть, Джерри? Когда?

— Как только ты решишь, Патрик. Ты убьешь меня. — Он наклонил голову в сторону полиции. — Либо они.

— А как с заложниками, Джерри?

— Один из них умрет. Как минимум. Ты не сможешь спасти обоих, Патрик. Выхода нет. Прими это как должное.

— Я это сделал.

Дэниэль Роусон впилась глазами в мое лицо, чтобы понять, шучу ли я, но по моему неподвижному взгляду поняла, что нет.

— Один из них умрет, — сказал Джерри. — Мы ведь договорились?

— Да.

Я повел своей левой ногой вправо и назад, затем снова вправо. Надеюсь, для Джерри это был бессмысленный жест. Для Оскара же, надеюсь, это кое-что означало. Я не мог больше бросать взгляды на машину. Мне приходилось лишь верить, что он там.

— Месяц назад, — сказал Джерри, — ты бы еще из кожи вон лез, чтобы спасти обоих. Ты ломал бы голову. Но не теперь.

— Верно. Вы хорошо научили меня, Джерри.

— Сколько жизней ты исковеркал, чтобы добраться до меня? — спросил он.

Я подумал о Джеке и Кевине. О Грейс и Мэй. И, конечно же, о Филе.

— Немало, — сказал я.

Он рассмеялся:

— Хорошо. Хорошо. Даже забавно, правда? Я понимаю, ты никогда не убивал никого намеренно. Верно? Но, скажу откровенно, я тоже не планировал превратить это в профессию на всю жизнь. После того как я в состоянии аффекта совершенно непреднамеренно убил свою жену... да, убил жену, я почувствовал себя ужасно. Меня рвало. По ночам обливался холодным потом. Так длилось две недели. И вот однажды ночью я ехал по заброшенной дороге недалеко от Мэнсфилда, где на милю взад и вперед не встретишь ни одной машины. Мимо меня проезжал парнишка на велосипеде, и во мне вдруг возник импульс, самый сильный за всю жизнь. Я ехал справа от него, видел фары на мотоцикле, его лицо, серьезное и сосредоточенное, но некий голос мне сказал: «Давай по колесу, Джерри. Давай». И я ударил. Я лишь повернул руль чуть влево, и парень вспорхнул и влетел в дерево. Я вернулся к нему, он был едва жив. Я стоял и смотрел, как он умирает. И я воспрял, мне стало хорошо. А дальше — лучше. Следующим был негритянский паренек, знавший, что я подставил другого за убийство своей жены, за ними последовали другие, вплоть до Кола Моррисона. Мое самочувствие все улучшалось и улучшалось. И я не жалею. Извини, но это так. Поэтому, когда ты убьешь меня...

— Я не собираюсь убивать тебя, Джерри.

— Что? — Его голова подалась назад.

— Ты меня слышал. Пусть кто-то другой сделает из тебя мученика. Для меня ты плевок, а не человек. Ничто. Ты не достоин ни пули, ни греха на моей душе за твою смерть.

— Снова пытаешься разозлить меня, Патрик? — Он снял Кэмпбела Роусона с плеча и поднял его в воздух.

Я повернул запястье таким образом, что цилиндрик выпал мне в ладонь, и пожал плечами.

— Ты посмешище, Джерри. Я знаю, что говорю.

— Неужели?

— Именно так. — Наши взгляды скрестились. — И, как всему на свете, тебе придет замена, самое большее через неделю. Появится еще какой-нибудь урод, больной шизик, убивающий людей, и все газеты штата и страны будут трубить о нем, а вы станете вчерашним обедом. Что ж, твои пятнадцать минут истекли, Джерри. И прошли они без каких-либо «знаков».

Джерри стащил мальчика вниз, вновь ухватил за лодыжки, а палец прижал к курку дробовика. Дэниэль закрыла один глаз в ожидании неизбежной вспышки, но второй оставила открытым, не спуская его с сына.

— Вот уж это они у меня запомнят, — сказал Джерри. — Можете мне поверить!

Но когда он, став в позу игрока, подающего мяч в футболе, отвел руку назад, находящийся в ней малыш Кэмпбел внезапно выскользнул и исчез в темноте за его спиной. Маленькое белое тельце будто вернулось обратно в утробу матери.

И когда Джерри перенес взмах руки вперед, чтобы бросить ребенка в воздух, того уже не было в его руке.

Он в недоумении посмотрел вниз, я же прыгнул вперед и, упав коленями на лед, просунул указательный палец левой руки между спусковым крючком и предохранителем.

Джерри нажал на спусковой крючок. Когда он нащупал мой палец, то посмотрел на меня и нажал с такой силой, что сломал мне палец.

В его левой руке появилось длинное лезвие, а я вдавил одноразовый выстрел в его правую ладонь.

Джерри взвизгнул раньше, чем я нажал на спуск. Звук был очень высоким, похожим на лай или вой гиены, а погружение бритвы в мою шею, затем в челюсть напоминало прикосновение кончика языка возлюбленной.

Я освободил спусковой крючок на одноразовом выстреле, но ничего не произошло.

Джерри закричал еще громче, лезвие вынырнуло из моего тела, затем впилось в него снова, я крепко стиснул закрытые глаза и трижды дернул спусковой крючок.

И тут рука Джерри взорвалась.

Моя тоже.

Лезвие упало на лед возле моих коленей после того, как я выпустил одноразовый выстрел, а огонь захватил электропровод и бензин на руке Джерри, а также волосы Дэниэль.

Джерри откинул голову назад, широко открыл рот и замычал.

Я схватил лезвие, но почти не почувствовал этого, так как нервы на моей руке, видимо, потеряли чувствительность.

Я вонзил его в электропровод у рукоятки дробовика, после чего Дэниэль рухнула на лед и, откатившись, уткнулась головой в заснеженный песок.

Мой сломанный палец высвободился из дробовика, а Джерри направил ствол прямо мне в голову.

Отверстия двойного канала ствола дробовика возникли из тьмы, как глаза существа без души и милосердия, и я поднял голову, чтобы встретить их, но вопль Джерри, когда огонь лизнул его шею, перекрыл все звуки.

Прощайте, друзья мои, подумал я. Спасибо за все.

Первые два выстрела Оскара пришлись в затылок Джерри, и пули вышли наружу в центре его лба, третий же угодил ему в спину.

Дробовик в пылающей руке Джерри дернулся вверх, после чего разразился несколькими выстрелами, от которых Джерри задергался как марионетка и наконец свалился на землю. Дробовик пальнул еще дважды и продырявил отверстия во льду перед ним.

Сначала Джерри опустился на колени, и в какое-то мгновение я не мог определить, жив он или нет. Его рыжие волосы пылали, а голова съехала влево, один глаз исчез в огне, другой подмигивал мне сквозь клубы дыма, и в его зрачке светился веселый огонек.

Патрик, говорил мне глаз сквозь пелену дыма, ты все еще ничего не знаешь.

По другую сторону трупа Джерри поднялась фигура Оскара, крепко прижимающего к массивной, тяжело вздымающейся груди Кэмпбела Роусона.

Их вид — что-то мягкое и нежное в руках чего-то мощного и могучего — заставил меня рассмеяться.

Оскар вышел из темноты, обходя пылающее тело Джерри, и пошел ко мне, я же в это время почувствовал прилив жаркой волны — это загорелся бензиновый круг, охватывая Джерри.

Гори, подумал я. Гори. Да простит меня Бог, но гори.

Оскар приблизился, пламя вспыхнуло ярче, от чего я рассмеялся еще сильнее, в то время как он смотрел на все довольно отстраненно, не испытывая особых впечатлений.

Я почувствовал холодное прикосновение чьих-то губ к моему уху, но, когда обернулся, Дэниэль уже спешила взять своего ребенка у Оскара.

Его мощная тень надвигалась на меня по мере его приближения, я смотрел на него вверх, а он долго разглядывал меня.

— Как дела, Патрик? — сказал он и широко улыбнулся.

А позади него в огне на льду горел Джерри.

И по какой-то странной причине все вокруг было чертовски забавным, хотя на самом деле я знал, что это не так. Знал, что не так. Знал. Но я продолжал смеяться, даже когда меня забирала машина «скорой помощи».

Эпилог

Спустя месяц после смерти Джерри Глинна было обнаружено его логово. Оно находилось в заброшенном кафетерии давно закрытого исправительного дома в Дэдхеме. Наряду с частями человеческих тел, спрятанных в полудюжине холодильников, полиция обнаружила также список людей, которых он убил начиная с 1965 года. Джерри было двадцать семь, когда он убил свою жену, и пятьдесят восемь к моменту смерти. За тридцать один год он убил — сам или с помощью Чарльза Рагглстоуна, Алека Хардимена и Эвандро Аруйо — тридцать четыре человека. Согласно списку.

Полицейский психолог предположил, что подобный список на самом деле должен быть намного длиннее. Он допускал, что какая-то часть личности Джерри легко делила жертвы на «стоящие» и «нестоящие».

Из тридцати четырех шестнадцать были беглецы, один в Лаббоке, Техас, другой в незарегистрированном округе Дейд, Флорида, как и предполагал Болтон.

Через три с половиной недели после смерти Джерри издательство «Кокс паблишерз» выпустило документальный детектив под названием «Бостонский мясник», написанный главным редактором газеты «Ньюс». Книга разошлась за два дня, затем было обнаружено тайное место в Дэдхеме, и вскоре публика утратила интерес, потому что даже книга, созданная за двадцать четыре дня, не в состоянии угнаться за временем.

Внутреннее полицейское расследование по делу о смерти Джерри Глинна заключило, что полицейские и федеральные агенты применили «необходимые чрезвычайные меры», когда всадили в него четырнадцать пуль после того, как Оскар своими тремя эффективно прикончил его.

Стэнли Тимпсона арестовали по обвинению в тайном участии в заговоре с целью убийства Рагглстоуна и в том, что он препятствовал федеральному расследованию по прибытии из Мехико в аэропорт Логан.

После повторного рассмотрения дела Рагглстоуна штат решил, что, раз уж единственный свидетель убийства — это психически неполноценный пациент, неизлечимый алкоголик и жертва СПИДа, который все равно не доживет до процесса, а улик уже не существует, следует передать дело Тимпсона федеральным органам.

По позднейшим слухам, Тимпсон собирался обратиться с ходатайством об акцентировании факта препятствия расследованию взамен на исключение упоминания о заговоре.

Адвокат Алека Хардимена подал петицию в Верховный суд с требованием отмены приговора суда по делу его клиента и немедленного прекращения срока его пребывания в тюрьме. При этом он ссылался на обвинения, выдвинутые против Тимпсона и ОАЭЭ в связи с убийством Рагглстоуна.

Второе ходатайство адвокат подал в гражданский суд о привлечении к ответу штата Массачусетс, нынешнего губернатора и шефа полиции, а также лиц, занимавших эти посты в 1974 году. Адвокат настаивал на том, что Алеку Хардимену за ошибочное тюремное заключение положена компенсация в размере шестидесяти миллионов долларов — по три миллиона за каждый год, проведенный за решеткой. Кроме того, адвокат утверждал, что его клиент стал также жертвой самого штата, так как был инфицирован СПИДом благодаря внутреннему распорядку тюрьмы, позволившему совершать незаконные действия над заключенными, поэтому он должен быть немедленно освобожден, пока у него еще осталось немного времени. Пересмотр дела Хардимена находится в стадии решения.

Джек Рауз и Кевин Херлихи, по слухам, прячутся где-то на Каймановых островах.

Правда, по другим слухам, изредка появляющимся в газетах, они убиты по приказу Толстого Фредди Константине. Но лейтенант Джон Кевоски из Главного управления по борьбе с преступностью заявил: «Нет. Кевин и Джек не раз замечены в бегстве, когда, так сказать, становится жарко. Кроме того, у Фредди не было причин избавляться от них. Они зарабатывали для него деньги. Нет, нет, они где-то на Карибах».

А может, и нет.

Дайандра Уоррен ушла из Университета Брайса и занялась частной практикой.

Эрик Голт продолжает преподавать в Брайсе, его тайна осталась нераскрытой.

Родители Эвандро Аруйо продали дневник своего сына, написанный им еще в юности, телевидению за двадцать тысяч долларов. Но позднее продюсеры потребовали свои деньги назад на основании того, что дневник содержал размышления совершенно здорового человека.

Родители Питера Стимовича и Памелы Стоукс затеяли судебный процесс против штата, губернатора и Уолполской тюрьмы за то, что они освободили Эвандро Аруйо.

Кэмпбел Роусон, по мнению докторов, чудесным образом не пострадал от сверхдозы гидрохлорофила, введенной ему Джерри Глинном. У него должны были наблюдаться необратимые мозговые нарушения, но вместо этого он проснулся всего лишь с головной болью.

Его мама, Дэниэль, прислала мне рождественскую открытку, в которой благодарила меня и уверяла, что если я когда-либо буду проезжать через Ридинг, то всегда могу рассчитывать на горячий обед и радушный прием.

Грейс и Мэй вернулись домой через два дня после смерти Джерри. Грейс восстановилась в больнице Бет Израэль и позвонила мне в день, когда я выписался из больницы.

Это был один из тех неловких разговоров, в которых вежливость заменяет близость, и я в конце концов спросил напрямик, не хотела бы она как-нибудь встретиться со мной.

— Не думаю, что это хорошая мысль, Патрик.

— Никогда?

Наступила долгая, как раздувающийся мыльный пузырь, пауза, во время которой ответ напрашивался сам собой, но тут она сказала:

— Я всегда буду любить тебя.

— Но?

— Но моя дочь у меня на первом месте, и я не могу рисковать, снова втягивая ее в твою жизнь.

У меня появилось ощущение, что внутри меня образовалась яма, она зияла, затем стала расширяться от горла до желудка.

— Могу я поговорить с ней? Попрощаться хотя бы...

— Не думаю, что это разумно. И для нее, и для тебя. — Ее голос дрогнул, а учащенное дыхание перешло во влажный свист. — Иногда лучше позволить чему-то угаснуть.

Я закрыл глаза и на мгновение прижал голову к трубке.

— Грейс, я...

— Я должна идти, Патрик. Береги себя. Сам знаешь, что я имею в виду. Не дай своей работе разрушить тебя. Хорошо?

— Хорошо.

— Обещаешь?

— Обещаю, Грейс. Я...

— Прощай, Патрик.

— Прощай.

Энджи уехала на следующий день после похорон Фила.

— Он умер, — сказала она, — потому что любил нас обоих слишком сильно, а мы его — нет.

— Что ты имеешь в виду? — Я смотрел в открытую могилу, вырытую в твердой мерзлой земле.

— Эта борьба была ему не под силу, и тем не менее он в нее вступил. Ради нас. А у нас оказалось недостаточно любви к нему, чтобы защитить его.

— Не уверен, что все так просто.

— А зря, — убедительно сказала она и опустила цветы на гроб в могиле.

В квартире я застал целую стопку корреспонденции — счета, назойливые приглашения из желтых журналов, с местной телестанции и радиоток-шоу. Говорить, говорить, говорить — вот все, что вам нужно, но это не отменяет того факта, что Глинн существовал. А многие, подобные ему, живут до сих пор.

Единственное, что привлекло мое внимание, была открытка от Энджи, которую я вытащил из стопки.

Она пришла две недели назад из Рима. На ней птички махали крыльями над Ватиканом.

Патрик,
здесь здорово. Как думаешь, что мужики в этом помещении решают сейчас по поводу моей жизни и моего тела? Здесь повсюду мужчины щиплют нас за задницы, я скоро не выдержу и устрою международный скандал, честное слово. Завтра отправляюсь в Тоскану. После этого кто знает? Тебе передает привет Рене. Считает, что ты не должен комплексовать по поводу бороды, ей всегда

казалось, что она тебе страшно пойдет. И это моя
сестра! Береги себя.

Скучаю,

Эндж.

В начале декабря по совету друзей я отправился на консультацию к психиатру.

После часового разговора он заявил, что у меня
клиническая депрессия.

— Знаю, — сказал я.

Он наклонился вперед:

— И как же мы собираемся выходить из нее?

Я посмотрел на дверь за его спиной, очевидно,
туалет.

— Вы можете вернуть сюда Грейс или Мэй
Коул?

Он повернул голову и посмотрел на меня:

— Нет, но...

— А Энджи?

— Патрик...

— Можете вы воскресить Фила или вычерк-
нуть последние несколько месяцев из моей жизни?

— Нет.

— В таком случае, доктор, вы не можете мне
помочь.

Я выписал ему чек.

— Но, Патрик, вы в глубокой депрессии и нуж-
даетесь...

— Нуждаюсь в своих друзьях, доктор. Простите, но вы посторонний человек. Ваш совет
может быть мудрым, но это все же совет постороннего, а я не принимаю советы от посторонних.
Этому научила меня мама.

— И все-таки вам нужна...

— Мне, доктор, нужна Энджи. Все очень просто. Знаю, что я в депрессии, но изменить сейчас ничего не могу да и не хочу.

— Почему?

— Потому что это естественно. Как осень. Попробуйте пройти через то, что прошел я, и остаться крепким орешком, не впавшим в депрессию! Верно?

Он кивнул.

— Благодарю за потраченное время, доктор.

СОЧЕЛЬНИК. 7:30 ВЕЧЕРА

И вот я сижу.

На своем балконе спустя три дня после того, как кто-то стрелял в священника в круглосуточном магазине. Кажется, жизнь продолжается.

Мой безумный домовладелец Станис пригласил меня на завтра на рождественский обед, но я отказался, объяснив, что у меня другие планы.

Вообще-то я мог бы пойти к Ричи и Шерилин. Или к Дэвину. Они с Оскаром пригласили меня на свое холостяцкое Рождество. Запеченная в микроволновке индейка и неограниченное количество виски «Джек Дэниэлз». Звучит заманчиво, но...

Мне случалось встречать Рождество в одиночестве и раньше. Несколько раз. Но никогда так, как сегодня. Я никогда раньше не чувствовал такое ужасное одиночество и опустошающее отчаяние.

«Но мы в состоянии любить одновременно нескольких, — как-то сказал Фил. — Мы люди, а значит, грешны».

Человеческая порода достаточно безалаберная.

Что до меня, это точно.

Вот и сейчас, сидя в одиночестве на балконе, я любил Энджи, и Грейс, и Мэй, и Фила, и Кару Райдер, и Джейсона, и Дайандру Уоррен, и Дэниэль и Кэмпбела Роусонов. Я всех их любил и всех потерял.

И чувствовал себя еще более одиноким.

Фил умер. Я знал это, но отчаяние не позволяло мне принять это до конца, и отчаянно желал, чтобы это было неправдой.

В моей памяти всплывали картины детства: мы вылезаем через окна наших славных домов, встречаемся на улице, бежим по ней, смеясь над тем, как легко нам удалось ускользнуть из дома, а дальше сквозь темную ночь направляемся к дому Энджи, вытаскиваем ее через окно, дополняя нашу отчаянную компанию.

И втроем отправляемся в темную ночь.

Сейчас не представляю, чем мы занимались в эти полуночные прогулки, о чем говорили, когда пробирались через темные цементные джунгли нашей округи.

Знаю, что много всего было.

Скучаю, написала она.

Я тоже. Мне не хватает тебя больше, чем обрубленных нервов в моей руке.

— Привет, — сказала она.

Я дремал в кресле, сидя на балконе, и открыл глаза с первыми снежинками этой зимы. Я заморгал и повернул голову на ее голос, такой мучительный и вместе с тем настолько живой, что я как дурак готов был поверить, что это не сон.

— Тебе не холодно? — спросила она.

Вот теперь я проснулся. И эти последние слова доносились отнюдь не из сна.

Я повернулся в кресле, а она осторожно ступила на крыльцо, будто боялась помешать нежному приземлению девственно-чистых снежинок.

— Привет, — сказал я.

— Привет.

Я поднялся, а она остановилась на расстоянии вытянутой руки.

— Не могла больше выдержать там.

— Я рад.

Снежинки падали на ее волосы и на какое-то мгновение, прежде чем растаять и исчезнуть, загорались белым сиянием.

Она сделала неуверенный шаг, я тоже, и вот она уже в моих объятиях, а белые пушистые хлопья покрывают наши тела.

Зима, настоящая зима наконец пришла.

— Я скучала по тебе. — Она прижалась ко мне всем телом.

— Я тоже.

Она поцеловала меня в щеку, запустила пальцы мне в волосы, при этом ее взгляд был столь пристальным, что ресницы успели покрыться снежными хлопьями.

Она опустила голову.

— По нему я тоже скучаю. Страшно.

— И я.

Когда она подняла голову, лицо ее блестело, и я не уверен, что только от растаявшего снега.

— Есть какие-нибудь планы на Рождество? — спросила она.

— Жду твоих предложений.

Она вытерла левый глаз.

— Я бы хотела провести его с тобой, Патрик. Как тебе такая идея?

— Это лучший подарок на Рождество, Эндж.

Мы сидели на кухне, пили горячий шоколад и смотрели поверх кружек друг на друга, в то время как радио в гостиной рассказывало о погоде.

Оказывается, снег, по мнению диктора, был частью первого циклона, накрывшего Массачусетс этой зимой. К утру, когда мы проснемся, пообещал он, снежный покров достигнет примерно двадцати пяти — тридцати сантиметров.

— Настоящий снег, — сказала Эндж. — Кто бы мог подумать?

— Уже пора.

По окончании прогноза погоды диктор стал рассказывать о состоянии преподобного Эдварда Брюэра.

— Как думаешь, сколько он протянет?

Я пожал плечами.

Мы отхлебнули из кружек, а диктор сообщил о требовании мэра об ужесточении закона о запрете на оружие и о призыве губернатора к более строгому применению правоохранительных законов. Значит, какой-нибудь другой Эдди Брюэр не окажется в неподходящем магазине в неподходящее время. Или другая Лора Стайлз сможет расстаться с драчливым кавалером, не опасаясь смерти. И все Джеки-потрошители в мире прекратят вселять в нас ужас.

Итак, в один прекрасный день наш город будет так же безопасен, как Эдем перед грехопадением, и наша жизнь будет избавлена от хаоса и боли.

— Пошли в гостиную, — сказала Энджи, — и выключи радио.

Она вышла из темной кухни, окна которой снег расписал мягкими белыми хлопьями, но я взял ее за руку и повел по коридору в гостиную.

Состояние Эдди Брюэра не изменилось. Он все еще в коме.

Как сказал диктор, город ждет. Город ждет, затаив дыхание.

Литературно-художественное издание

Серия "Лекарство от скуки"

Деннис Лихэйн

Дай мне руку, Тьма

Редактор Н.Казакова
Корректоры Т.Дмитриева, Е.Туманова
Технический редактор Л.Синицына
Компьютерная верстка Т.Коровенкова

ООО "Издательская Группа "Азбука-Аттикус" —
обладатель товарного знака "Издательство Иностранка"
119334, Москва, 5-й Донской проезд, д. 15, стр. 4

Филиал ООО "Издательская Группа "Азбука-Аттикус"
в г. Санкт-Петербурге
196105, Санкт-Петербург, ул. Решетникова, д. 15

ЧП "Издательство "Махаон-Украина"
04073, Киев, Московский проспект, д. 6, 2-й этаж

ЧП "Издательство "Махаон"
61070, Харьков, ул. Ак. Проскуры, д. 1

Знак информационной продукции
(Федеральный закон № 436-ФЗ от 29.12.2010 г.)   (16+)

Подписано в печать 16.09.2013. Формат 75 × 100/32.
Бумага газетная. Гарнитура "Журнальная".
Печать офсетная. Усл. печ. л. 20,85.
Уч.-изд. л. 19,05. Тираж 3000 экз. B-LS-14070-01-R. Заказ № 7413.

Отпечатано в ООО «Тульская типография».
300600, г. Тула, пр. Ленина, 109.